Utilitarismo

Dados Internacionais de Catalogação na Publicação (CIP)
(Câmara Brasileira do Livro, SP, Brasil)

Mulgan, Tim
 Utilitarismo / Tim Mulgan ; tradução de Fábio Creder. 2. ed. – Petrópolis, RJ : Vozes, 2014. – (Série Pensamento Moderno)

 Título original: Understanding utilitarianism
 Bibliografia.

 3ª reimpressão, 2025.

 ISBN 978-85-326-4373-5

 1. Utilitarismo I. Título. II Série

12-04152　　　　　　　　　　　　　　　　　　　　CDD-171.5

Índices para catálogo sistemático:
1. Utilitarismo : Filosofia　　　171.5

TIM MULGAN

Utilitarismo

TRADUÇÃO DE FÁBIO CREDER

EDITORA
VOZES

Petrópolis

© 2007, Tim Mulgan
Tradução autorizada a partir da Acumen Publishing Ltd. Edition.
Edição brasileira publicada por intermédio da Agência Literária Eulama Internacional.
Tradução do original em inglês intitulado
Understanding Utilitarianism

Direitos de publicação em língua portuguesa – Brasil:
2012, Editora Vozes Ltda.
Rua Frei Luís, 100
25689-900 Petrópolis, RJ
www.vozes.com.br
Brasil

Todos os direitos reservados. Nenhuma parte desta obra poderá ser reproduzida ou transmitida por qualquer forma e/ou quaisquer meios (eletrônico ou mecânico, incluindo fotocópia e gravação) ou arquivada em qualquer sistema ou banco de dados sem permissão escrita da editora.

CONSELHO EDITORIAL

Diretor
Volney J. Berkenbrock

Editores
Aline dos Santos Carneiro
Edrian Josué Pasini
Marilac Loraine Oleniki
Welder Lancieri Marchini

Conselheiros
Elói Dionísio Piva
Francisco Morás
Teobaldo Heidemann
Thiago Alexandre Hayakawa

Secretário executivo
Leonardo A.R.T. dos Santos

PRODUÇÃO EDITORIAL

Anna Catharina Miranda
Eric Parrot
Jailson Scota
Marcelo Telles
Mirela de Oliveira
Natália França
Priscilla A.F. Alves
Rafael de Oliveira
Samuel Rezende
Verônica M. Guedes

Editoração: Fernando Sergio Olivetti da Rocha
Diagramação: Sheilandre Desenv. Gráfico
Capa: WM design

ISBN 978-85-326-4373-5 (Brasil)
ISBN 978-1-84465-090-3 (Reino Unido)

Este livro foi composto e impresso pela Editora Vozes Ltda.

Sumário

1 Introdução **7**

2 O utilitarismo clássico **14**

3 Provas do utilitarismo **66**

4 Bem-estar **88**

5 Injustiça e exigências **133**

6 Atos, regras e instituições **162**

7 Consequencialismo **183**

8 Praticidade **206**

9 O futuro do utilitarismo **229**

Questões para discussão e revisão **245**

Leituras complementares **257**

Índice **267**

1

Introdução

O que é o utilitarismo?

Em seu breve ensaio *O utilitarismo*, John Stuart Mill oferece uma explicação bastante sucinta do Princípio de Utilidade.

As ações são certas na proporção em que tendem a promover a felicidade, e erradas na proporção em que tendem a produzir o reverso da felicidade. Por felicidade entende-se prazer, e a ausência de dor; e, por infelicidade, dor e a privação de prazer (Mill. *O utilitarismo*, 55).

No entanto, este princípio enganadoramente simples não é toda a história. O utilitarismo é uma ampla tradição do pensamento filosófico e social, não um princípio único. A ideia utilitarista central consiste em que a moralidade e a política estão (e devem estar) centralmente preocupadas com a promoção da felicidade. Embora o princípio de Mill seja uma expressão dessa ideia básica, há muitas outras. Em particular, o princípio de Mill foca a nossa atenção em ações particulares. Conforme veremos, os utilitaristas frequentemente têm estado mais interessados em avaliar códigos de regras morais ou sistemas de instituições políticas.

Por que estudar o utilitarismo?

Se você está frequentando um curso introdutório de ética, então provavelmente lhe serão perguntadas questões sobre o utilitarismo. Se você quer passar no curso, isso lhe fornece uma razão para estudar o utilitarismo. Felizmente, existem outras – mais nobres – razões para se estudar o utilitarismo. Ao longo dos últimos dois séculos, a tradição utilitarista tem sido muito influente – não apenas dentro da filosofia, mas nas disciplinas mais obviamente práticas da política e da economia. Como resultado dessa influência, pressupostos e argumentos utilitaristas abundam na vida econômica e política moderna, especialmente nas políticas públicas. Se quisermos compreender o mundo social em que vivemos, uma compreensão da tradição utilitarista é essencial.

Em cursos introdutórios de ética, o utilitarismo é frequentemente apresentado como uma teoria profundamente contraintuitiva – a qual alguns filósofos aceitam a despeito da sua falta de apelo intuitivo. Conforme veremos no capítulo 5, há boas razões para isso. O utilitarismo pode enfrentar problemas intuitivos muito graves. No entanto, a ideia utilitarista central também tem considerável apelo intuitivo. O que poderia ser mais óbvio do que o pensamento de que, tanto em nossas vidas diárias quanto nas nossas deliberações políticas, devemos esforçar-nos por tornar melhores as vidas das pessoas? O que mais deveríamos querer – tornar as pessoas miseráveis?

Reações negativas ao utilitarismo são muitas vezes baseadas em mal-entendidos. Jeremy Bentham deu ao utilitarismo um mau nome. E ele o sabia. Embora Bentham tenha por vezes utilizado a expressão "princípio de utilidade", ele preferia a expressão mais longa, porém mais precisa, "princípio da maior felicidade". O enfoque na "utilidade" sugere uma visão séria, austera, oposta à frivolidade ou à diversão. No português convencional, descrever um edifício como sendo "utilitário" quer dizer que ele é apenas funcional. Cumpre o seu propósito, mas não oferece qualquer prazer ou satisfação. Por vezes os utilitaristas incentivaram este mal-entendido. Mas, adequadamente compreendida, a tradição utilitarista aponta na direção oposta. Prazer, fruição e diversão são todos componentes da felicidade. São todos, portanto, coisas que os utilitaristas querem promover. (Com efeito, conforme veremos no capítulo 4, os filósofos utilitaristas são frequentemente acusados de serem *demasiadamente* interessados no prazer.)

Plano do livro

Introduções ao utilitarismo tipicamente assumem uma de duas formas. Algumas discutem os utilitaristas clássicos a partir de uma perspectiva puramente *histórica*, sem tentar conectar seu trabalho com desenvolvimentos posteriores em filosofia moral. No outro extremo, cursos de ética baseados em problemas são muitas vezes inteiramente não *históricos*, de modo que o utilitarismo é apresentado como um princípio moral abstrato que emergiu miraculosamente do éter filosófico. A minha abordagem situa-se entre estes dois extremos. Pretendo apresentar o utilitarismo como uma tradição viva, como oposto tanto a uma visão desatualizada de interesse meramente histórico ou a um conjunto não *histórico* de princípios abstratos.

O capítulo 2 oferece uma breve história da tradição utilitarista, demonstrando como mudanças no contexto histórico alteraram as prioridades dos pensadores utilitaristas. Começamos com uma breve exposição sobre os precursores do utilitarismo clássico, contrastando o utilitarismo teológico conservador de William Paley com o ateísmo radical de William Godwin. A maior parte do capítulo explora a evolução do utilitarismo clássico desde Bentham, passando por J.S. Mill, até Henry Sidgwick. O objetivo do capítulo é ilustrar tanto a relevância atual dos utilitaristas clássicos quanto até que ponto as suas preocupações diferem das nossas.

Nos últimos 200 anos, pensadores utilitaristas têm oferecido várias justificativas para as suas opiniões. Estas são exploradas no capítulo 3. Um tema central é que o estilo dessas "provas" tem sido muitas vezes impulsionado mais pela ortodoxia filosófica prevalecente à época do que por qualquer debate interno à tradição utilitarista. Como resultado, o capítulo procede cronologicamente. Ele também inclui resumos de desenvolvimentos mais amplos na filosofia de língua inglesa ao longo dos últimos duzentos anos, desde os primeiros trabalhos de Bentham, passando pelo empirismo de Mill, o intuicionismo filosófico de Sidgwick, e a obsessão com a análise da linguagem moral de meados do século XX; até as recentes tentativas de reivindicar o utilitarismo usando-se os vários métodos da filosofia contemporânea. (A história filosófica mais ampla aqui merece vários livros independentes. O meu objetivo, portanto, é oferecer apenas um gostinho da relação entre a filosofia moral e as tendências filosóficas mais amplas. Outros livros da série sobre os movimentos do pensamento moderno fornecem mais detalhes sobre movimentos específicos da filosofia moderna.) Encerramos perguntando como essas mudanças na ênfase filosófica subjacente afetaram o *conteúdo* da moralidade utilitarista. Defendo que o afastamento de tentativas de construir provas dedutivas do princípio utilitarista aumentou a importância das consequências supostamente contraintuitivas do princípio utilitarista. Isto pavimenta o caminho para os capítulos subsequentes.

Talvez a questão mais importante a dividir os utilitaristas seja a definição de felicidade ou "bem-estar" ou "utilidade" ou "o que quer que faça a vida valer a pena". (O fato de os utilitaristas usarem todos esses diferentes termos – e ainda outros – é uma indicação das complexidades envolvidas.) O capítulo 4 acompanha o debate desde os utilitaristas clássicos até os pensadores contemporâneos. Nós nos concentramos em três alternativas principais: o *hedonismo* (a vida boa consiste no prazer), a *teoria da preferência* (a vida boa consiste em se conseguir o que se quer), e a *teoria da lista objetiva* (a vida boa consiste em várias coisas que são valiosas por direito próprio, como o conhecimento ou a realização). Embora material histórico seja introduzido onde for relevante, o nosso principal interesse é nas próprias posições, e não nos pensadores que por primeiro as propuseram.

O capítulo 4 também introduz-nos aos métodos da filosofia moral moderna, especialmente o uso de "experimentos de pensamento", para se testar uma teoria moral. O capítulo termina com uma discussão sobre a significância moral do bem-estar dos animais, e a sua conexão com o bem-estar dos seres humanos. Esta questão é interessante por si só, mas é também uma excelente forma de ilustrar as diferenças entre as teorias concorrentes sobre o bem-estar *humano*.

Cursos introdutórios de ética frequentemente começam com as consequências "implausíveis" do utilitarismo. Aqui estão dois exemplos clássicos.

> **O xerife**
> Você é o xerife de uma cidade isolada do oeste selvagem. Um assassinato foi cometido. A maioria das pessoas acredita que Bob é culpado, mas você sabe que ele é inocente. A menos que você enforque Bob agora, haverá uma revolta na cidade e várias pessoas morrerão. O utilitarismo diz que você deve enforcar Bob, porque a perda da sua vida é superada pelo valor de se prevenir o motim.

> **O envelope**
> Em sua mesa há um envelope endereçado a uma instituição de caridade respeitável em busca de doações para salvar as vidas das vítimas da fome ou de outros desastres naturais. O utilitarismo diz que você deve dar *todo* o seu dinheiro a esta obra de caridade, pois cada dólar vai produzir mais felicidade nas mãos dela do que você poderia possivelmente produzir gastando-o consigo mesmo.

Os oponentes argumentam que o utilitarismo exige que você faça algo que ou é claramente errado (no caso do xerife) ou claramente não obrigatório (no caso do envelope). O capítulo 5 explora essas objeções. Começamos estabelecendo toda uma série de outros supostos contraexemplos, e indagando o que têm em comum. Enfocamos uma sugestão de John Rawls – a falha principal do utilitarismo é que, porquanto se concentra na utilidade agregada, ignora ou subestima *o aspecto da independência entre as pessoas*. Nós então exploramos uma gama de respostas utilitaristas. Isso leva-nos a examinar o papel das *intuições* na filosofia moral, prosseguindo em nossa discussão sobre o método do equilíbrio reflexivo iniciada no capítulo 3. Por que importa se o utilitarismo tem consequências intuitivamente indesejáveis? O capítulo termina notando que este conjunto de objeções não parece ter preocupado os utilitaristas clássicos – especialmente Bentham e Mill. Talvez a resposta seja retornar ao utilitarismo clássico.

O capítulo 6 pergunta se os utilitaristas podem tornar a sua teoria mais intuitivamente atraente mudando o seu *escopo*. Os utilitaristas deverem interessar-se principalmente pela avaliação de atos – ou, ao invés disso, deveriam enfocar regras, caráter, motivos ou instituições? Veremos que muitas das diferenças entre o utilitarismo clássico e o contemporâneo podem ser explicadas pela mudança do enfoque de Bentham na avaliação das instituições para o enfoque moderno na avaliação dos atos. Enfocamos especialmente o *utilitarismo de regras* contemporâneo – a teoria segundo a qual, ao invés de calcular as consequências de cada ato individual, deve-se ter por objetivo seguir o melhor código utilitarista de regras. Indagamos o que esse código possa parecer, e avaliamos a sua plausibilidade intuitiva.

O capítulo 7 concentra-se em outra característica do utilitarismo que está atraindo considerável atenção na teoria moral hodierna: o fato de que o utilitarismo presume que a única resposta racional para o valor seja *promovê-lo* – produzir o máximo possível de tudo o que seja valioso. Na verdade, este princípio *consequencialista* é muitas vezes apresentado como a característica definidora de toda a tradição utilitarista, com o utilitarismo clássico sendo apenas uma forma de consequencialismo. O utilitarismo *é* o consequencialismo (a moralidade promove valor) *mais* a doutrina do bem-estar (o valor consiste no bem-estar humano agregado). Indagamos se os utilitaristas podem melhorar o apelo das suas teorias afastando-se do consequencialismo. Também exploramos respostas alternativas ao valor, particularmente a noção de valor de honra ou respeito (tornada famosa – entre os filósofos – pelo filósofo alemão do século XVIII Immanuel Kant), e uma variedade de respostas alternativas defendidas por especialistas contemporâneos na ética da virtude, tais como valor de expressão, valor de personificação, valor de cuidado, e assim por diante.

Uma crítica persistente do utilitarismo tem sido sempre a de que, porquanto ele baseia-se em cálculos precisos de utilidade, é impraticável. O capítulo 8 explora essa objeção, com um enfoque nas seguintes questões: Pode a felicidade ser medida? Será que o utilitarismo pressupõe que a felicidade possa ser medida? Como o utilitarismo lida com a incerteza? Qual orientação o utilitarismo oferece no mundo real?

Finalmente, o capítulo 9 explora dois debates emergentes no utilitarismo contemporâneo – a possibilidade de uma ética genuinamente global, e a natureza das nossas obrigações para com as gerações futuras. O tema subjacente do capítulo é que o utilitarismo tem sido sempre, e continua a ser, mais interessante e mais relevante quando aplicado a circunstâncias sociais em mudança, ou a questões que têm sido subestimadas por outras teorias morais.

2

O utilitarismo clássico

Os primeiros utilitaristas

Ideias utilitaristas são encontradas em muitos filósofos ao longo dos séculos – dos antigos gregos até as principais figuras do Iluminismo Escocês (principalmente David Hume e Adam Smith). No entanto, o utilitarismo só tornou-se claramente identificado como uma escola filosófica distinta no final do século XVIII. Os três mais importantes pioneiros do utilitarismo publicaram as suas principais obras com uma diferença de poucos anos uma da outra: William Paley em 1785, Jeremy Bentham em 1789 e William Godwin em 1793. Todos os três pensadores compartilhavam os valores do Iluminismo – um movimento intelectual e cultural predominante em toda a Europa, caracterizado pela fé na razão humana, em oposição à autoridade arbitrária no direito, no governo ou na religião, e na crença no progresso. Hoje Bentham é o mais famoso. À época, porém, ele foi muito menos bem conhecido do que Paley e Godwin, que alcançaram ambos um público comparativamente maior.

William Paley (1743-1805), um ministro da Igreja da Inglaterra, ofereceu o utilitarismo como uma maneira de se determinar a vontade divina. Deus, sendo benevolente, gostaria que todos nós agíssemos da maneira que melhor promovesse a felicidade geral. Embora tenha sido radical em algumas questões, nomeadamente na sua feroz oposição à escravidão, a tendência geral de Paley era conservadora, especialmente em matéria de propriedade. A melhor maneira de promover a felicidade geral era seguir as leis de propriedade estabelecidas.

No século XIX, apesar do conservadorismo de Paley, o utilitarismo foi associado a extremistas políticos e ateus. Isso se deveu à influência de William Godwin (1756-1836) e Jeremy Bentham (1748-1832). Godwin era um radical, social e politicamente, que defendeu uma versão extrema do utilitarismo: uma moralidade completamente imparcial, sem lugar para obrigações especiais ou apegos aos nossos entes mais próximos e queridos. Godwin comprazia-se em apresentar os seus pontos de vista em termos designados a chocar os seus contemporâneos. Aqui está um exemplo notório.

> **O arcebispo e a camareira**
> Você está preso em um prédio em chamas com outras duas pessoas. Uma delas é um arcebispo, o qual é "um grande benfeitor da humanidade", e a outra é uma camareira. Você só tem tempo para salvar uma pessoa do fogo. O que você deve fazer?

Godwin conclui que você deve salvar o arcebispo, porquanto a sua vida tem mais valor para a felicidade humana do que a da camareira. Isso continua a ser verdadeiro mesmo se a camareira for a sua própria mãe – ou você mesmo!

Não é uma coincidência que os utilitaristas teológicos tendam a ser mais conservadores do que os utilitaristas seculares. Se o universo foi projetado por um Deus utilitarista, então devemos, obviamente, esperar que ele já seja muito bem organizado para promover a felicidade. Por outro lado, tanto Godwin quanto Bentham teriam considerado a ineficiência das estruturas jurídicas e sociais modernas como prova contra a existência de uma divindade benevolente.

Jeremy Bentham (1748-1832)

Jeremy Bentham nasceu em Londres, e viveu a maior parte da sua vida ali. Ele era filho e neto de advogados, e esperava-se que ele mesmo seguisse a carreira jurídica. Em lugar disso, ele passou a sua vida tentando melhorar o direito. Bentham descreveu-se como um "eremita", seja vivendo em chalés remotos ou em Londres. Ele escreveu muito, publicando apenas uma *Introdução* e um *Fragmento* de sua vasta obra inacabada. As visões de Bentham foram concebidas na segunda metade do século XVIII, antes da Revolução Industrial. No entanto, ele foi quase completamente ignorado até 1802, quando algumas das suas obras foram traduzidas para o francês. Bentham não ganhou destaque real até que o seu trabalho fosse divulgado nos anos de 1830 por J.S. Mill. Quando morreu, Bentham deixou 70.000 folhas manuscritas de papel almaço atrás de si – incluindo muito trabalho teórico, mas também projetos altamente detalhados para estados, prisões, notas bancárias e muito mais. Bentham visitou a Rússia, a Polônia e a Alemanha. Ao longo do caminho ele testemunhou uma grande variedade de organizações sociais, incluindo os navios de escravos do Império Turco. Essas experiências levaram-no a refletir tanto sobre a variedade de possíveis arranjos sociais quanto sobre o papel fundamental dos incentivos. Bentham ajudou a estabelecer a Universidade de Londres. Em seu testamento ele determinou que o seu corpo fosse preservado a fim de que ele pudesse estar sempre presente às reuniões do senado universitário.

A filosofia de Bentham situa-se na tradição empirista. Todo conhecimento deve, em última instância, ser rastreado às *impressões* feitas sobre os nossos sentidos pelos objetos físicos. Ele aplicou este princípio empirista à ação humana e à sociedade. O seu principal interesse estava voltado para o direito. No século XVIII quase todas as leis eram criação de juízes ao invés do Parlamento. Bentham objetou tanto quanto ao conteúdo do direito da sua época quanto ao modo como era produzido, vindo cada vez mais a ver a ambos como estando relacionados. A princípio Bentham pensou que o direito fosse um amontoado acidental incoerente. No curso de sua vida, passou a considerá-lo como deliberadamente designado a promover os interesses de uma pequena elite.

Bentham via-se como alguém capaz de oferecer conselhos a um legislador. E frequentemente considerou isso literalmente, chegando mesmo a viajar para a Rússia com o propósito de oferecer instruções à Imperatriz Catarina, a Grande. (Este projeto teria sido mais bem-sucedido se Bentham tivesse realmente tentado encontrar a imperatriz, em lugar de enterrar-se em uma casa de campo em uma propriedade isolada para escrever.) No século XVIII, quando Bentham começou sua carreira, a monarquia absoluta era o sistema de governo mais comum na Europa. Assim, ele retrata o legislador como um monarca absoluto: uma única pessoa cuja palavra é lei. (A frustração de Bentham com os monarcas absolutos – que não o quereriam ouvir – levou-o mais tarde a lutar pela reforma democrática.)

O princípio utilitarista

Bentham oferece ao seu legislador tanto um objetivo quanto uma montanha de conselhos para alcançar esse objetivo. O objetivo é o *princípio utilitarista*, ou *princípio da máxima felicidade*. O trabalho do legislador é utilizar o seu conhecimento da natureza humana para criar leis que maximizem a felicidade do seu povo. (Bentham frequentemente usa o termo técnico "utilidade". Esta palavra pode significar coisas diferentes em inglês. A sua conotação é aproximadamente equivalente a "instrumental para a felicidade". Bentham, entretanto, também possui uma teoria específica sobre o que é a felicidade.)

O utilitarismo é a base de toda a filosofia de Bentham. Fornece não só o conteúdo dessa filosofia, mas também a sua motivação. A única justificativa para se engajar em especulação teórica é o seu valor prático. Por exemplo, ao contrário de muitos outros dos primeiros filósofos europeus modernos, Bentham não foi absolutamente perturbado pelo ceticismo acerca do mundo exterior, das outras mentes, ou da moralidade. Ele toma como certo que ele exista, juntamente com o seu corpo, a sua caneta e todo o mundo natural, incluindo as outras pessoas. A sua justificativa é utilitarista:

> Nenhuma consequência ruim pode eventualmente surgir de se supor que isso seja verdadeiro, e as piores consequências não podem senão surgir de se supor que seja falso (Manuscritos de Bentham no Colégio da Universidade de Londres, apud Harrison. *Bentham*, 54).

Juntamente com o utilitarismo, Bentham endossa o hedonismo – a visão de que o prazer e a dor são a base da moralidade.

> Por utilidade entende-se a propriedade em qualquer objeto, pela qual ele tende a produzir benefício, vantagem, prazer, ou felicidade (tudo isso, no presente caso, equivale à mesma coisa), ou (o que novamente equivale à mesma coisa) impedir a ocorrência de dano, dor, mal ou infelicidade (Bentham. "Introdução aos princípios da moral e da legislação" [1789], apud Singer (org.). *Ethics*, 307).

O valor de um prazer é inteiramente determinado por sete medidas de quantidade: intensidade, duração, certeza ou incerteza, proximidade ou afastamento, fecundidade, pureza e extensão. Bentham notoriamente trata todos os prazeres como igualmente valiosos.

> Preconceitos à parte, o jogo do pino é de igual valor ao das artes e das ciências da música e da poesia (Bentham. "Introdução aos princípios da moral e da legislação" [1789], apud Singer (org.). *Ethics*, 200).

Quando faz comentários desse tipo, no entanto, Bentham não está oferecendo aconselhamento aos indivíduos sobre como viver as suas vidas. Ao contrário, ele está aconselhando o legislador. O seu ponto não é que todos os prazeres são realmente igualmente valiosos, mas que ao *legislador* não cumpre favorecer alguns prazeres em detrimento de outros. Na prática, com uma ou duas notáveis exceções, o legislador deve considerar as preferências das pessoas como o guia mais confiável para a sua felicidade. (Muitos filósofos liberais contemporâneos concordariam com essa reivindicação, sem necessariamente pensar que todos os prazeres são realmente igualmente valiosos.)

É lamentável que Bentham use poesia como o seu exemplo. O próprio Bentham não gostava de poesia – ele achava que os poetas eram desonestos, porque sabiam que o que diziam não era verdade. Mas ele não era o filisteu que se vê frequentemente em caricaturas do utilitarismo. Bentham era muito apaixonado por música, e foi um tecladista de sucesso. No entanto, ele ainda assim diria que o soberano não deveria favorecer a boa música em detrimento da má.

Alguns adversários do utilitarismo argumentam que a teoria aprovaria a escravidão, desde que os escravos fossem felizes. Bentham o negou tenazmente. As escolhas dos seres humanos são a nossa melhor informação acerca do que torna as pessoas felizes. Como ninguém jamais escolhe voluntariamente a escravidão, devemos concluir que os escravos nunca são felizes.

Outra característica notória do utilitarismo de Bentham é o seu apelo "à maior felicidade do maior número". Em discussões filosóficas subsequentes, este princípio tem sido frequentemente entendido como significando que o utilitarismo sacrifica os poucos infelizes aos muitos poderosos (capítulo 5). Por exemplo, o utilitarismo poderia ainda favorecer a escravidão se a infelicidade dos escravos fosse compensada pelos benefícios econômicos que a escravidão provê a outras pessoas. Quando Bentham usa a frase "a maior felicidade do maior número", no entanto, ele invariavelmente quer dizer tanto (a) que os interesses dos muitos impotentes devem ter precedência sobre os interesses dos poucos poderosos, ou (b) se um determinado benefício não puder ser provido a todos, então ele deve ser provido a tantas pessoas quantas seja possível.

O utilitarismo é frequentemente apresentado como uma filosofia de cálculo, atribuindo valores precisos a diferentes prazeres (em unidades ou *hedons*) e calculando as suas exatas probabilidades. Os escritos de Bentham frequentemente incentivam essa impressão. Ele fala do utilitarismo como uma "moralidade científica". No entanto, Bentham estava interessado, sobretudo, nas ciências envolvendo classificação (como a botânica e a geologia), e não cálculo (como a matemática e a física). A sua moralidade "científica" envolve listas detalhadas de tipos de prazeres, e de coisas que tendem a produzir prazer ao invés de cálculos exatos das quantidades de prazer.

Como tudo o mais que escreveu, as listas de prazeres de Bentham foram produzidas para um propósito particular. Regras jurídicas devem ser aplicadas a casos particulares por juízes individuais. Assim, Bentham oferece ao legislador uma lista de fatores para os juízes considerarem – fatores correlacionados ao prazer e à dor – ao invés de prescrever punições específicas para cada ofensa possível. Bentham nega explicitamente que os juízes (ou qualquer outra pessoa) devam aplicar o princípio utilitarista em todas as ocasiões particulares.

> Não é de se esperar que este processo deva ser estritamente perseguido previamente a cada julgamento moral, ou em cada operação legislativa ou judicial. Deve, no entanto, ser sempre mantido em vista (Bentham. "Introdução aos princípios da moral e da legislação" [1789], apud Singer (org.). *Ethics*, 312).

O hedonismo moderno enfrenta muitas dificuldades, conforme veremos no capítulo 4. A maioria delas não incomodaria Bentham. Para os seus amplos propósitos sociais, é suficiente saber que o prazer é bom, que o prazer de cada pessoa é igualmente importante, e que algumas formas de organização da sociedade claramente tendem a produzir mais prazer do que outras.

Por que escolher o princípio utilitarista?

Há muitas metas possíveis que um legislador poderia adotar. Por que deveria escolher o princípio utilitarista? A principal defesa de Bentham é o ataque. O utilitarismo fornece uma base moral possível para a legislação, e nada mais o faz. A visão dominante na filosofia moral britânica no século XVIII foi a de que descobrimos a verdade moral consultando o nosso "senso moral" ou "sentimentos". Bentham objeta que os sentimentos não podem fornecer uma base universal confiável para a moralidade. Os sentimentos de cada pessoa seguem os seus próprios interesses, ao invés dos interesses de todos. Basear a moralidade no sentimento implica baseá-la no "capricho". Tal moralidade deve ou ser "despótica" (se os sentimentos de uma pessoa forem impostos a todos) ou "caótica" (se todos usarem os seus próprios sentimentos como um guia moral).

Uma alternativa óbvia consiste em o legislador seguir a vontade de Deus. Certamente devemos ter as leis que Deus gostaria que tivéssemos. O próprio Bentham era ateu, pelo menos nos últimos anos. No entanto, como todos os legisladores em seus dias eram religiosos, ele não quis oferecer conselhos apenas aos legisladores ateus. Assim, Bentham toma emprestado um argumento de utilitaristas teológicos tais como William Paley. Mesmo se procurarmos seguir a Palavra de Deus, devemos ser guiados pelo princípio utilitarista. Se Deus é bom, então vai querer o que é melhor para os seres humanos. Como Deus ama a todos os seres humanos da mesma forma, Ele quererá que sigamos o princípio utilitarista, ao invés de privilegiarmos os interesses de qualquer grupo pequeno. Bentham também argumenta que conhecemos o que dá prazer e dor às pessoas muito melhor do que conhecemos a vontade de Deus. Qualquer legislador que afirme seguir a vontade de Deus está realmente apenas seguindo os seus próprios sentimentos (ou os seus próprios interesses).

Uma alternativa popular à época era basear a lei nos direitos naturais. (Isso frequentemente acompanhava um apelo a Deus – os direitos naturais eram os direitos que Deus havia conferido aos seres humanos.) O ataque de Bentham aos direitos naturais é um dos seus temas mais influentes. Começa com a noção de uma *ficção*. O direito à época de Bentham continha um número muito limitado de "causas de ação" – fundamentos nos quais um caso poderia ser levado ao tribunal. Frequentemente, embora fosse obviamente desejável que um caso fosse ouvido, nenhuma causa de ação estaria disponível se esse caso fosse honestamente descrito. Assim, juízes e advogados deliberadamente deturpavam os fatos, fingindo que o caso era um que podia ser ouvido. Isso era conhecido como uma "ficção legal". Bentham considerava essas ficções desonestas, e não um substituto satisfatório para um sistema legal aberto e honesto, baseado no princípio utilitarista. Ele escreveu sobre William Blackstone (um contemporâneo defensor da tradição do Direito Comum):

> Para purgar a ciência [da legislação] do veneno introduzido nela por ele, e por aqueles que escrevem como ele o faz, eu não conheço senão um remédio [...] definição, perpétua e regular definição (Bentham. A Comment on the Commentaries, 346, apud Harrison. *Bentham*, 52).
>
> [Ao invés de precedente e ficção] a ciência da legislação deveria ser construída sobre a base inamovível das sensações e da experiência (Manuscritos de Bentham no Colégio da Universidade de Londres, apud Harrison. *Bentham*, 141).

No entanto, Bentham coloca a noção de uma ficção legal ao seu próprio serviço, desenvolvendo uma noção *filosófica* de ficção, com aplicação muito mais ampla. Uma ficção é qualquer termo que pareça referir-se a uma entidade que não existe. ("Papai Noel" e "o direito de Bob a não ser torturado" são ambos, para Bentham, termos ficcionais). Termos ficcionais não são todos inúteis. Confrontado com uma declaração envolvendo termos ficcionais, o filósofo tende a fornecer uma análise em termos de objetos que de fato existam. Em última instância, chegamos a afirmações acerca de experiências sensoriais particulares. Se isso for bem-sucedido, então temos um termo ficcional benigno – um que tem um significado claro e útil. Se não, então concluímos que a entidade em questão é não apenas ficcional, mas *fabulosa* – e assim abandonamos a ficção. Bentham compara ficções a papel-moeda, uma inovação na época. Se soubermos como trocar o papel-moeda por dinheiro real (ouro), então é uma moeda genuína. Se não houver ouro a ser obtido, então o papel é inútil.

Por exemplo, *direitos legais* são uma ficção benigna. Podemos explicar o meu direito legal de comer a minha barra de chocolate em termos do dever dos outros de permitirem-me comê-la, do dever da polícia de impedir qualquer pessoa de interferir em minha ação de comê-la e assim por diante. Estes deveres podem, por sua vez, ser analisados segundo as punições ou sanções que as pessoas sofrem se não cumprem os seus deveres. A linguagem dos direitos legais é, portanto, redutível, em última instância, à linguagem do prazer e da dor.

Direitos naturais, por outro lado, são entidades fabulosas, e falar deles é puro "absurdo". Eles pretendem estar escritos no tecido moral do universo e prevalecer sobre as leis ou costumes de qualquer país em particular. No entanto, a própria ideia de um direito só pode ser analisada em termos de um sistema particular de direito que realmente exista. A noção de direitos naturais que sejam pré-legais ou supralegais não faz sentido. Bentham opõe-se especialmente aos "direitos naturais imprescritíveis" – direitos que não podem ser revogados pelo legislador. Ele chama tais direitos de "absurdo sobre pernas de pau", e considera-os como uma das principais barreiras à reforma política e legal.

Se eu digo que alguém tem um direito natural a alguma coisa, então tudo o que isso pode querer dizer é que eu acho que lhe *deveria* ser conferido um direito *legal* a isso. Essa segunda reivindicação é sempre justificada, quer apelando aos próprios interesses ou sentimentos do indivíduo, ou ao bem comum. A despeito das aparências em contrário, todos os princípios morais são defendidos ou por um simples apelo ao sentimento ou pelo princípio utilitarista.

> Quando um homem tenta combater o princípio de utilidade, é com razões tiradas, sem que ele esteja ciente disso, exatamente desse mesmo princípio.
>
> (Bentham. "Introdução aos princípios da moral e da legislação", apud Singer (org.). *Ethics*, 308).

Como o princípio utilitarista orienta o legislador?

> A natureza colocou a humanidade sob o governo de dois mestres soberanos, a dor e o prazer (Bentham. "Introduction to the Principles of Morals and Legislation", apud Singer (org.). *Ethics*, 306).

O conselho de Bentham ao legislador é baseado no *hedonismo psicológico*: a afirmação de que as pessoas são *motivadas* pelo prazer e pela dor. Bentham claramente endossa tanto o hedonismo psicológico quanto o *hedonismo ético* (a afirmação de que a moralidade trata basicamente da promoção do prazer e da redução da dor). No entanto, a relação entre eles não é clara. Por vezes Bentham sugere que o hedonismo psicológico suporta o hedonismo ético. A moralidade deve ser baseada no prazer e na dor, porque essas são as únicas motivações das pessoas. Em outras ocasiões, o hedonismo psicológico é apresentado meramente como um fato muito útil que o legislador utilitarista deve levar em conta. Para explorar estas questões complexas enfocamos duas áreas-chave de regulação social: o liberalismo econômico e o direito penal.

Bentham, em grande medida, segue a defesa de Adam Smith do mercado livre. (De fato, Bentham estende a posição de Smith ao defender a "usura" – a cobrança de taxas de juros com base no mercado – o que era ilegal à época.) As pessoas são os melhores juízes dos seus próprios interesses. As coisas vão melhor, sobretudo, se as pessoas são livres para decidirem por elas mesmas o que produzir, quais contratos subscrever, e o que comprar. Mais geralmente, o legislador não deve interferir nas escolhas livres dos indivíduos.

O valor da liberdade de mercado é *instrumental*, e não *intrínseco*. A liberdade é valorizada apenas porque contribui para o prazer. O apoio de Bentham ao mercado é limitado pelo princípio utilitarista.

Ele foi influenciado pela observação de que a maioria das reais intervenções do governo em seus dias serviu meramente para proteger os interesses de pequenas minorias poderosas ao invés de salvaguardar os interesses mais amplos da maioria.

No entanto, as pessoas não são juízes *infalíveis* dos seus próprios interesses. Bentham não *identifica* os interesses de um indivíduo com as suas preferências ou escolhas como alguns economistas utilitaristas posteriores fizeram (capítulo 4). As pessoas podem interpretar mal os seus próprios interesses. Se o legislador sabe que as pessoas geralmente cometem certo tipo de equívoco, então ele pode e deve intervir para encorajar as pessoas a agirem de acordo com os seus *reais* interesses ao invés da sua percepção equivocada dos seus interesses.

Bentham acredita que um erro em particular é especialmente significativo. As pessoas falham em perceber que os prazeres ou as dores no futuro distante são tão importantes quanto os prazeres e as dores imediatos. É por isso que elas falham em fazer a provisão adequada para a sua idade avançada. Porque essa é uma característica geral dos seres humanos, o legislador está em melhores condições de conhecer os interesses de longo prazo do povo do que ele próprio. (Como uma solução, Bentham propôs uma forma de moeda que automaticamente atrairia interesse. Isto forçaria as pessoas a poupar, e também lhes ensinaria o valor de poupar. Sempre que possível, o legislador deveria melhorar as motivações das pessoas.)

O mais importante interesse das pessoas é a *segurança*. Bentham usa este termo mais amplamente do que poderíamos fazê-lo. Segurança inclui uma alimentação adequada e abrigo, bem como segurança contra a hostilidade. A importância da segurança justifica a redistribuição, o respeito pelos direitos de propriedade e o direito penal.

Desde o século XIX Bentham tem sido retratado principalmente como um defensor do livre mercado. No entanto, ele na verdade

O hedonismo psicológico não é uma lei universal. Bentham estava perfeitamente ciente de que as pessoas são frequentemente altruístas. (Na verdade, as suas tentativas originais de vender a sua teoria aos legisladores pressupunham que eles deviam ter, pelo menos, alguma preocupação com os interesses dos outros.) Não obstante, os legisladores deveriam *pressupor* o egoísmo universal. Mesmo que as pessoas não sejam completamente egoístas, elas o são em grande medida. Ações completamente alheias aos interesses do agente são exceções e não a regra. Além disso, qualquer que seja a verdade acerca das motivações das pessoas, o legislador deveria adotar a hipótese mais pessimista. Se projetarmos as nossas instituições sobre o pressuposto de que as pessoas agem sempre apenas segundo os seus próprios interesses, então não nos decepcionaremos. A presença da publicidade não vai dissuadir aqueles com motivos altruístas, ao passo que a ausência de publicidade concede licença demais a funcionários inescrupulosos.

Além de reformar o direito penal em suas áreas tradicionais, Bentham procurou estendê-la para cobrir, entre outras coisas, as obrigações para com os animais e as obrigações de prestar assistência a pessoas necessitadas (a chamada legislação do bom samaritano, frequentemente incorporada aos códigos penais da Europa Continental). Ele também defendeu a descriminalização dos "crimes sem vítimas" como a atividade sexual não convencional. O princípio utilitarista deve governar o alcance da lei penal, assim como o seu conteúdo.

Quem guarda os guardiões?

A sua falta de sucesso em persuadir os monarcas e os legisladores a adotarem os seus códigos legais, e suas frustrações quanto à proposta do panóptico, levaram Bentham a questionar os motivos dos legisladores. Ele chegou a acreditar que, assim como as prisões devem ser concebidas sobre o pressuposto de que os funcionários são fundamentalmente autointeressados, devemos fazer a mesma suposição acerca dos líderes políticos. O melhor sistema político faria os interesses dos governantes coincidirem com os interesses do povo. Isso é mais eficaz do que contar com a benevolência dos monarcas absolutos. Uma vez que as pessoas geralmente são os melhores juízes dos seus próprios interesses, e uma vez que cada pessoa está mais preocupada com os seus próprios interesses, o melhor sistema político permite às pessoas escolherem periodicamente os seus próprios governantes. Bentham compara a escolha de um governante com a compra de um sapato para demonstrar por que o utilitarismo requer a democracia.

> Não é todo homem que pode fazer um sapato; mas, quando um sapato é feito, cada homem pode dizer se este lhe calça sem muita dificuldade (Manuscritos de Bentham no Colégio da Universidade de Londres, apud Harrison. *Bentham*, 209).

Bentham tornou-se assim um forte defensor da extensão do direito de voto a todos os adultos do sexo masculino. Isso foi radical à época. A única exceção que Bentham explicitamente defendia era de que o voto não deveria ser concedido àqueles que não sabiam ler, uma vez que eles não teriam informações suficientes para julgar o desempenho dos seus governantes. (Esta exceção foi muito mais significativa então do que o é agora, uma vez que as taxas de alfabetização eram muito mais baixas do que hoje.)

Em particular, Bentham admitiu não haver qualquer boa razão para não permitir que as mulheres votassem. No entanto, ele absteve-se de defender este ponto de vista em público, porquanto pensou que isso apenas conduziria ao ridículo. Vemos mais uma vez a supremacia do princípio utilitarista. Ao apresentar o seu ponto de vista em público alguém se deve guiar pela *eficácia* e não pela verdade.

Um reformador utilitarista deveria direcionar as suas reivindicações pela democracia tanto às elites existentes quanto ao povo como um todo. Sem o apoio da população o atual sistema de governo não sobreviveria. Uma vez que as pessoas comuns percebam que a democracia favorece os seus interesses, elas começarão a exigi-la. Mesmo se os líderes atuais forem completamente autointeressados, eles acabarão partilhando o poder, ao invés de arriscar perdê-lo completamente. (Esta tese foi muito mais plausível no século XIX do que poderia ter sido anteriormente, uma vez que todos os monarcas europeus estavam desconfiados com o exemplo da Revolução Francesa.)

Além da legislação

Embora a legislação tenha sido o principal interesse de Bentham, ele também escreveu brevemente sobre a moralidade pessoal. O seu único trabalho sobre este assunto só foi publicado postumamente, de uma forma que decepcionou extremamente os seus seguidores mais próximos. A tarefa do "moralista pessoal" é a de convencer as pessoas a cumprirem o seu dever mostrando-lhes que ele coincide com os seus reais interesses. Isto não se deve ao fato de as pessoas serem necessariamente puramente autointeressadas, nem porque a moralidade consiste meramente em autointeresse esclarecido. Como sempre, as motivações de Bentham são pragmáticas. O tipo de persuasão que ele oferece é o único tipo de moralização que se pode possivelmente esperar que tenha algum impacto útil. A sua queixa contra os moralistas populares contemporâneos, os quais, em sua maioria, listam princípios piedosos, não é a de que aquilo que dizem não seja verdadeiro, mas sim a de que, porquanto deixa de envolver os autointeresses das pessoas, não tem qualquer impacto.

O verdadeiro legado de Bentham não é um conjunto (muitas vezes idiossincrático) de propostas, mas o princípio geral de que a lei e a administração pública devem ser guiadas pelos interesses gerais do público.

John Stuart Mill (1806-1873)

Mill nasceu em Londres, e aí viveu a maior parte da sua vida. Foi educado pelo seu pai, James Mill, ele mesmo um filósofo realizado e um amigo de Jeremy Bentham. O jovem Mill aprendeu os clássicos, lógica, economia política, jurisprudência e psicologia, começando pelo grego aos três anos de idade. Mill sofreu uma profunda depressão por volta dos seus vinte anos. Recuperou-se, em parte, por meio da leitura de poesia. Como o seu pai, Mill trabalhou para a Companhia das Índias Orientais – uma empresa privada londrina, que efetivamente governou a Índia. Em 1851 Mill casou-se com Harriet Taylor, uma velha "amiga" cujo marido havia morrido recentemente. Foi membro do Parlamento por um curto período na década de 1860. Ele esteve frequentemente envolvido em causas radicais, especialmente a dos direitos das mulheres. Além da filosofia moral e política, Mill foi mais conhecido pelo seu *Sistema de lógica* (1843) e pelos seus *Princípios de economia política* (1848).

O utilitarismo foi a religião de Mill. Ele foi criado pelo seu pai na fé utilitarista e permaneceu fiel a ela por toda a sua vida. Como muitos filósofos antes e depois, Mill procurou prover a sua religião com uma defesa filosoficamente sofisticada, informada pelas principais correntes filosóficas e culturais de sua época.

A filosofia geral de Mill é uma forma muito forte de *empirismo*. Todo conhecimento é baseado na indução a partir da experiência. Sabemos que o sol nascerá amanhã simplesmente porque o vimos levantar-se muitas vezes antes. Mill negou a possibilidade de um conhecimento *a priori* – conhecimento que é inteiramente baseado na razão, e, portanto, anterior à experiência. (Essa característica do empirismo foi uma mudança radical, uma vez que a filosofia havia tradicionalmente sido vista como a busca de um conhecimento *a priori*.)

O empirismo de Mill aplicava-se a todas as áreas do conhecimento, até mesmo à matemática e à lógica. "Um mais um é igual a dois" é uma generalização da experiência – pode concebivelmente ser refutada por experiências futuras. Em qualquer área do conhecimento, Mill tem dois propósitos: explorar todas as possíveis fontes de informação empírica e refutar as tentativas de outros filósofos de justificar o conhecimento não empírico. Em *O utilitarismo*, o empirismo de Mill é aplicado a várias questões. Por que deveríamos ser utilitaristas? O que é a felicidade? O que torna os seres humanos felizes? Como a sociedade deve ser organizada?

Mill oferece uma nova explicação psicológica e histórica dos seres humanos. Isto leva a algumas mudanças muito significativas em relação ao utilitarismo de Bentham. Muitos pensadores subsequentes têm argumentado que Mill efetivamente abandona o utilitarismo. Podemos perguntar-nos se Mill teria se tornado um utilitarista se não tivesse sido criado como um.

A "prova" de Mill

Mill não estava satisfeito com as indiretas, e em grande medida negativas, defesas de Bentham do utilitarismo. Ele buscou uma *prova* do princípio utilitarista. Para um empirista, isso significa derivar o princípio da observação. Isso daria ao utilitarismo um embasamento mais sólido do que o de qualquer um dos seus oponentes. Os principais oponentes de Mill em ética eram *intuicionistas* – para os quais "a distinção entre o certo e o errado é um fato último e inexplicável, percebido por uma faculdade especial, conhecida como um 'senso moral'" (Crisp. *Mill on utilitarianism*, 8). A prova de Mill é alarmantemente breve:

> A única prova capaz de ser oferecida de que um objeto é visível é que as pessoas realmente o veem. A única prova de que um som é audível é que as pessoas o ouvem: e o mesmo pode ser dito das outras fontes da nossa experiência. Da mesma maneira [...] a única evidência que se pode produzir de que alguma coisa é desejável é que as pessoas de fato a desejam [...] Nenhuma razão pode ser dada pela qual a felicidade geral é desejável, exceto a de que cada pessoa [...] deseja a sua própria felicidade. Isso, no entanto, sendo um fato, não só nós temos todas as provas que o caso admite, mas todas que é possível exigir, de que a felicidade é um bem: que a felicidade de cada pessoa é um bem para

essa pessoa, e a felicidade geral, portanto, um bem para o conjunto das pessoas (Mill. *Utilitarianism*, 81).

A prova de Mill tem três etapas-chave.

1) O movimento de "as pessoas desejam x" para "x é desejável".

2) O movimento de "a felicidade de cada pessoa é boa para ela" para "a felicidade geral é um bem para o conjunto das pessoas".

3) A afirmação de que a felicidade é o *único* fim: de que tudo o que desejamos ou é uma *parte* da felicidade, ou um *meio* para a felicidade. (Sem esse passo não provamos o utilitarismo, mas apenas a alegação fraca de que a felicidade é uma coisa boa – talvez uma entre muitas outras.)

Gerações de filósofos cortaram um dobrado ao expor as falácias da prova simples de Mill. No início do século XX, o filósofo de Cambridge G.E. Moore acusou Mill de cometer a "falácia naturalista" – ilegitimamente tentando derivar um "deve" de um "é". Enquanto "visível" *significa* "capaz de ser visto", "desejável" *não* significa "*capaz* de ser desejado". Significa "*deve* ser desejado". As pessoas podem desejar toda a sorte de coisas que são não desejáveis.

Moore é injusto com Mill, porque ele não compartilha a sua ideia de "prova". Moore espera que uma prova seja uma dedução lógica infalível. Se tivermos provado alguma coisa, então não deve haver qualquer dúvida razoável sobre se ela é ou não verdadeira. Como um empirista, Mill não é tão ambicioso. Ele apenas procura a melhor prova que a experiência possa oferecer em um contexto particular. O fato de que as pessoas desejam chocolate não torna logicamente impossível que chocolate não seja desejável. Mas fornece a única evidência possível, e, portanto, a única possível "prova", de que chocolate é desejável. A principal alegação de Mill é negativa: não há outras provas. (Como Bentham, Mill não se deixa perturbar pelo ceticismo. Ele assume que a melhor prova deve ser suficientemente boa.)

Se quisermos refutar a prova de Mill em seus próprios termos, precisamos de uma rota alternativa para o conhecimento do que é desejável. O próprio Moore, ao contrário, ofereceu uma versão ingênua da abordagem do senso moral. Mill segue Bentham em rejeitar a própria ideia de um senso moral com fundamentação empirista – nós não temos qualquer acesso direto à propriedade da desejabilidade.

A segunda etapa da prova de Mill tornou-se extremamente controversa na discussão utilitarista recente. Ele é acusado de ignorar a "independência das pessoas" ao tratar "o conjunto das pessoas" como se fosse uma pessoa. (Nós calculamos a felicidade do conjunto através da adição da felicidade de diversas pessoas, assim como poderíamos calcular a felicidade total de uma pessoa somando a felicidade que ela sente em diferentes momentos da sua vida.) O próprio Mill não se preocupou muito com a agregação. Tudo o que ele parece querer dizer é que, uma vez que a felicidade de cada pessoa é um bem para essa pessoa, a felicidade das pessoas em geral é um bem para a sociedade como um todo. Isso é suficiente para justificar o uso da felicidade geral para avaliar as regras morais.

A etapa final da prova de Mill é ainda mais controversa. É também o estágio da prova ao qual o próprio Mill dedicou a sua maior atenção. A maioria das pessoas concordaria que a felicidade é uma coisa boa. No entanto, é a *única* coisa boa? Para responder a esta questão devemos perguntar o que Mill quer dizer com "felicidade". (Voltaremos aos outros detalhes da prova de Mill, e seu lugar no desenvolvimento do utilitarismo, no capítulo 3.)

O que é a felicidade?

O utilitarismo é muitas vezes atacado como grosseiro e filisteu – uma reclamação provocada pela infame observação de Bentham sobre os méritos comparativos do alfinete e da poesia. O conservador britânico do século XIX Thomas Carlyle a chamou de "uma filosofia porca". Os porcos podem sentir prazer tanto quanto o podem os seres humanos. Portanto, se tudo o que importa é o prazer, então as pessoas também podem viver como porcos contentes. Tal filosofia é um insulto à dignidade humana.

Assim como Bentham, Mill é um hedonista. A felicidade é tudo que importa, e a felicidade simplesmente *consiste* no prazer e na ausência de dor. Ele o afirma muito claramente.

> Por felicidade entende-se o prazer, e a ausência de dor; por infelicidade a dor, e a privação do prazer (Mill. *Utilitarianism*, 55).

Para contestar a objeção de Carlyle, Mill oferece uma nova explicação do prazer. Ele começa perguntando por que é objetável colocar uma vida humana e a vida de um porco no mesmo patamar. A razão é que os seres humanos são capazes de experiências muito mais valiosas do que os porcos. Mas esta afirmação é perfeitamente consistente com o hedonismo.

> É bastante compatível com o princípio da utilidade se reconhecer o fato de que alguns tipos de prazer são mais desejáveis e mais valiosos do que outros. Seria absurdo que, enquanto, ao estabelecerem-se todas as outras coisas, a qualidade seja tão considerada quanto o é a quantidade, se devesse supor que o estabelecimento do prazer depende apenas da quantidade (Mill. *Utilitarianism*, 56).

Mill então introduz uma distinção entre *prazeres superiores* e *prazeres inferiores*. Este é talvez o aspecto mais controverso da filosofia ética de Mill. Exploraremos a distinção de Mill usando um simples conto.

> **A escolha**
> Você tem duas opções para a sua noite: ler a *Ilíada* de Homero e assistir Brad Pitt em *Troia*. Ambas lhe darão prazer, mas os dois prazeres diferem de várias maneiras. Qual você deve escolher?

Para Bentham a resposta é simples. Qualquer que seja o prazer mais intenso é o melhor. Mill o nega. Há mais no prazer do que a sua intensidade. A afluência de adrenalina ao se desfrutar de um bom filme de ação pode ser mais intensa do que a sensação de ler poesia ou filosofia, mas é nesta última que consiste o prazer *superior*. Para descobrir qual prazer é melhor temos que encontrar um *juiz competente*: alguém que tenha experimentado ambos os prazeres.

Pessoas que experimentaram tanto os prazeres superiores quanto os inferiores preferem os superiores. Portanto, os prazeres superiores são melhores.

> É melhor ser um ser humano insatisfeito do que um porco satisfeito; é melhor ser Sócrates insatisfeito do que um tolo satisfeito. E se o tolo, ou o porco, tem uma opinião diferente, é porque eles só conhecem o seu próprio lado da questão. O outro partido da comparação conhece ambos os lados (Mill. *Utilitarianism*, 57).

A ideia do juiz competente suscita várias dificuldades. É verdade que *alguém* que tenha experimentado os dois tipos de prazer conta como um juiz competente? Se o fizer, então não podemos esperar que todos os juízes competentes concordem. Pessoas que foram forçadas a ler poesia (ou filosofia) na escola podem honestamente dizer que preferem muito mais ver o Brad Pitt lutar de saia. Mill poderia responder que essas pessoas não experimentaram realmente o *prazer* de poesia ou filosofia, uma vez que eles realmente não apreciaram a experiência, mas esta ameaça tornar o nosso teste circular. (Como é que sabemos que alguém "verdadeiramente apreciou" a filosofia? Porque eles a preferem aos filmes de ação.) Além disso, os aficionados por filmes de ação podem responder que o problema com os filósofos e amantes da poesia é que *eles* não aprenderam a apreciar uma boa luta de espadas.

Talvez a melhor defesa de Mill repouse em seu empirismo. As preferências de juízes competentes não são uma prova infalível da superioridade de prazeres mais elevados, mas elas são a única evidência que possivelmente nós podemos ter. A unanimidade não é essencial – se a maioria dos juízes competentes concorda, então ainda temos alguma evidência. E simplesmente não há evidência melhor que se possa ter.

> Desse veredicto dos únicos juízes competentes entendo que não pode haver recurso (Mill. *Utilitarianism*, 58).

Como um empirista, Mill está aberto a novas informações. Se ficasse comprovado que juízes competentes tendem a preferir filmes de ação à filosofia, ele então teria que aceitar que os filmes proporcionam um prazer mais elevado. Isso não compromete a alegação de que há prazeres superiores – apenas redesenha as fronteiras.

A única coisa intrigante acerca da distinção de Mill é que ele não a vê como uma rejeição do hedonismo. Apesar do seu menor grau de *intensidade*, prazeres mais elevados são *mais aprazíveis* do que os mais baixos. O juiz competente prefere ler filosofia porque é mais agradável, não por alguma outra razão.

Os oponentes de Mill sempre argumentaram que, uma vez que admitamos o teste do juiz competente, devemos concluir que o prazer não é o único bem. Juízes competentes muitas vezes valorizam outras coisas mais do que o prazer, tais como conhecimento, *status* ou realização. Eu poderia optar por ler *O utilitarismo* de Mill ao invés de ir ao novo filme do Brad Pitt, mesmo que eu saiba que o filme seria mais agradável, porque eu valorizo mais o conhecimento do que o prazer. Voltaremos a essas questões nas páginas 95-102 no capítulo 4.

Utilitarismo e da moralidade costumeira

Em meados do século XIX o utilitarismo era associado na mente do público com políticos radicais e ateus perigosos. Embora Mill de fato tenha defendido algumas ideias sociais e políticas bastante radicais em nome do utilitarismo, ele também quis mostrar que a teoria era muitas vezes menos radical do que o temiam os seus adversários. Mill procurou aproximar o utilitarismo de uma moralidade costumeira.

Isto pode parecer uma tarefa impossível. Certamente o utilitarismo diz-nos para tomarmos decisões, e para avaliarmos a legislação e as políticas públicas, apenas com base em um cálculo impessoal de consequências. Não seria uma coincidência surpreendente se esses cálculos concordassem com a moralidade costumeira?

Os utilitaristas teológicos, como Paley, tinham uma resposta fácil. A moralidade costumeira nos é dada por Deus. Deus é um utilitarista. Então, o que quer que Deus nos dê, será idêntico às recomendações do utilitarismo. O utilitarismo de Mill não tem lugar para Deus. Como Bentham, o próprio Mill foi provavelmente um ateu. No entanto, ele reconheceu que a religião poderia desempenhar um papel positivo na sociedade, provendo um senso compartilhado de comunidade e propósito. Tampouco Mill defendeu o ateísmo em público, talvez por boas razões utilitárias. Por outro lado, ele certamente não quis que a sua teoria moral repousasse sobre polêmicas afirmações religiosas. Em lugar de recorrer a Deus, Mill recorre à história – em particular à visão em moda no século XIX, que via a história humana como evidência da evolução e do progresso. A moralidade costumeira evoluiu para atender às necessidades das sociedades humanas. Ela, portanto, reflete os julgamentos e as experiências de incontáveis gerações, cada qual procurando promover a felicidade geral.

O nosso problema original era que o utilitarismo era muito radical. Mill agora parece ter o problema oposto. Se eu me afasto da moralidade costumeira, coloco o meu próprio julgamento acima de todo julgamento passado da humanidade. Mas, certamente, esse nível de autoconfiança nunca poderia ser justificado. Portanto, eu nunca devo me afastar da moralidade costumeira. O utilitarismo é redundante.

A solução de Mill é localizar o princípio utilitarista *dentro* da moralidade costumeira. As regras gerais de moralidade popular frequentemente entram em conflito. Por exemplo, a moralidade costumeira diz-me para sempre proteger o inocente, e nunca dizer mentiras. Mas e se uma mentira for a única maneira de salvar a vida de uma pessoa inocente? Uma das principais críticas de Mill aos seus adversários intuicionistas foi a de que eles não proveem qualquer sugestão bem fundamentada para se resolver tais dilemas. O princípio utilitarista emerge como a melhor maneira de se sistematizar o caos da moralidade costumeira.

Embora Mill seja mais inclinado teoricamente do que Bentham, o seu principal interesse ainda está nas questões práticas. O utilitarismo não é apenas uma teoria a ser estudada – é um guia para a vida, especialmente para a vida pública e política. Nós agora nos voltamos para quatro ilustrações da aplicação de Mill do princípio utilitarista. A primeira é da própria obra *O utilitarismo*, as outras três de outras obras.

Justiça

Uma das objeções mais comuns ao utilitarismo é a de que ele não pode respeitar os direitos dos indivíduos. O cálculo utilitarista pode dizer-nos para atirar os cristãos aos leões, ou para punir um inocente para se evitar um motim por uma multidão enfurecida. Mill responde que o utilitarismo pode acomodar o nosso senso de justiça. Ele pode reconhecer direitos.

Os seres humanos têm determinadas necessidades básicas: do essencial para a vida, de segurança, de abrigo, de estabilidade social suficiente para fazer planos para o futuro e assim por diante. Mill segue Bentham ao referir-se a estes como interesses "de segurança". Essas precondições de uma vida que valha a pena devem ser garantidas a todos de pleno direito. Eu não posso desfrutar de segurança se estou preocupado com a possibilidade de ser privado das necessidades da vida pelo governo, ou por algum terceiro. Assim, ninguém pode desfrutar de segurança, a menos que viva em uma sociedade onde cada indivíduo tenha *direito à segurança*: uma garantia de que o seu interesse em segurança será atendido. Não pode haver qualquer boa razão para se atender o interesse em segurança de alguns, mas não de todos. (Neste ponto Mill toma emprestado um *dictum* de Bentham: "cada um deve contar como um, e ninguém como mais de um".) Se o governo segue o princípio utilitarista em todos os casos individuais, então ninguém goza de um direito à segurança e estão todos na pior.

O princípio utilitarista diz-nos não só como agir, mas também como pensar e sentir. Para garantir a segurança de todos, todos devemos sentir-nos obrigados a respeitar os direitos dos outros, e a não aplicar o princípio utilitarista quando os interesses em segurança de alguém estiverem em jogo. Alguns filósofos recentes argumentaram que, se o utilitarismo diz-nos para não seguirmos o princípio de utilidade, então a teoria ou é inútil ou incoerente. Voltaremos a esta questão no capítulo 6.

Será que este argumento utilitarista satisfaz o nosso senso de justiça? O caso de teste crucial é quando uma violação dos direitos de uma pessoa salvaria as vidas de muitas outras. Devemos torturar o filho (inocente) do terrorista se esta for a única maneira de fazer com que o terrorista revele a localização de uma bomba que ameaça a vida de vários milhões de pessoas? Os utilitaristas argumentam que, se nós realmente soubermos que estamos nesta situação, então devemos torturar – se formos capazes de fazê-lo. Adversários do utilitarismo discordam. Voltaremos a esta questão no capítulo 5.

Liberdade

O breve ensaio de Mill *Sobre a liberdade* é um dos textos clássicos da filosofia política. Nele, Mill defende o famoso *princípio da liberdade* (também conhecido como o *princípio do dano*).

> O único propósito pelo qual o poder pode ser legitimamente exercido sobre qualquer membro de uma comunidade civilizada, contra a sua vontade, é o de evitar danos a outros. O seu próprio bem, seja físico ou moral, não é uma garantia suficiente (Mill. *On Liberty*, 68).

A estratégia básica de Mill consiste em começar com uma liberdade especial que todos os seus contemporâneos apoiariam, e então apresentar o princípio da liberdade como uma extensão, ou talvez apenas uma clarificação, da moralidade costumeira. O exemplo de Mill é a liberdade religiosa. Na Inglaterra do século XIX a Igreja da Inglaterra gozava de privilégios muito significativos. Muitos postos e profissões estavam abertos apenas para os seus membros, assim como as universidades. No entanto, o princípio geral de que as pessoas devem ser livres para escolher a sua própria religião era quase universalmente aceito, e muitos cidadãos respeitáveis eram "não conformistas". Ninguém queria voltar à prática de séculos anteriores, quando o Estado tentava forçar as pessoas a aderir à Igreja estabelecida. Em *Sobre a liberdade*, Mill tenta demonstrar como os argumentos que justificam a liberdade religiosa também justificam uma liberdade muito mais ampla de escolha de estilo de vida.

Mill quer que o seu princípio da liberdade seja atraente tanto para não utilitaristas quanto para utilitaristas. Portanto, ele defende-o, não com base em razões explicitamente utilitaristas, mas como uma extensão de princípios extraídos da moralidade costumeira. Isso levanta uma questão intrigante. É o princípio da liberdade compatível com o princípio utilitarista? A relação entre os dois princípios de Mill tem gerado uma imensa literatura. Alguns argumentam que os dois princípios são independentes – Mill opera com dois padrões morais fundamentais. Por essa visão, *Sobre a liberdade* marca a rejeição de Mill do utilitarismo de seu pai e de Bentham. Outros argumentam que o princípio da liberdade é derivado do princípio de utilidade, e que as razões de Mill para não tornar isso mais explícito são elas próprias utilitárias. (Ele não quer que as pessoas rejeitem o seu princípio da liberdade por estarem suspeitosas das suas origens utilitaristas.) O nosso foco é no utilitarismo de Mill. Portanto, exploraremos os possíveis argumentos utilitaristas que ele pode oferecer para o princípio da liberdade. O mais interessante desses argumentos baseia-se em outro aspecto da explicação complexa de Mill da felicidade: o papel da *individualidade*. (Como logo veremos, Mill também oferece argumentos utilitaristas mais convencionais defendendo a liberdade em bases instrumentais. Mesmo que a liberdade não seja boa em si mesma, é a melhor maneira de promover outros bens. Para Mill, isso significa outros prazeres.)

Mill acreditava que todo conhecimento surgia a partir da "associação" de ideias apresentadas pelos sentidos. (Essa psicologia *associacionista* foi outra herança do seu pai.) Todos são igualmente capazes de adquirir conhecimento – ninguém nasce com uma inteligência superior inata. A própria formação de Mill lhe ensinou que as pessoas são capazes de muito mais desenvolvimento do que normalmente se pensa. A maneira de maximizar a felicidade é, portanto, não dar às pessoas o que elas querem agora, mas encorajá-las a ter melhores anseios. Se os prazeres mais elevados são melhores do que os mais baixos, nós deveríamos ansiar por um mundo no qual todas as pessoas apreciem os prazeres mais elevados, mesmo que a sua ignorância as impeça de querer os prazeres mais elevados no presente.

O utilitarismo agora corre o risco de ser extremamente paternalista, forçando as pessoas a fazerem coisas que elas não querem. No entanto, o próprio Mill é extremamente antipaternalista, como mostra o princípio da liberdade. Isto é em parte devido à sua noção de individualidade. A ambição de Mill ao longo de toda a sua vida foi a de reunir as obras de dois pensadores que ele considerava "as duas grandes mentes seminais da Inglaterra de sua época" (Schneewind. *Sidgwick and Victorian Moral Philosophy*, 130 – citando a própria avaliação que Mill faz de Bentham, originalmente publicada em 1838). Um deles era Jeremy Bentham, o outro era o poeta e filósofo Samuel Taylor Coleridge (1772-1834). Coleridge era um adversário do utilitarismo, e do Iluminismo em geral. Ele foi um dos líderes intelectuais do movimento romântico e fez mais do que qualquer outra pessoa para trazer a filosofia alemã para a Inglaterra, especialmente as obras de Kant, Hegel e outros românticos e idealistas alemães.

Mill aprendeu duas lições fundamentais de Coleridge e dos românticos alemães: a evolução histórica da cultura, bem como a importância da individualidade para o bem-estar. Mill não entende por "individualidade" exatamente o que podemos entender hoje. "Autonomia" e "autenticidade" são termos mais precisos para nós, embora o próprio Mill não os utilize. A ideia central é a de se viver a própria vida de acordo com valores com os quais se identifica, ao contrário tanto de se viver uma vida escolhida por outrem ou de se fazer a escolha de maneira impensada. A vida humana só é verdadeiramente valiosa se for vivida da maneira certa.

A individualidade parece muito não hedonista. O que conta não são os prazeres que uma vida contém, mas a maneira como ela é vivida. Em filosofias morais mais recentes, uma ênfase na autonomia ou autenticidade é frequentemente vista como a antítese do utilitarismo. Mill, no entanto, quer incorporar a individualidade ao seu hedonismo. A individualidade torna as experiências mais agradáveis. (Mill apela mais uma vez para o juiz competente. Ninguém que tenha experimentado uma vida autônoma ou autêntica preferiria uma vida inautêntica. Ninguém que tenha sido livre gostaria de ser um escravo. Ninguém que tenha visto o mundo real pode ser satisfeito com uma vida na *Matrix*.)

Existem várias maneiras pelas quais a individualidade pode melhorar o prazer. Ela pode ser um *componente* extra de valor, ou uma *precondição* de valor. Se a individualidade for apenas um componente, então uma vida sem individualidade pode ainda ser muito digna. Se a individualidade for uma precondição, então uma vida sem individualidade não pode valer a pena, não importando o que mais ela contenha. Por essa visão, o valor dos prazeres mais elevados *depende* de que eles sejam buscados autonomamente. Isso explicaria por que a pessoa forçada a ler filosofia não experimenta o prazer da filosofia. Isso também explicaria por que a vida humana é mais valiosa do que a vida de um porco. Porque não podem ser autônomos, aos porcos não podem ser conferidos os prazeres mais elevados. No entanto, o próprio Mill não parece endossar a reivindicação mais forte, precondicional acerca da individualidade. Como o título do capítulo 3 de *Sobre a liberdade* sugere, a individualidade é apenas um elemento do bem-estar, ainda que muito importante. Voltaremos a essas questões no capítulo 4.

Devido às diferenças individuais, as pessoas exercerão a sua individualidade de diferentes maneiras. A individualidade, portanto, resulta na diversidade. Ela também *requer* a diversidade. A maneira mais importante de expressarmos a nossa individualidade é escolhendo um estilo de vida. Porque somos seres sociais, um estilo de vida requer um contexto social. Precisamos de uma variedade de estilos de vida a partir dos quais escolher. A "experiência de vida" de cada pessoa é não apenas uma expressão da sua própria individualidade. Ela também fornece um suporte necessário para a individualidade dos outros. Em um mundo de conformidade não poderia haver qualquer escolha significativa *para ninguém*. A conexão entre o bem-estar individual e o contexto social é um tema central para Mill, e a chave para se entender a conexão entre a sua filosofia moral e a sua filosofia política.

O princípio da liberdade cobre apenas atos autorreferentes – aqueles que não afetam ninguém mais. Ele não diz que temos completa liberdade quando as nossas ações de fato *afetam* os outros. Mas tampouco diz que *somente* estamos livres na esfera da autorreferência. Além dessa esfera, o princípio da liberdade simplesmente silencia. Uma vez que tenhamos deixado a esfera especial do princípio de liberdade, os argumentos de Mill para a liberdade tornam-se mais claramente utilitaristas. Examinamos dois: a liberdade de expressão e a liberdade de mercado.

Os dois argumentos utilitaristas de Mill em favor da liberdade de expressão ilustram perfeitamente tanto o seu empirismo quanto o seu interesse no contexto histórico das ideias.

1) *Não silencie a verdade.* Não devemos silenciar uma visão da qual discordamos porque não podemos ter certeza de que ela não contém pelo menos parte da verdade. Se eu *silencio* uma visão (ao invés de apenas discordar dela), então eu devo estar presumindo que sou *infalível*. Os empiristas negam que qualquer pessoa seja infalível.

2) *Não silencie a falsidade.* Mesmo se tivéssemos a certeza de que uma perspectiva divergente era falsa, ainda assim não deveríamos silenciá-la. Os pontos de vista divergentes mantêm a perspectiva ortodoxa *viva*. Se a dissidência é silenciada, então as pessoas não podem testar a sua crença considerando objeções e alternativas. Em longo prazo, a crença torna-se dogma morto. Para ilustrar isso, Mill compara desfavoravelmente a fé dos cristãos ingleses do século XIX com aquela dos primeiros cristãos, que eram constantemente confrontados com os argumentos de pensadores não cristãos.

Durante a sua vida, Mill foi mais conhecido como um especialista em *economia política* – o que hoje chamamos de economia. Ele escreveu um livro extremamente influente sobre o assunto. Em amplos detalhes, a sua posição é semelhante à de Bentham. Mill oferece explicitamente argumentos utilitaristas em favor do livre mercado. Todos estarão melhores em longo prazo se as pessoas forem autorizadas a tomarem decisões de consumo e de produção por si mesmas, e se bens e serviços forem alocados pelo mercado ao invés de pelo controle do estado.

Entretanto, a liberdade de mercado tem limites definidos. Mill explicitamente reconhece que as transações de mercado não são autorreferentes, porque têm um impacto sobre os outros. Elas são, portanto, regidas pelo princípio de utilidade, e não pelo princípio de liberdade. Assim, a intervenção do governo não é descartada – e Mill defende regulamentações saudáveis e seguras, regras para se evitar monopólios desleais, e outros casos de interferência no mercado. Nos seus últimos anos Mill tornou-se cada vez mais simpático ao socialismo, uma vez que se tornou desiludido com as desigualdades produzidas pelo capitalismo desenfreado e pelo impacto da industrialização sobre a individualidade das pessoas.

Democracia

Mill foi mais cauteloso em relação à democracia do que Bentham, talvez porque tenha tido mais experiência de como ela realmente funciona. Pensadores anteriores, que viveram sob monarquias absolutas, haviam identificado a liberdade com a participação no governo. A ameaça à liberdade era o despotismo, e a democracia era a solução. Um dos principais objetivos de Mill em *Sobre a liberdade* é ressaltar que, mesmo em uma democracia, a liberdade poderia estar sob a ameaça das forças da conformidade social ("a tirania da maioria"). A democracia não garante a liberdade.

No entanto, Mill realmente favorece fortemente a democracia em relação a sistemas alternativos de governo. Em seu longo ensaio *Considerações sobre o governo representativo* ele defende uma maior participação política tanto em bases instrumentais quanto intrínsecas. O argumento instrumental de Mill é semelhante ao de Bentham, e também à defesa utilitarista padrão do livre mercado. As pessoas são os melhores juízes dos seus próprios interesses. A democracia representativa é a melhor maneira de manter os governantes honestos, e de mantê-los focados nos interesses da maioria.

Mesmo se um ditador benevolente pudesse fazer um trabalho perfeito de atender aos interesses das pessoas, Mill *ainda assim* preferiria a democracia. A participação política é boa em si mesma – promove o autodesenvolvimento dos cidadãos, especialmente daqueles em ocupações menos favorecidas. A oportunidade de participarem das decisões políticas daria a essas pessoas o incentivo para se preocuparem com o resto do mundo, concentrarem as suas mentes em questões mais amplas, e desenvolverem a sua capacidade de tomar decisões importantes.

Mill favorece a *democracia representativa* (na qual as pessoas elegem representantes que, então, governam em seu nome) em relação à *democracia direta* (onde todos votam em cada decisão particular). A versão representativa é mais eficiente. Ela permite que alguns se especializem na complexa atividade governamental, e deixa os demais livres para dedicarem o seu tempo às coisas mais importantes na vida. (Uma característica distintiva da filosofia política de Mill, em contraste com a de muitos pensadores antigos, é que ele não vê a política como a área mais importante da vida.) Como Bentham poderia ter dito, os defensores da democracia direta são como pessoas que querem que todos façam os seus próprios sapatos.

Um aspecto da visão de Mill parece antiquado hoje. Ele defende um sistema de votação diferencial, no qual aqueles com mais educação teriam mais votos. (Infelizmente, Mill nunca explicou como isso funcionaria. Por exemplo, como ele iria lidar com aqueles que – como ele – são muito bem-educados, mas carecem de qualquer qualificação formal?)

O status *das mulheres*

As opiniões mais radicais que Mill expressou em público dizem respeito ao *status* das mulheres. Ele argumenta que as mulheres deveriam ter direito ao voto, e, além disso, ser tratadas como politicamente iguais aos homens. Mill defende os direitos das mulheres estendendo os princípios da moralidade costumeira. Em qualquer outra área da vida, seria considerado completamente inaceitável que as pessoas fossem (a) forçadas a contratos permanentes por uma completa falta de alternativas, e então (b) não autorizadas a quebrar ou encerrar esses contratos. Mill então pergunta: Por que a situação das mulheres casadas deveria ser tratada de maneira diferente? (A situação pessoal de Mill o tornou especialmente consciente da conveniência de se permitir que as mulheres divorciem-se mais facilmente!)

A discussão de Mill acerca das mulheres também ressalta o seu empirismo. Os seus opositores alegaram que os papéis sociais das mulheres são adequados à sua natureza. Mill responde que, precisamente *por causa* das suas limitadas oportunidades sociais, não sabemos muito sobre a natureza das mulheres. Nós simplesmente não podemos dizer se as mulheres poderiam se beneficiar do ensino superior, ou ser bem-sucedidas em certas profissões. Portanto, não há qualquer boa razão para não as deixar experimentar.

Mill foi o último utilitarista, e talvez o último filósofo de língua inglesa, que também foi uma figura cultural importante. Na própria filosofia, Mill caiu em desgraça no início do século XX, quando o seu otimismo e empirismo foram ambos considerados ingênuos e ultrapassados. No entanto, nos últimos anos, os escritos de Mill, em uma ampla gama de áreas – da lógica e da teoria do conhecimento à política e à economia –, têm sido reavaliados por teóricos contemporâneos. Em particular, para os nossos propósitos, veremos que a filosofia contemporânea deve muito a Mill, especialmente em filosofia moral e política.

Henry Sidgwick (1838-1900)

Sidgwick nasceu e morreu durante o reinado da rainha Vitória, e passou toda a sua vida adulta na Universidade de Cambridge, onde tornou-se Professor *Knightbridge* de Filosofia Moral em 1883. Ele começou como um classicista, mas os seus interesses intelectuais eram muito amplos, abrangendo a teoria moral, a metafísica, a política e a economia. Sidgwick também foi profundamente interessado em questões religiosas, dedicando grande parte do seu tempo à crítica histórica da Bíblia e às investigações psíquicas. Na verdade, ele foi um dos fundadores e o primeiro presidente da Sociedade para as Pesquisas Psíquicas. Embora muito bem relacionado (um cunhado tornou-se primeiro-ministro e outro foi arcebispo de Cantuária), Sidgwick nunca foi tão ativo na política quanto Bentham ou Mill. No entanto, ele teve considerável impacto sobre assuntos acadêmicos em Cambridge. Sidgwick foi influente no estabelecimento do Newnham College, uma das primeiras faculdades *Oxbridge* abertas às mulheres. Em 1869 Sidgwick renunciou ao seu posto de professor associado no Trinity College porque ele já não podia subscrever os Trinta e nove artigos da Igreja da Inglaterra – como todos os professores associados eram obrigados a fazer. Esta exigência foi abolida em 1871, parcialmente devido ao exemplo de Sidgwick.

Bentham, Mill e Sidgwick: diferenças e semelhanças

Sidgwick foi o último dos grandes clássicos utilitaristas. É também, em muitas maneiras, o primeiro filósofo moral moderno. Sidgwick está muito mais perto do que Bentham ou Mill das preocupações e da mentalidade dos filósofos contemporâneos. Ao contrário de ambos, Bentham e Mill, Sidgwick foi um filósofo acadêmico profissional – ensinando em uma universidade e escrevendo principalmente para publicações acadêmicas. Os seus escritos filosóficos centram-se na teoria da ética e na história da filosofia moral. Embora Sidgwick tenha sido bastante ativo na vida pública, especialmente na campanha por expandir as oportunidades educacionais para as mulheres, ele permaneceu em grande medida silencioso acerca das implicações práticas da sua própria filosofia. Conforme veremos, esse silêncio mesmo decorre das suas conclusões filosóficas.

Ao contrário dos seus antecessores utilitaristas, Sidgwick leva a ameaça do ceticismo moral muito a sério. Uma das suas principais preocupações é saber se a moralidade pode sobreviver ao declínio da religião. Esta é em parte uma preocupação prática: pode uma visão de mundo secular substituir a religião como a cola social que mantém a sociedade coesa? Ela também tinha um aspecto teórico: será que a moralidade sequer faz sentido na ausência da religião? Sidgwick é muito menos otimista aqui do que tanto Bentham quanto Mill. Ele acredita que o declínio da religião mina a teoria moral não utilitarista, e conduz o utilitarismo a uma crise.

Como Mill, Sidgwick foi influenciado pelo pensamento corrente na Alemanha. No seu caso, a influência foi muito mais filosófica. Tudo o que Mill tomou emprestado dos românticos alemães foi uma explicação mais rica da natureza humana, e especialmente dos seus aspectos emocionais, históricos e sociais. Ele manteve um compromisso muito britânico com o empirismo e a indução. Em contrapartida, toda a perspectiva filosófica de Sidgwick foi influenciada por Filósofos alemães, especialmente Immanuel Kant (1724-1804). Embora tenha permanecido simpático à tradição empirista, Sidgwick atribui uma proeminência muito maior à ideia de *razão*. O seu projeto consiste em basear a ética na razão, e não meramente na observação empírica.

Como ambos, Bentham e Mill, Sidgwick identifica-se como um hedonista. A única coisa que, em última instância, é valiosa consiste em uma "consciência desejável". Para tomar um exemplo mais tarde usado contra Sidgwick por seu aluno G.E. Moore considere dois universos possíveis sem qualquer criatura senciente: um universo é muito bonito, o outro muito feio. De acordo com Sidgwick, como não há qualquer observador para obter prazer ou dor, nenhum desses universos tem absolutamente qualquer valor. O universo belo não é melhor do que o feio.

Finalmente, Sidgwick tinha uma visão elitista do mundo social, a qual fica por vezes patente no seu utilitarismo. A elite deve usar o princípio utilitarista para projetar instituições públicas e regras morais, mas as massas devem ser ensinadas a obedecer a essas instituições e regras, e não a aplicar o princípio utilitarista por elas mesmas. (Bernard Williams, um influente crítico do utilitarismo do final do século XX, apelida este elitismo de "utilitarismo da Casa Governamental", alegando que ele decorre da mesma atitude arrogante que o governo paternalista das colônias britânicas no século XIX.)

Utilitarismo e intuicionismo

Sidgwick segue Mill ao enfatizar a compatibilidade do utilitarismo com a moralidade de senso comum. Sidgwick intitulou a sua obra-prima *Os métodos da ética*. Um método é uma maneira muito geral de se decidir o que fazer. Métodos dão origem a *princípios* – guias mais específicos para a ação, tais como as regras cotidianas de moralidade. Sidgwick discerne três possíveis métodos de ética: o utilitarismo, o intuicionismo e o egoísmo. Na época de Sidgwick, como na de Mill, os principais oponentes do utilitarismo eram os intuicionistas, que acreditavam em um "senso moral" que nos proveria do conhecimento infalível dos princípios morais. (Sidgwick distingue o intuicionismo *dogmático* – que ele condena – do intuicionismo *filosófico* – que é o nome que ele dá à sua própria metodologia.)

A primeira tarefa de Sidgwick consiste em demonstrar a superioridade do utilitarismo em relação ao intuicionismo. A maior parte do seu livro consiste em um relato bastante detalhado dos princípios básicos da moralidade de senso comum: sabedoria, benevolência, justiça, manutenção de promessas, veracidade, virtudes de autoestima, coragem, humildade e outras virtudes. As análises de Sidgwick têm sido uma grande inspiração para gerações posteriores de utilitaristas. Em cada caso, Sidgwick argumenta que o intuicionismo não pode prover princípios precisos para orientar as nossas ações. Sidgwick concorda que um senso moral nos daria certeza moral. Se eu tivesse um senso moral, eu sempre saberia o que fazer. No entanto, ele usa justamente esse fato para argumentar contra a ideia de um senso moral. Como eu frequentemente não sei o que deveria fazer, eu obviamente *não* tenho um senso moral. Como isso é verdadeiro acerca de todas as pessoas, ninguém tem um senso moral. Por conseguinte, o método intuicionista desmorona. Somente o utilitarismo pode oferecer princípios norteadores precisos para a ação. Porquanto os remete ao princípio utilitarista, o utilitarismo também diz-nos *por que* princípios particulares são corretos.

A abordagem de Sidgwick suscita três questões amplas.

1) *Será que o utilitarismo realmente captura a totalidade da moralidade costumeira?* Por exemplo, assim como com a teoria de Mill, podemos perguntar se um utilitarista realmente pode explicar o nosso senso de justiça. O próprio Sidgwick argumenta que a principal disputa entre os utilitaristas e os seus oponentes diz respeito à benevolência. Todos concordam que temos algumas obrigações de ajudar os outros, mas não há consenso quanto ao alcance dessa obrigação. Conforme veremos no capítulo 5, os oponentes do utilitarismo ainda contestam a sua explicação da benevolência.

2) *Será que as três opções de Sidgwick são exaustivas?* Oponentes do utilitarismo frequentemente argumentaram que, porquanto Sidgwick começa com uma visão de mundo amplamente utilitarista, ele perde uma série de outros possíveis métodos, restringindo todas as alternativas ao utilitarismo (além do egoísmo), em conjunto com o "intuicionismo (dogmático)", e então oferecendo uma explicação bastante estreita da moralidade intuicionista.

Sidgwick afirma que todo método deve ter um *fim*: uma fonte última de valor. Para o utilitarismo e para o egoísmo, este é o prazer – tanto o prazer em geral, ou o meu próprio prazer. O fim alternativo possível é a "perfeição humana". A teoria moral com este fim é o intuicionismo – porque as suas regras morais são derivadas a partir de um ideal de comportamento que aperfeiçoaria a natureza humana. (Sidgwick tem em mente intuicionistas cujo perfeccionismo endossa a visão de que a moralidade consiste em seguir o padrão de Deus para nossas vidas.)

Ao identificar o não utilitarismo com o intuicionismo, e ao então ater o intuicionismo ao perfeccionismo, Sidgwick, assim, ignora três possibilidades: o perfeccionismo não intuicionista, o intuicionismo não perfeccionista e alternativas tanto para o utilitarismo quanto para o intuicionismo. (Um exemplo da primeira delas é o *perfeccionismo consequencialista*: uma teoria como o utilitarismo, exceto pelo fato de que a perfeição substitui o prazer. Em lugar de maximizar o prazer, nós maximizamos a perfeição. Esta opção tem sido perseguida nos últimos anos pelo filósofo canadense Thomas Hurka.)

Muito da filosofia moral do século XX consiste na busca de métodos não utilitaristas adicionais. O mais proeminente exemplo é a redescoberta feita por Rawls do *construtivismo moral* de Kant. O próprio Rawls apresenta explicitamente a sua teoria como uma alternativa tanto ao utilitarismo quanto ao intuicionismo, no sentido de Sidgwick. Rawls pede-nos para imaginarmos quais princípios escolheríamos se não soubéssemos quem seríamos. Essa "posição original" obriga-nos a concentrarmo-nos em nossas obrigações uns para com os outros enquanto seres racionais, abstraindo das nossas preocupações e interesses particulares. O objetivo é prover uma fundamentação não utilitarista para os princípios morais. Outros não utilitaristas defendem versões modernas de intuicionismo, menos o perfeccionismo ao qual Sidgwick objetou.

Em tese, pode-se supor que Sidgwick não se incomodaria muito com estes desenvolvimentos. A sua investigação é deliberadamente hesitante e preliminar. Se outras pessoas chegassem com novos métodos, ou com novas versões de antigos métodos, ele teria então acolhido o desafio de compará-los com o utilitarismo e com o egoísmo.

3) *A ética deve ter um método?* Muitos filósofos morais recentes, especialmente Bernard Williams e diversos especialistas na ética da virtude, questionam o impulso de se produzir um sistema moral completo. Esta possibilidade é particularmente importante, uma vez que vemos que a própria tentativa de Sidgwick de sistematizar a ética terminou em caos.

O dualismo da razão prática

Tendo Sidgwick descartado o intuicionismo, restam-lhe duas formas concorrentes de hedonismo: o hedonismo universalista (utilitarismo) e o hedonismo egoísta (egoísmo). Estas me dizem para maximizar a felicidade geral e para maximizar a minha própria felicidade. Sidgwick conclui que cada método é independentemente um primeiro princípio racional. Nenhum tem precedência sobre o outro. A não ser que o universo seja "amigável" – a não ser que seja especificamente projetado para fazer com que os dois métodos coincidam – parece claro que eles frequentemente conflitarão na prática. Suponha que eu tenha R$ 10. Eu posso maximizar a *minha própria* felicidade através da compra de um ingresso de cinema para ver *Violência gratuita IV*, mas se eu estivesse maximizando *a felicidade geral* eu poderia certamente encontrar um melhor uso para o dinheiro. Neste ponto, a razão não oferece qualquer orientação adicional. Sidgwick encontra um *dualismo* insolúvel no coração da razão humana.

O dualismo de Sidgwick está relacionado à objeção comum de que o utilitarismo é extremamente exigente (capítulo 5). Entretanto, Sidgwick tem um ponto mais profundo. Ele encontra uma *contradição* na razão prática, não apenas uma dificuldade moral. Ele não está apenas destacando que os nossos interesses pessoais conflitam com o bem geral, ou que o utilitarismo pode ser muito exigente, ou mesmo que pode ser psicologicamente impossível cumprir as exigências do utilitarismo. Em vez disso, ele está dizendo que colocar os meus próprios interesses em primeiro lugar é não apenas psicologicamente natural – é também completamente racional e inquestionável. Uma pessoa completamente egoísta não pode ser condenada por qualquer erro racional.

Para Sidgwick, o dualismo da razão prática sinaliza o fracasso da teoria ética. Se a filosofia moral pretende ser bem-sucedida, ela deve conciliar os dois métodos. Cumpre fazermos uma pausa para observarmos quão forte é este requisito. A contradição na racionalidade só é evitada se a felicidade de cada pessoa sempre coincidir exatamente com a felicidade geral. A maior parte restante deste livro trata de casos nos quais os interesses das pessoas estão em conflito – e assim o faz a maior parte da vida cotidiana. Sem conflito, o que restaria da ética? Uma solução para o dualismo de Sidgwick dissolveria as principais objeções ao utilitarismo e talvez removesse completamente todos os problemas morais. Sidgwick rejeita todas as soluções filosóficas ao seu dualismo: religiosa, empirista, hegeliana, kantiana e cética. Isso o leva a explorar uma alternativa paranormal.

1) *A solução Deus* – A solução tradicional era Deus. Se Deus governa o universo, então podemos estar confiantes de que seremos recompensados por cumprirmos o nosso dever. Portanto, a felicidade e a moralidade devem coincidir. Sidgwick concorda que esta solução seria satisfatória. Infelizmente, não podemos ter certeza de que Deus existe. (A nossa incerteza a respeito de Deus é mais uma razão para rejeitar o intuicionismo, o qual tradicio-

nalmente presume que Deus nos deu um senso moral infalível.) Sidgwick, portanto, tem muito em comum com pensadores religiosos anteriores que argumentam que Deus é necessário para conferir sentido à moralidade. Vemos agora por que Sidgwick é menos otimista do que Mill de que a moralidade pode sobreviver à perda da fé religiosa. Vemos ainda por que Sidgwick guardou as suas próprias dúvidas religiosas para si mesmo. Se a fé religiosa for necessária para evitar o dualismo da razão prática, então a dúvida religiosa disseminada é potencialmente desastrosa.

2) *A solução empirista* – Mill, seguindo muitos sociólogos contemporâneos, argumentou que, conforme a sociedade progride, os interesses de pessoas diferentes hão de coincidir cada vez mais. A preocupação de Mill é prática. Ele busca uma sociedade na qual as pessoas agirão em vista do bem comum, mesmo sendo naturalmente egoístas. Mill pode assim arcar com algumas divergências entre a felicidade individual e a geral, desde que ambas tipicamente coincidam. O propósito de Sidgwick é diferente do de Mill. Apenas uma coincidência perfeita o fará. Não é, portanto, surpreendente que Sidgwick extraia uma conclusão negativa das suas próprias inquirições empíricas – os interesses dos indivíduos divergem demais do bem geral.

3) *A solução hegeliana* – Os hegelianos britânicos – especialmente associados ao amigo de escola de Sidgwick, T.H. Green (1836-1882) na Universidade de Oxford – basearam a ética na metafísica de G.W.F. Hegel (1770-1831), um filósofo alemão muito influente do início do século XIX. A Metafísica de Hegel é notoriamente difícil de entender, mas uma tese fundamental é a de que todas as dicotomias e distinções são, em última instância, irreais. Se víssemos o universo corretamente, nós reconheceríamos que a distinção entre indivíduos humanos é uma ilusão – não existem indivíduos separados, mas meramente aspectos de um único Absoluto eterno. A própria ideia de uma divergência de

interesses é, portanto, metafisicamente incoerente. Esse quadro *idealista* básico foi muito influente na filosofia britânica no século XIX tardio. Ele caiu em desgraça no início do século XX – em grande parte devido aos ataques devastadores de dois estudantes de Sidgwick: Bertrand Russell (1872-1970) e G.E. Moore (1873-1958).

Ainda que fosse simpático à filosofia alemã, Sidgwick era ainda empirista o bastante para acreditar que apenas um argumento extremamente forte poderia superar a persuasiva evidência empírica de um conflito entre a felicidade individual e a geral. Os argumentos que defendem a metafísica hegeliana simplesmente não foram suficientemente fortes. (Na verdade, apesar do seu respeito pelo seu amigo Green, Sidgwick considerou a metafísica hegeliana em grande parte ininteligível.)

4) *A solução kantiana* – A solução kantiana é baseada no "argumento moral" de Kant em favor da crença em Deus e na imortalidade. A especulação teórica é baseada em nossos conceitos, os quais visam exclusivamente o mundo que experimentamos. Tal especulação não nos pode conduzir além do mundo da experiência. Por isso não pode nos dizer se Deus existe, ou se somos imortais. No entanto, a moralidade diz-me para almejar a minha própria perfeição moral e um mundo justo. Essas demandas são incoerentes e irracionais a menos que haja uma além-vida presidida por uma divindade benevolente. A crença em Deus é moralmente necessária. Temos razões práticas para acreditar em Deus, e nenhuma razão teórica para não fazê-lo. Portanto, a crença em Deus é razoável.

Sidgwick foi por vezes atraído ao argumento de Kant. No final, entretanto, ele o rejeitou enfaticamente. A nossa necessidade de sistematizar a ética fornece-nos uma razão urgente para *esperar* que o universo seja amistoso, e provê uma motivação muito forte para se buscar evidência de amistosidade, mas isso não é razão para se acreditar que o universo *seja* realmente amistoso. Não podemos simplesmente presumir que a ética não seja incoerente.

> Estou tão longe de me sentir obrigado a acreditar para propósitos práticos no que eu não vejo qualquer motivo para considerar como uma verdade especulativa, que eu não posso sequer conceber o estado mental que estas palavras parecem descrever, exceto como uma momentânea, quase intencional irracionalidade, cometida em um violento acesso de desespero filosófico (Sidgwick. *Os métodos da ética*, 507).

5) *A solução cética* – Outra alternativa é tomar o fracasso da ética ao pé da letra. A ética falha porque é incoerente. Devemos abandonar a busca de uma explicação unificada da racionalidade, admitir que a razão seja uma guia inadequada para a ação, e ser guiados ao contrário pelos nossos instintos ou desejos. Alguns dos contemporâneos de Sidgwick abraçaram o vácuo moral deixado pelo colapso da religião tradicional, uma vez que permitiu uma abordagem da vida mais livre, mais individualista, especialmente na moralidade sexual. O próprio Sidgwick parece ter favorecido uma abordagem mais liberal da moralidade pessoal – embora aqui, mais do que em qualquer outro lugar, a sua reticência pública torna muito difícil descobrir o que ele realmente pensava. No entanto, ele considerava o instinto e a paixão como bases muito pouco confiáveis para uma moralidade pública. Se o ceticismo se tornasse generalizado, o resultado seria não a libertação, mas o caos.

6) *A solução psíquica* – A sua rejeição de todas essas soluções alternativas explica o enorme interesse de Sidgwick na pesquisa psíquica. É simplesmente implausível que os interesses de todos os indivíduos coincidirão completamente na vida presente. A vida após a morte é, certamente, *insuficiente* para resolver o dualismo da razão prática. O próximo mundo pode ser simples-

mente tão hostil como este mundo. No entanto, a vida após a morte é *necessária* para a ética. A menos que haja outra vida onde a justiça *possa* ser alcançada, a tentativa de sistematizar a ética é desprovida de esperança. A necessidade mais urgente para os filósofos morais é examinar a evidência de que os seres humanos podem sobreviver à morte. As atividades paranormais de Sidgwick são, portanto, não um *hobby* excêntrico. Elas são fundamentais para as suas preocupações filosóficas.

Dissolvendo o dualismo de Sidgwick

O dualismo da razão prática surge a partir de quatro afirmações.

1) O egoísmo é racional.

2) O utilitarismo é racional.

3) A única maneira de se reconciliar dois métodos racionais é provar que eles nunca conflitam.

4) O utilitarismo e o egoísmo conflitam.

Filósofos modernos têm desafiado cada uma dessas quatro afirmações. Talvez a mudança mais óbvia, especialmente para os utilitaristas, seja negar que o egoísmo seja racional. Muitos dos primeiros críticos de Sidgwick objetaram que a sua discussão sobre o egoísmo é muito menos detalhada, e menos convincente, do que a sua discussão sobre o utilitarismo. Sidgwick justifica o utilitarismo demonstrando como ele subjaz os princípios da moralidade de senso comum. No entanto, ele admite livremente que o egoísmo conflita com a moralidade de senso comum, e não defende a racionalidade do egoísmo. O utilitarismo, portanto, parece apresentar uma hipótese muito mais forte do que o egoísmo. Se os dois métodos conflitam, por que não simplesmente rejeitar o egoísmo?

Sidgwick respondeu a essa crítica em edições posteriores do seu livro. Parte do seu argumento é negativo. Os utilitaristas só seriam justificados em considerarem o egoísmo como irracional se pudessem demonstrar que o egoísmo conduz ao utilitarismo – que é logicamente inconsistente aceitar o egoísmo e não ser um utilitarista. Por exemplo, poderíamos argumentar da seguinte maneira. Um egoísta acredita que o seu próprio prazer seja bom. A consistência exige que ele reconheça que os prazeres de todos os demais sejam igualmente bons. Portanto, a posição do egoísta é instável, e o resultado lógico é o utilitarismo. O egoísmo não é racional, pelo menos não o é quando entra em conflito com o utilitarismo. (Este não é um argumento explicitamente apresentado pelos primeiros utilitaristas – uma vez que eles não compartilhavam a preocupação de Sidgwick quanto à ameaça do egoísmo. Ao contrário, representa o tipo de coisa que um utilitarista pré-Sidgwick poderia ter dito se pressionado acerca deste ponto.)

Sidgwick rejeita todos esses argumentos. Se alguém é um egoísta, nós não podemos racionalmente obrigá-lo a aceitar o utilitarismo. Neste ponto, Sidgwick apela para o seu hedonismo. A noção do bem geral é construída sobre uma ideia mais básica: a de que um determinado estado de consciência é bom para uma pessoa particular. O método que responde diretamente ao bem individual é, portanto, mais básico do que o método que responde à consciência desejável em geral. O egoísmo é mais básico do que o utilitarismo, e os utilitaristas devem admitir que o egoísmo seja racional. (Sidgwick inverte o argumento utilitarista proposto. Nós só sentimos uma necessidade de derivar o utilitarismo do egoísmo porque primeiro sentimos as reivindicações do egoísmo. Se os dois conflitam, então não podemos oferecer qualquer razão pela qual o egoísmo deveria ceder.) Em defesa de Sidgwick, poderíamos observar que algumas formas de egoísmo têm forte apelo intuitivo. A alegação de que me é racional perseguir os meus próprios interesses é central à própria ideia de racionalidade. Imagine uma pessoa que seja completamente indiferente aos seus próprios interesses. Quem negaria que essa pessoa é irracional? (Voltaremos à relação entre o utilitarismo e o egoísmo no capítulo 5.)

A segunda resposta óbvia é rejeitar o utilitarismo. O utilitarismo é abjetamente exigente – ele deixa muito pouco espaço para os próprios interesses do agente. É por isso que conflita tão fortemente com egoísmo. Uma teoria moral mais plausível pode não conflitar com o egoísmo. (Essa via naturalmente atrai aqueles que rejeitam a tese de Sidgwick segundo a qual a moralidade de senso comum é equivalente ao utilitarismo.) Se queremos uma teoria moral que *absolutamente* não entre em conflito com o egoísmo, então a estratégia óbvia é inferir essa teoria diretamente do próprio egoísmo. Se as exigências da moral *são* aquelas do autointeresse, não há espaço para conflito. Um exemplo recente é o *contratualismo* de David Gauthier. Baseando-se em uma tradição que remonta a Thomas Hobbes e John Locke no século XVII, Gauthier identifica a moralidade com os resultados de uma barganha entre agentes racionais autointeressados que precisam de um conjunto de regras para governar as suas interações uns com os outros.

A redução da moralidade ao interesse próprio não tem ampla aceitação. A maioria das pessoas sente que é moralmente heroico para alguém sacrificar a sua vida para salvar os outros. Mas se a moralidade *consiste* no interesse próprio, então devemos dizer ou que tal pessoa é imoral ou que ela está simplesmente perseguindo o seu próprio autointeresse. A noção de autossacrifício moralmente admirável não faria sentido. Poucos teóricos morais querem basear a sua teoria completamente no egoísmo. Entretanto, a menos que o façam, devem admitir alguns conflitos entre a moralidade e o autointeresse. Eles estão, portanto, abertos a uma variante do dualismo original de Sidgwick, com o utilitarismo substituído pela moralidade em geral. Se o egoísmo e a moralidade são ambos racionais, e se conflitam, então devemos encontrar alguma outra maneira de reconciliá-los.

(Poderíamos, é claro, simplesmente negar que a moralidade seja racional – talvez seja irracional ser moral. Os filósofos tendem a não gostar desta alternativa. Mesmo se a moralidade não for racionalmente compulsória, os filósofos não querem que ela seja irracional.)

Outra abordagem consiste em dar espaço ao autointeresse dentro da moralidade, e, *então*, negar que o egoísmo seja racionalmente aceitável quando excede esses limites. Esta é a abordagem de muitos teóricos que trabalham na tradição utilitarista. Alguns defendem o utilitarismo tradicional – cada pessoa é autorizada a conferir à sua própria felicidade apenas tanto peso quanto o da felicidade de qualquer outro indivíduo. Outros constroem versões do utilitarismo que permitem que os agentes confiram um peso desproporcional aos seus próprios interesses, e, então, negam que seja racional ignorar completamente o interesse geral quando ambos conflitam. Estes utilitaristas aceitam que, embora o utilitarismo e o egoísmo representem pontos de vista diferentes (o ponto de vista do indivíduo e "o ponto de vista do universo", como Sidgwick o coloca), não há qualquer razão pela qual esses dois pontos de vista não possam ser combinados e reconciliados dentro de uma única teoria moral moderada. (Exploraremos essas opções mais profundamente no capítulo 7.)

Baseando-se em temas de muitos dos contemporâneos de Sidgwick, tais como Mill e Green, utilitaristas contemporâneos tentam ainda reduzir a distância entre o utilitarismo e o egoísmo, enfatizando em que medida os interesses reais das pessoas coincidem. Uma estratégia é argumentar que os prazeres e conquistas mais valiosos vêm de atividades cooperativas, onde o conflito é minimizado. (Voltaremos a essa estratégia no capítulo 5.)

Muitos filósofos não utilitaristas veem o dualismo de Sidgwick como uma característica inevitável do seu arcabouço utilitarista. Se insistirmos em ver a moralidade a partir do ponto de vista do universo, então não poderemos esperar conciliá-la com a visão de cada pessoa acerca da sua própria vida. Em vez disso, deveríamos ver a moralidade como um equilíbrio entre os pontos de vista de diferentes indivíduos. Adotar o ponto de vista moral não consiste em adotar algum ponto de vista sobre-humano, mas meramente em aceitar que o meu próprio autointeresse deve ser constringido pelos interesses legítimos de outros. Um exemplo contemporâneo é o *contratualismo* de Thomas Scanlon, no qual a moralidade é baseada em regras que ninguém pode razoavelmente rejeitar. Uma vez que estamos equilibrando diferentes pontos de vista do mesmo tipo, é muito mais razoável esperar conciliá-los.

Outra maneira de dissolver o dualismo é argumentar que, embora o utilitarismo e o egoísmo sejam ambos racionais, cada um tem o seu próprio domínio. Talvez o utilitarismo seja a explicação correta da racionalidade coletiva, ou da "esfera moral", enquanto o egoísmo seja a explicação correta da racionalidade individual. Ou talvez devamos reconhecer que a racionalidade (representada pelo egoísmo) e a moralidade (representada pelo utilitarismo) sejam domínios independentes do pensamento prático – cada qual governado pelas suas próprias leis, e nenhum deles subserviente ao outro. Talvez, quando Sidgwick demanda um único padrão de racionalidade para resolver todas as disputas entre os dois domínios, ele esteja demandando mais da razão humana do que ela pode possivelmente esperar entregar.

A solução favorecida pelo próprio Sidgwick para o dualismo da razão prática não encontrou muitos seguidores (se houver encontrado algum) entre os filósofos morais contemporâneos. Os utilitaristas contemporâneos tendem a não prestar muita atenção na possibilidade de sobrevivermos à morte, e, provavelmente, nenhum deles aceitaria que o utilitarismo seja incoerente se não sobrevivermos. Por outro lado, aqueles filósofos que *de fato* levam a possibilidade de outra vida a sério quase sempre *não* são utilitaristas. Filósofos que operam dentro de uma perspectiva religiosa tipicamente enfatizam fortemente elementos antiutilitaristas em sua filosofia moral. O problema de Sidgwick foi muito mais influente no pensamento moral recente do que a sua solução. Apesar de seu fracasso final, a busca de Sidgwick por uma teoria moral coerente, intuitivamente atraente, racionalmente fundamentada, estabelece o cenário para a filosofia moral moderna.

Isso completa a nossa pesquisa do utilitarismo clássico. Agora começamos a transição para o utilitarismo moderno, explorando as diferentes maneiras pelas quais os utilitaristas têm procurado justificar a sua teoria ao longo dos dois últimos séculos.

Pontos-chave para os três utilitaristas clássicos

Jeremy Bentham

• O princípio de utilidade diz aos legisladores para produzirem leis que maximizem a felicidade.

• O princípio de utilidade é a única base possível para a moralidade – qualquer outra coisa é meramente "capricho".

• O princípio de utilidade deve definir todos os direitos legais. A ideia de direitos naturais é um "absurdo sobre pernas de pau".

John Stuart Mill

• "As ações são corretas na proporção em que tendem a promover a felicidade, e erradas quando tendem a produzir o reverso da felicidade."

• Empirismo – todo conhecimento (incluindo a moralidade) é baseado na experiência.

• O princípio de utilidade é derivado da experiência – especialmente do fato de que todos desejam a felicidade.

• O juiz competente (que experimentou ambos) prefere prazeres mais elevados a inferiores.

• A sociedade só pode interferir na liberdade de um indivíduo se as suas ações forem um dano para os outros.

- O princípio de utilidade apoia a liberdade de expressão, a democracia e os direitos das mulheres.

Henry Sidgwick

- O dualismo da razão prática:

  - Existem dois métodos racionais de tomada de decisão: o utilitarismo e o egoísmo.

  - Os dois métodos são irreconciliáveis.

  - Nenhum dos dois métodos é superior ao outro.

  - A menos que possamos resolver este dualismo, a ética é incoerente.

3

Provas do utilitarismo

Neste capítulo examinamos como gerações de utilitaristas procuraram justificar ou provar a sua teoria. Para cada prova do utilitarismo há três questões a serem examinadas.

1) O que está sendo provado? (Por exemplo, o utilitarismo é oferecido como a melhor explicação da ação correta ou da justiça institucional?)

2) Quais são os concorrentes? (O utilitarismo é o melhor x – comparado a quê?)

3) Quais são as ideias filosóficas e culturais prévias do que conta como uma *prova adequada*?

As provas do utilitarismo fazem muito mais sentido se nos damos ao trabalho de responder a essas três perguntas. Um momento decisivo na história do utilitarismo é a introdução feita por Sidgwick de uma opção *cética*. Isso aumentou significativamente as apostas para qualquer prova. Além de demonstrar que o utilitarismo é a *melhor* teoria moral disponível, devemos agora também provar que é *adequado* – uma vez que já não podemos presumir que a melhor teoria moral seja adequada. Veremos que a filosofia moral do fim do século XX remete-nos de volta ao ponto de partida, uma vez que o foco na intuição permite-nos (mais uma vez) contentarmo-nos com a descoberta da melhor teoria moral disponível.

No século XIX o campo de batalha era tipicamente entre o utilitarismo e a moralidade não utilitarista. É-nos oferecida uma prova do utilitarismo em geral – uma justificação da tradição utilitarista como um todo. No século XX, conforme a filosofia moral torna-se mais profissionalizada, diferentes formas de utilitarismo estão frequentemente em competição uma com a outra. Um utilitarista moderno frequentemente busca provar alguma forma particular de utilitarismo, cujos concorrentes incluem outras formas de utilitarismo. (Por exemplo, conforme veremos no capítulo 6, os utilitaristas de regra contemporâneos procuram demonstrar que a sua teoria é superior ao utilitarismo de ato.) Porquanto as teorias morais multiplicam-se, são necessários métodos cada vez mais sofisticados para se escolher entre elas. Isso impulsiona os filósofos a construírem contraexemplos cada vez mais detalhados e complicados, conforme veremos nos próximos capítulos.

O presente capítulo, portanto, funciona como uma ponte entre as nossas discussões acerca do utilitarismo clássico e do contemporâneo. Em particular, delineando o panorama filosófico em mudança, ajuda-nos a ver como (e por que) as preocupações, os métodos e as questões dos utilitaristas contemporâneos diferem daqueles dos seus precursores do século XIX.

O utilitarismo teológico

Começamos com um dos primeiros argumentos utilitaristas. O objeto de prova é o utilitarismo em geral. Tipicamente, os utilitaristas teológicos buscam mostrar que às regras morais padrão pode ser atribuído um fundamento utilitarista baseado na benevolência de Deus. Suas alternativas incluem regras de conduta ditadas pela Igreja, e a revelação direta dos mandamentos divinos. Um dos propósitos do utilitarismo é fornecer uma fundamentação para a moralidade que ignore a autoridade de líderes particulares da Igreja. O contexto filosófico e cultural é, definitivamente, cristão, mas fortemente influenciado pelo Iluminismo. Há uma forte ênfase na razão humana, na bondade da criação e na inteligibilidade racional dos mandamentos divinos. Ao invés de apoiar-se em padres para dizer-nos o que Deus quer, podemos usar o nosso conhecimento da natureza humana, e do amor de Deus pela humanidade, para deduzir como Deus gostaria que vivêssemos.

O utilitarismo teológico enfrenta uma série de problemas. Alguns destes são problemas gerais para qualquer ética baseada na religião. Existe um Deus? Como sabemos o que Deus quer? Se uma das tarefas da moralidade é permitir-nos vivermos juntos, apesar das nossas diferenças religiosas, então não deveria a ética ser independente da revelação divina? Outros problemas são característicos do utilitarismo teológico. É Deus um utilitarista? (Os utilitaristas teológicos eram todos cristãos que acreditavam que Deus se revela na Bíblia. A Bíblia atribui muitos julgamentos morais e atos específicos a Deus. Alguns destes são difíceis de conciliar com o utilitarismo.) Como podemos saber se Deus é um utilitarista sem primeiro decidir se o utilitarismo é a teoria moral correta? Se nós já tivermos escolhido o utilitarismo por outros motivos, então qual é o significado de se apelar para os mandamentos de Deus? Esta é uma versão moderna de um problema identificado pela primeira vez por Platão, e conhecido como o *Dilema de Eutífron* a partir de um dos personagens nos diálogos de Platão. Estamos todos de acordo que os deuses amam o que é bom. Mas será que eles o amam *porque* é bom, ou o fato de eles o amarem o *torna* bom? A primeira opção requer alguns padrões de bondade que são independentes dos deuses, enquanto a segunda opção faz a bondade parecer arbitrária.

O utilitarismo teológico tem poucos defensores entre os filósofos contemporâneos. A maioria dos filósofos cristãos se opõe fortemente ao utilitarismo, enquanto a maioria dos utilitaristas prefere uma fundamentação para a moralidade menos religiosamente carregada. O principal descendente moderno do utilitarismo teológico é o *utilita-*

rismo evolucionário, que também procura derivar a moralidade a partir de um relato sobre a origem humana. Ele argumenta que as nossas crenças, instituições e práticas morais existem porque possibilitaram que os nossos antepassados sobrevivessem e vicejassem. Como utilitaristas, devemos obedecer à moralidade habitual, porque ela maximiza a felicidade humana. Como o utilitarismo teológico, o utilitarismo evolucionário enfrenta dois conjuntos de objeções. Algumas objeções embaraçam qualquer ética evolucionária. Como sabemos quais comportamentos permitiram a sobrevivência dos nossos ancestrais? Por que devemos equacionar a ética com a sobrevivência? E se os nossos ancestrais tiverem sobrevivido porque foram (digamos) genocidas ou não confiáveis? Outras objeções aplicam-se especialmente aos *utilitaristas* evolucionários. Particularmente preocupante é o fato de que, enquanto a evolução pode selecionar padrões de comportamento que maximizam a sobrevivência e a reprodução, não há qualquer razão para se acreditar que ela favoreça a promoção da felicidade humana.

A prova de Bentham

O objeto da prova de Bentham é o utilitarismo em geral. O passo crucial é a alegação de que a única alternativa ao utilitarismo é *capricho* – uma moralidade baseada no autointeresse, na paixão ou na superstição. Em particular, Bentham está atacando o *status quo* – a moralidade baseada no autointeresse da classe dominante (especialmente os advogados, os aristocratas e os sacerdotes) e na superstição religiosa. O utilitarismo oferece o único teste definitivo possível para as instituições, os códigos públicos de ética ou a moralidade pessoal.

O contexto da prova de Bentham é o radicalismo filosófico. A razão humana é necessária para derrubar a tradição irracional. A prova de Bentham é radical em sua retórica, mesmo embora o seu utilitarismo tenha sido muitas vezes incremental e pragmático a um nível cotidiano. O surgimento de uma classe alfabetizada de pessoas fora da sociedade estabelecida também forneceu uma audiência para as ideias de Bentham, permitindo-lhe assim apresentá-las com uma linguagem desprovida de tecnicalidades e contrária à sociedade estabelecida.

Da perspectiva da filosofia contemporânea, a principal limitação da prova de Bentham é o desenvolvimento subsequente de alternativas que ele não considera. Defensores da moralidade tradicional, ou de outras abordagens não utilitaristas da moralidade, podem argumentar que ela não precisa basear-se no capricho. Mesmo no interior do utilitarismo, utilitaristas teológicos e evolucionários proveem fundamentos racionais para as práticas existentes, e, assim, oferecem uma alternativa à agenda radical de Bentham.

Um segundo problema, conforme muitos filósofos contemporâneos apontam, é que estabelecer que a moralidade deva ser sensível ao bem-estar não é suficiente para provar o utilitarismo. Uma teoria baseada na equidade, na igualdade, na liberdade ou nos direitos naturais pode gerar exatamente as mesmas objeções ao *status quo*, seja no século XVIII ou hoje em dia. Os abusos que Bentham repreendeu seriam contrários a quase qualquer teoria moral contemporânea. Você não tem que ser um utilitarista para se opor à escravidão ou à corrupção. Portanto, Bentham não pode provar o utilitarismo simplesmente apontando que o *status quo* não é suficientemente sensível às necessidades humanas.

Mesmo se Bentham convenceu-nos a abraçar o utilitarismo em geral, a sua prova não pode dizer-nos que tipo de utilitaristas nós deveríamos ser. Em particular, a maioria das questões abordadas em capítulos posteriores deste livro é deixada sem resposta pela prova geral de Bentham.

A prova de Mill

Mill defende o utilitarismo como o padrão supremo do certo e do errado. A alternativa que ele tem em mente é o *intuicionismo* – no qual a verdade moral é conhecida diretamente através de um senso moral especial. O contexto filosófico é o método empirista e a psicologia associacionista de Mill. Como qualquer outro conhecimento, o nosso conhecimento da moralidade deve ser derivado da observação. O prazer e a dor são as únicas características observáveis relevantes, de modo que eles fornecem a única base possível para a moralidade. Recorde-se da chave de três passos da prova de Mill.

1) A passagem de "as pessoas desejam x" para "x é desejável".

2) A passagem de "a felicidade de cada pessoa é boa para ela" para "a felicidade geral é um bem para o conjunto das pessoas".

3) A alegação de que a felicidade é o *único* fim: de que tudo o que desejamos ou é uma *parte* da felicidade, ou um *meio* para a felicidade. (Sem esse passo não provamos o utilitarismo, mas apenas a alegação fraca de que a felicidade é uma coisa boa – talvez uma entre muitas outras.)

A parte mais importante da prova de Mill, tanto para o próprio Mill quanto para os seus críticos posteriores, foi o passo final. Tendo estabelecido que a felicidade é *um* fim desejável, Mill procura agora demonstrar que ela é o *único* fim desejável.

A prova de Mill é indutiva. Ele não tem a pretensão de provar que a felicidade seja a única coisa desejável. Ao invés disso, ele afirma que a única *evidência* que poderíamos possivelmente possuir de que algo é desejável seria o fato de que as pessoas geralmente a desejam. Considere estas duas afirmações.

(A) x é desejável, mas ninguém deseja x.

(B) x não é desejável, embora as pessoas geralmente desejem x.

Mill não diz que afirmações como (A) e (B) sejam autocontraditórias. Ele diz que nunca é razoável acreditar em tais afirmações. Mill não está tentando fornecer uma prova lógica, mas um argumento *comparativo*. O utilitarismo pode conceder ao conhecimento moral uma fundamentação mais segura do que o intuicionismo.

É vital notar que Mill é provavelmente o último grande filósofo, e certamente o último grande utilitarista, para quem o ceticismo moral não é uma preocupação séria. Quando ele coloca a questão "O que é desejável?", Mill não considera a possível resposta: "nada". Ele tampouco considera esta uma resposta credível à questão: "O que *fundamenta* (ou subjaz ou explica ou justifica) a moralidade?" Para Mill é suficiente demonstrar que o utilitarismo se sai melhor do que os seus competidores. Esta não é uma peculiaridade de Mill. É uma tendência que ele partilhava com a maioria dos seus contemporâneos – tanto os utilitaristas quanto os não utilitaristas. (Na verdade, a maioria dos adversários intuicionistas de Mill é muito mais hostil ao ceticismo do que ele.) Muitas das críticas modernas à prova de Mill, embora possam ser legítimas se dirigidas contra um filósofo moderno tentando usar o argumento de Mill para derrotar o ceticismo, não são, portanto, objeções realmente legítimas no próprio contexto filosófico de Mill.

A prova de Mill enfrenta alguns problemas, mesmo em seus próprios termos. Será a felicidade a única coisa que as pessoas geralmente desejam? É fácil construir um dilema para Mill. Se *definirmos* a felicidade em termos de desejo, então a afirmação de Mill será verdadeira, mas apenas por ser circular e inútil. (A afirmação informativa, porém controversa, "As pessoas só desejam a felicidade" torna-se a trivial "As pessoas só desejam o que as pessoas desejam".) Por outro lado, se a felicidade não for definida em termos de desejo, então a afirmação de Mill parecerá obviamente falsa. As pessoas desejam uma gama bastante ampla de coisas além da sua própria felicidade. O próprio Mill parece admitir isso com o seu modelo de bem-estar do juiz competente. Está longe de ser claro que geralmente as pessoas desejam apenas o que o juiz competente desejaria.

Um segundo problema é que, assim como a prova de Bentham, a prova de Mill não vai longe o suficiente. Existe um grande passo da afirmação de que apenas a felicidade é desejável para o utilitarismo completo. Conforme veremos no capítulo 7, o utilitarismo moderno combina uma afirmação sobre o que é desejável com uma maneira distintiva de responder às coisas desejáveis. Os utilitaristas procuram *promover* ou *maximizar* o valor. (O próprio Mill poderia muito bem endossar esta afirmação suplementar, mas a sua prova não a estabelece.) Não utilitaristas poderiam concordar que a felicidade seja desejável, mas concluiriam que, ao invés de tornarmo-nos utilitaristas, deveríamos evitar tornar os outros infelizes ou procurar tornarmo-nos a nós mesmos felizes – deveríamos respeitar ou incorporar ou expressar a felicidade ao invés de promovê-la.

De um modo geral, portanto, a prova de Mill é mais bem-sucedida nos seus termos do que o é nos nossos, mas não é totalmente bem-sucedida, mesmo nos seus próprios termos. Para a maioria dos utilitaristas modernos, ela prové uma fundamentação claramente insuficiente para o utilitarismo.

Sidgwick

O objeto da prova de Sidgwick é a benevolência universal. Trata-se de uma forma mais bem-definida de utilitarismo do que aquela que encontramos tanto em Bentham quanto em Mill. As principais alternativas de Sidgwick são o egoísmo e várias formas de intuicionismo dogmático. A contribuição crucial de Sidgwick é separar o utilitarismo do egoísmo. Isto introduz *duas* novas alternativas: o próprio egoísmo, e o ceticismo motivado pelo fracasso da razão em decidir entre o utilitarismo e o egoísmo.

O contexto filosófico e cultural de Sidgwick tem vários elementos. O mais impressionante é o aumento no rigor acadêmico devido à profissionalização da filosofia. Esse fato é acompanhado pela influência do Idealismo – importado das novas universidades alemãs, e conduzindo a uma exploração muito mais rigorosa dos fundamentos da moralidade. Esta exploração alimentou um clima geral de ceticismo acerca das autoridades intelectuais tradicionais – alimentado também pela crítica romântica da fé iluminista na razão humana, e pela crítica de Darwin do relato bíblico das origens humanas.

Sidgwick oferece apenas uma prova parcial do utilitarismo. Esta prova baseia-se em grande medida no que hoje consideraríamos como fundamentos de equilíbrio reflexivo (cf. 79-86). Sidgwick afirma que o utilitarismo implica os princípios da moralidade de senso comum. A prova de Sidgwick está aberta a objeções a partir de duas direções. Oponentes do utilitarismo negarão que ela seja tão coerente com a moralidade de senso comum, enquanto os defensores do utilitarismo rejeitarão o dualismo da razão prática, argumentando que o utilitarismo é superior ao egoísmo.

Discutimos a metodologia de Sidgwick no capítulo 2. Eis aqui três objeções gerais que um não utilitarista moderno faria.

1) Intuições utilitárias – A explicação de Sidgwick da moralidade de senso comum é amplamente baseada em suas próprias intuições. Estas são fortemente influenciadas pelo utilitarismo. Filósofos contemporâneos não utilitaristas podem estar menos contentes com os princípios morais que Sidgwick deriva do utilitarismo. (Uma diferença entre Sidgwick e a maioria dos teóricos modernos do equilíbrio reflexivo é que ele reconhece intuições fundacionais – que o egoísmo é racional e que o utilitarismo é racional – as quais não podem ser rejeitadas na busca de um equilíbrio.)

2) Fundamentações alternativas – Sidgwick é demasiadamente apressado em concluir que o utilitarismo implica os princípios que ele discute. Esta é uma objeção comum a este método particular. Os argumentos de Sidgwick são capazes de demonstrar que o utilitarismo implica algum princípio quanto a dizer a verdade ou manter promessas, mas a sua evidência é insuficiente para demonstrar que os seus princípios utilitaristas coincidem precisamente com aqueles da moralidade de senso comum.

3) *Muito pessimista* – O pessimismo de Sidgwick também é demasiadamente apressado. Ele ignora possíveis compromissos entre o utilitarismo e o egoísmo. Em particular, porquanto Sidgwick começa por unificar o utilitarismo e a moralidade de senso comum, ele ignora a possibilidade de que os princípios da moralidade de senso comum possam produzir não o utilitarismo ou o egoísmo, mas sim um equilíbrio entre os dois. (Exploramos tais tentativas no capítulo 7.)

A prova R.M. Hare

Depois de Sidgwick não houve muito progresso original na discussão filosófica do utilitarismo até os anos de 1960. Isto pode parecer estranho, uma vez que este ínterim testemunhou uma grande revolução no mundo ocidental, incluindo o estabelecimento do estado do bem-estar – um projeto defendido pelos primeiros utilitaristas, como Bentham, e frequentemente defendido em público com base em fundamentos amplamente utilitaristas. O utilitarismo foi eclipsado na filosofia profissional no exato momento em que alcançou domínio no discurso público. A razão para isso foi um clima filosófico insensível à filosofia moral em geral.

Como uma reação ao que foi percebido como excessos do Idealismo Alemão e da especulação metafísica no século XIX, filósofos de língua inglesa na primeira metade do século XX adotaram uma visão modesta do papel da filosofia. A filosofia consiste meramente na análise linguística. Os filósofos oferecem definições dos significados das palavras. O único trabalho filosófico na moralidade seria a análise dos termos morais ("dever", "certo", "errado", "bem", "mal", e assim por diante). Esta atitude encontrou a sua expressão extrema na obra dos *positivistas lógicos*, que privilegiaram a ciência e a matemática, e buscaram um papel para a filosofia como uma subsidiária para a ciência. A investigação substantiva era o trabalho dos cientistas, não dos filósofos. Se a investigação substantiva em metafísica ou em moral ou em teologia não pudesse ser tornada científica, então não deveria absolutamente ser realizada.

Quando esses filósofos de fato oferecem análises de termos morais, estes tendiam a ser deflacionários. Os termos morais acabavam por mostrarem-se como sendo ou sem sentido ou meras expressões das preferências ou emoções do falante. "*x* é errado" simplesmente significava "eu não gosto de *x*" ou "*x* – eca!" O estilo deflacionário de análise foi um movimento lógico positivista comum. Ele surgiu particularmente em reação à metafísica idealista e à religião tradicional. Termos tais como "o absoluto" ou "Deus" ou "alma" foram rejeitados como sem sentido porque nenhuma análise poderia permitir que fossem verificados. Os positivistas lógicos ofereceram, como uma análise dos termos morais, exatamente a opção de que Bentham procurara evitar: a moralidade tornou-se uma expressão de capricho. A exploração moral substantiva seria então um trabalho para psicólogos, sociólogos ou economistas, os quais estudam todas as preferências concretas das pessoas.

A partir dos anos de 1960 o filósofo de Oxford R.M. Hare ofereceu uma defesa do utilitarismo a partir do interior dessa tradição filosófica. O seu primeiro passo é rejeitar a análise *emotivista* dos termos morais como expressões de emoção. Ele argumenta, ao contrário, que termos morais são como comandos ou *prescrições*. Se eu digo "As pessoas não devem assassinar", eu não estou expressando minhas emoções. Ao contrário, estou emitindo um comando. É como se eu dissesse: "Não assassine!" O que distingue termos morais de outras prescrições é o seu caráter universal. Com um comando ordinário, posso dizer-lhe para fazer alguma coisa sem dizer nada sobre o que os outros devem ou não devem fazer. Um comandante que ordena um determinado soldado a avançar não está comprometido em ordenar a todos que avancem. Um termo moral, em contrapartida, implica uma *prescrição universal*. Se eu estiver usando a palavra em um sentido moral, não posso dizer que você não deva assassinar sem comprometer-me com a afirmação de que, nas mesmas circunstâncias, pessoa alguma tampouco deva assassinar. Uma afirmação moral, por definição, deve ser *universalizável*.

A análise de Hare explica, pois, por que, afinal, temos termos morais. Essa questão foi problemática para o emotivista. Se os termos morais são apenas expressões de emoção, por que precisamos deles? Afinal, temos muitas outras formas de expressar emoção. Na visão de Hare, os termos morais têm um papel gramatical único. Eles são os nossos únicos termos para prescrições universais.

A segunda metade da prova de Hare visa derivar o utilitarismo do prescritivismo universal. O passo fundamental é a mudança da universalizabilidade para a *imparcialidade* – a ideia de que a lógica da moral deve ter em igual conta as preferências de todos. O problema é que há um hiato lógico entre universalizabilidade e imparcialidade. Afinal, como o próprio Sidgwick observou, um egoísta racional poderia facilmente prescrever a sua própria atitude universalmente – "Todo mundo deve perseguir (apenas) o seu próprio autointeresse". Hare tenta preencher esta lacuna da seguinte maneira. Se eu emitir um comando ordinário, então eu o faço com base nas minhas próprias preferências. Claro, eu poderia fazer uma prescrição universal baseada nas minhas próprias preferências – "Todo mundo deve fazer *x* porque isso é o que eu quero". Mas ninguém tomaria qualquer ciência, porque ninguém consideraria tal prescrição como sendo *moral*. Se eu quero que você leve a minha prescrição universal a sério, então eu devo baseá-la não apenas nas minhas próprias preferências atuais, mas também nas preferências que eu teria se eu fosse você. Eu devo *representar completamente* para mim mesmo como seria estar na situação de cada pessoa. Para fazer uma afirmação moral eu devo procurar refletir as preferências de todos de maneira imparcial. E, Hare argumenta, a melhor maneira de fazer isso é perguntar a mim mesmo o que eu preferiria se eu (de alguma maneira) considerasse as preferências de todos os demais, além da minha própria. Só posso dizer "Todo mundo deve fazer x" se x for o que eu quereria se tivesse internalizado todas as preferências de todas as pessoas envolvidas. O que deve ser feito é o que quer que maximize o total das preferências. A imparcialidade, portanto, conduz diretamente a uma forma de utilitarismo baseada em uma teoria de preferência de bem-estar.

Assim como Sidgwick, e ao contrário de Bentham ou de Mill, Hare está consciente da seguinte gama de personagens obscuros que avultam tanto na filosofia contemporânea quanto na cultura moderna. O principal objetivo de Hare é derrotar todos esses personagens. Devido a sua formação filosófica, os adversários de Hare são os que pensam que a filosofia moral é simplesmente impraticável, ao invés de filósofos morais que não são utilitaristas.

Inimigos modernos da moralidade

- O cético nega que tenhamos conhecimento moral confiável.
- O niilista nega que haja alguma verdade moral.
- O amoralista não é motivado pela moralidade.
- O egoísta psicológico diz que somos motivados apenas pelo autointeresse.
- O egoísta ético diz que devemos ser motivados apenas pelo autointeresse.

O objeto da prova de Hare é o utilitarismo em *dois níveis*. No *nível crítico*, no qual os filósofos morais operam, ele oferece uma forma relativamente pura de utilitarismo baseado na preferência. No entanto, assim como muitos utilitaristas anteriores, Hare reconhece que o utilitarismo puro é um guia muito insuficiente para a vida. Faremos melhor se vivermos a nossa vida cotidiana no *nível intuitivo* e nos contentarmos com regras de conduta geralmente confiáveis. A justificação definitiva para essas regras consiste em que segui-las produz maior satisfação de preferência agregada do que qualquer outro curso de ação.

Embora Hare tenha várias alternativas em mente, especialmente opções céticas ou niilistas, o seu método real de prova não introduz qualquer alternativa particular. Hare nem sequer compara o utilitarismo a outras teorias morais. Isto ocorre porque o seu método é a dedução lógica, e não a comparação. Ele busca provar que o utilitarismo é a *única possível* explicação da moralidade. Se essa prova for bem-sucedida, ela então estabelece o utilitarismo acima de qualquer teoria moral *possível*. Qualquer outra teoria moral *deve* ser, pois, ou sem sentido ou idêntica ao utilitarismo.

O argumento de Hare é, portanto, extremamente ambicioso. Há duas perguntas para qualquer argumento dessa natureza. São verdadeiras as reivindicações de Hare? Mesmo se elas forem verdadeiras, será isso inteiramente devido ao significado dos termos morais, como o próprio Hare afirma? Poderíamos responder "Sim" à primeira pergunta e "Não" à segunda. Ou podemos deixar a primeira pergunta sem resposta, e então responder à segunda negativamente. Isso seria suficiente para minar a prova de Hare. Concentremo-nos na noção-chave de universalizabilidade. O uso de Hare desta noção levanta duas questões em particular.

1) São a universalizabilidade e a imparcialidade características necessárias da linguagem moral? – A afirmação de Hare é a de que a linguagem moral, por definição, deve ser tanto universalizável quanto perfeitamente imparcial. Alguns filósofos morais contemporâneos negam isso. Eles afirmam que um sistema moral poderia ser menos do que perfeitamente imparcial. Ao invés de identificar o "ponto de vista moral" com um perfeitamente imparcial "ponto de vista do universo", deveríamos considerá-lo como um compromisso entre o *meu* ponto de vista e aqueles de outras pessoas. Hare deve dizer não apenas que essas pessoas estão erradas, mas que elas sequer compreendem o significado dos termos morais. (Discutimos essas outras teorias no capítulo 7.)

2) Será que a explicação de Hare da universalizabilidade é correta? – Hare presume que, uma vez tenhamos concordado acerca do fato de a linguagem moral dever ser universal e imparcial, somos inexoravelmente conduzidos ao utilitarismo. Entretanto, muitos filósofos morais não utilitaristas estão profundamente comprometidos tanto com a universalizabilidade quanto com a imparcialidade. Em particular, filósofos morais influenciados por Kant costumam construir as suas teorias morais sobre o teste kantiano de universalizabilidade: os princípios morais aceitáveis são aqueles que podemos querer como uma lei universal para todas as criaturas racionais. Trata-se de uma característica marcante dessas teorias morais o fato de elas estarem em nítido contraste com o utilitarismo. Confrontados com essa discordância, por que deveríamos aceitar a análise da universalizabilidade de Hare? Mesmo se o fizermos, por que deveríamos aceitá-la *como uma verdade lógica*? (Voltaremos à ética kantiana no capítulo 7.)

Tendências gerais da filosofia moral recente minaram a prova de Hare. Muitos filósofos agora rejeitam a alegação de que a filosofia deve ser limitada à análise linguística. Isto acontece em parte porque a análise linguística não ofereceu tanto quanto os seus proponentes haviam prometido. A análise do significado das palavras morais não nos pode dizer coisa alguma sobre o que deveríamos fazer. Proponentes da análise linguística concluem que devemos rejeitar a filosofia moral. A maioria dos filósofos contemporâneos conclui, ao contrário, que devemos rejeitar a análise linguística. Ou, pelo menos, deveríamos rejeitar a ideia de que a análise linguística exaure a filosofia. O fracasso da prova de Hare é, portanto, menos um problema para os modernos filósofos morais do que para o próprio Hare.

Equilíbrio reflexivo: o estilo moderno de prova

Hoje em dia a maioria dos filósofos morais usa um estilo de argumentação baseado em intuições ponderadas. O maior expoente deste método foi Rawls, que o denominou *método do equilíbrio reflexivo*. O objetivo é conduzir os nossos julgamentos ponderados a um equilíbrio – um todo coerente. O resultado não é um conjunto confuso de intuições isoladas, mas uma cosmovisão moral consistente, na qual os conflitos ou inconsistências entre diferentes intuições morais ou julgamentos são resolvidos por um processo de reflexão e argumentação.

Intuições vêm em vários graus de abstração. Algumas são julgamentos acerca de casos particulares, sejam reais ou imaginários. Por exemplo, poderíamos julgar que Bob deveria pagar a Mary o dinheiro que lhe deve, ou que uma resposta particular a alguma situação hipotética seria errada. Algumas intuições são mais gerais. Por exemplo, poderíamos começar com um compromisso com o princípio segundo o qual as pessoas devem manter as suas promessas, ou que uma sociedade justa assegurará que as necessidades básicas de todos serão cumpridas. As intuições podem ser ainda mais abstratas. Utilitaristas costumam citar o apelo intuitivo de um dos seguintes princípios.

1) *A razão para promover o bem* – O fato de que uma ação promoverá a felicidade humana oferece-nos uma razão para executá-la. Se duas ações irão cada uma promover a felicidade humana, então temos razões para realizar qualquer uma delas que produza a maior felicidade. Se escolhermos ações exclusivamente com base na razão para promover o bem, vamos, portanto, sempre optar pela ação que maximize a felicidade.

2) *O princípio da prevenção de danos* – Se pudermos evitar que algo ruim aconteça, sem sacrificar nada de importância moral comparável, devemos fazê-lo.

3) *O princípio da ajuda aos inocentes* – Se formos capazes de prestar assistência a uma pessoa inocente em grande necessidade, com um custo insignificante para nós mesmos, então devemos fazê-lo.

4) *Os números efetivamente contam* – Se você deve escolher entre as vidas de um grupo de pessoas e as vidas de outro grupo, você deve escolher o grupo maior.

Estes pontos de partida são justificados de diversas maneiras. Os seus proponentes apelam para a sua plausibilidade intuitiva, esboçam argumentos em seu favor, apontam que o princípio é de alguma maneira endossado pela maioria das teorias morais não utilitaristas, ou produzem casos simples ou experiências de pensamento nos quais o princípio claramente se aplica. Por exemplo, Shelly Kagan motiva a razão para promover o bem sugerindo que apenas um antiutilitarista extremista negaria que a felicidade humana fornece alguma razão para a ação. A razão para promover o bem é, portanto, um terreno comum entre os utilitaristas e os seus opositores mais moderados, que buscam combiná-lo com outros princípios morais.

Um clássico exemplo do uso de um experimento de pensamento para motivar um ponto de partida utilitarista é este conto de Peter Singer. Singer argumenta que você tem uma clara obrigação de salvar a criança. Ele conclui que há um dever geral de impedir o dano.

> **A lagoa**
> Você está caminhando de manhã para o trabalho quando passa por uma criancinha se afogando em uma lagoa. Você não é de forma alguma responsável pela situação da criança. Você pode salvar a criança, ao custo de um terno molhado e a perda de alguns poucos minutos. O que você deve fazer?

A justificativa utilitarista do princípio segundo o qual os números devem contar frequentemente recorre a contos como o seguinte. Os utilitaristas afirmam ser óbvio que você deve ir à primeira pedra – salvando cinco vidas ao invés de uma. Os números de fato contam. Somente o utilitarismo explica por quê.

> **As rochas**
> Seis inocentes nadadores ficaram presos em duas rochas pelo aumento da maré. Cinco dos nadadores estão em uma rocha, enquanto o último nadador está na segunda rocha. Cada nadador vai se afogar a menos que sejam resgatados. Você é o único salva-vidas de plantão. Você tem tempo para chegar a uma rocha em seu barco-patrulha e salvar a todos os que estiverem nela. Por causa da distância entre as rochas, e da velocidade da maré, você não pode chegar a ambas as rochas a tempo. O que você deve fazer?

Utilitaristas contemporâneos normalmente argumentam que o utilitarismo é mais sensível aos nossos julgamentos morais ponderados do que qualquer alternativa. O objeto de prova é frequentemente alguma forma particular de utilitarismo, tais como o utilitarismo de regras ou o utilitarismo de ato. (Para saber mais sobre essa distinção consulte o capítulo 6.) O método de equilíbrio reflexivo também é utilizado para justificar componentes individuais do utilitarismo, conforme veremos em nossa discussão das diferentes explicações do bem-estar no capítulo 4. O objetivo geral consiste em justificar a combinação de uma teoria particular do bem-estar e uma teoria particular da ação correta.

Em tese, o método do equilíbrio reflexivo aspira a uma comparação universal. A conclusão é a de que alguma teoria moral particular é melhor do que qualquer alternativa disponível. Na prática, os teóricos do equilíbrio reflexivo são tipicamente mais modestos. Devido a restrições de espaço e tempo, eles muitas vezes se contentam com uma comparação envolvendo apenas duas ou três teorias. Por exemplo, muitas defesas particulares do utilitarismo de regras se concentram em demonstrar a sua superioridade em relação ao utilitarismo de ato ou a alguma alternativa não utilitarista particular, tal como a deontologia kantiana ou a ética aristotélica das virtudes. (Essas alternativas são exploradas no capítulo 7.)

Em outras ocasiões os teóricos do equilíbrio reflexivo discutem as suas teorias preferidas de maneira isolada, sem absolutamente nenhuma comparação explícita. Em vez disso, como uma preliminar para demonstrar sua superioridade em relação às outras teorias, eles primeiro tentam mostrar que a sua teoria preferida faz pelo menos um trabalho razoável de reunir os nossos julgamentos morais ponderados. Essa técnica é empregada particularmente em resposta às tentativas, pelos *oponentes* de alguma teoria particular, de contornar o método completo do equilíbrio reflexivo de uma maneira diferente. Uma demonstração completa de que uma teoria faz o melhor trabalho de amarrar as nossas intuições seria muito difícil e demorada, porquanto envolve equilibrar e a reunir todos os nossos princípios e intuições morais, e comparar o que toda teoria possível diz sobre eles. Não é de surpreender que os filósofos morais busquem atalhos. Em particular, eles buscam *intuições decisivas*: "Nenhuma teoria moral aceitável pode dizer x". Por exemplo, qualquer teoria que permita a tortura de crianças inocentes pode ser descartada automaticamente. Uma vez que tenhamos escolhido uma intuição decisiva, podemos usá-la para desacreditar uma teoria sem nos engajarmos em uma comparação de equilíbrio reflexivo completa. Se a teoria T diz x, e se x viola uma intuição decisiva, então T não pode ser aceitável. Temos, assim, uma objeção categórica para T. O capítulo 5 explora algumas objeções populares deste tipo ao utilitarismo. No restante deste capítulo exploramos as questões metodológicas subjacentes.

Começamos com o caso mais fácil. Suponha que tenhamos duas teorias: $T1$ e $T2$. $T1$ é reprovada em pelo menos um teste categórico. Ela viola uma intuição decisiva. $T2$ é aprovada em todos os testes categóricos. Ela é consistente com todas as intuições decisivas. O método de equilíbrio reflexivo permite-nos concluir que $T2$ é melhor do que *T1*, pelo menos até que uma intuição decisiva suplementar seja descoberta.

Passamos agora ao caso mais difícil (e muito mais comum). Suponha que tenhamos muitos testes categóricos, muitas intuições decisivas. Para cada teoria *T* existe um *x* tal que *T* implica *x* e *x* viola uma intuição decisiva. Lembre-se de que, sob equilíbrio reflexivo, as nossas intuições cobrem princípios gerais assim como casos particulares. Talvez a única maneira de uma dada teoria moral poder acomodar todos os nossos julgamentos morais particulares seja violando algum princípio geral plausível.

Alternativamente, podemos ser incapazes de decidir quais intuições são decisivas. Por exemplo, suponha que alguém esteja terrivelmente mal por nenhuma culpa minha, mas eu posso ajudá-lo sem nenhum custo para mim mesmo. Todos concordariam que seria moralmente bom eu ajudá-lo, tudo o mais permanecendo o mesmo. Mas eu sou *obrigado* a fazê-lo? Os utilitaristas dirão que eu o sou. O fato de a pessoa estar em extrema necessidade me fornece uma razão moralmente relevante para ajudá-la. Se eu o puder fazer sem nenhum custo para mim, então eu não tenho qualquer razão contrária para não ajudar. Por conseguinte, sou obrigado a fazê-lo. Um filósofo moral *libertário* discordaria totalmente. Eles sustentam que todas as obrigações positivas devem ser voluntariamente acordadas. Por mais forte que seja a necessidade da outra pessoa, o fato de eu não ser responsável por ela significa que eu não posso ter qualquer obrigação em relação a ela.

É difícil resolver este impasse filosoficamente. Os utilitaristas podem dizer muitas coisas em favor das suas intuições, mas disso também os libertários são capazes. Pode ser mais produtivo ver as diferentes intuições como distintivas de duas perspectivas morais: utilitária e libertária. Tais *intuições distintivas* são muito úteis quando estamos decidindo qual teoria preferimos. Mas parece petição de princípio usá-las como objeções categóricas à teoria de alguma outra pessoa. Os utilitaristas podem usar as suas "intuições decisivas" para explicar por que eles não são libertários, mas eles não podem esperar que os libertários sejam convencidos. Suponha que chegássemos a tal impasse. O que deveríamos concluir? Existem várias respostas possíveis.

1) Não existe qualquer teoria moral adequada. Se nenhuma teoria acomoda todas as nossas intuições, então todas as teorias morais são inadequadas. Devemos ou ser niilistas morais ou continuar com a moralidade na ausência de uma teoria adequada.

2) Uma teoria moral pode ser adequada mesmo que ela seja reprovada em algum teste (aparentemente) categórico, e viole alguma intuição (aparentemente) decisiva. Isto porque, como teóricos do equilíbrio reflexivo, estamos procurando a *melhor* teoria moral. Podemos esperar que a melhor teoria seja completamente satisfatória intuitivamente, mas não podemos presumir de antemão que o será.

3) A nossa busca por uma teoria moral adequada é incompleta. Se diferentes teorias têm diferentes pontos fortes e fracos, então talvez devêssemos buscar uma nova teoria moral que combine os pontos fortes e evite os fracos. Os utilitaristas argumentam que, dada a força do utilitarismo, deveríamos esperar que a nova teoria moral fosse ou uma forma de utilitarismo ou (pelo menos) uma teoria com consideráveis elementos utilitaristas.

A mudança para o método de equilíbrio reflexivo explica por que os utilitaristas contemporâneos estão tão interessados em acomodar as nossas intuições. Nos próximos dois capítulos vamos explorar algumas das intuições mais difíceis para qualquer teoria utilitarista – aquelas relativas à felicidade (capítulo 4) e à injustiça (capítulo 5).

Pontos-chave

• As provas do utilitarismo são sempre influenciadas por pressupostos filosóficos e culturais de fundo.

- Um ponto de viragem fundamental é o reconhecimento por Sidgwick da ameaça do ceticismo moral.
- Utilitaristas de meados do século XX (como Hare) buscaram logicamente provas infalíveis, baseadas nos significados dos termos morais.
- Utilitaristas do final do século XX (seguindo o método de Rawls) buscaram um equilíbrio reflexivo – onde todas as nossas intuições ponderadas se encaixam.

4

Bem-estar

O utilitarismo vincula a moralidade à maximização da felicidade humana. Duas questões dominam o utilitarismo moderno. O que *é* a felicidade? *Como* a moralidade está vinculada à felicidade? A primeira questão é o tema deste capítulo.

Os utilitaristas clássicos foram todos, de diferentes maneiras, hedonistas. Para eles a felicidade consiste no prazer (e na ausência de dor). Embora o hedonismo ainda tenha seus defensores, a maioria dos utilitaristas modernos favorece pontos de vista alternativos. Isto levou a uma mudança na terminologia. Acredita-se que "felicidade" enviesa a discussão em favor do hedonismo. Os filósofos utilitaristas modernos falam em termos mais neutros: *bem-estar, bem-estar social, "o que quer que faça a vida valer a pena"*; ao passo que os utilitaristas economistas tendem a usar o termo técnico de Bentham: *utilidade*.

Todos nós pensamos acerca do bem-estar o tempo todo. Quando perguntamos se alguma experiência particular será boa ou má; quando você olha para trás em sua vida e lista as coisas que a fizeram correr bem e aquelas que a fizerem correr mal; quando você compara as situações de duas pessoas diferentes e pergunta quem está em melhor situação; quando um amigo pede o seu conselho a respeito de uma decisão crucial em sua vida, e você se pergunta o que seria melhor para ele; quando eu olho para frente e me pergunto se a minha vida vai melhorar se eu me tornar um advogado ou um filósofo. Muitas coisas podem tornar uma vida melhor: prazer, dinheiro, realização, saúde, liberdade. Muitas coisas podem tornar uma vida pior: dor, frustração, pobreza, decepção, tristeza. Algumas delas serão apenas instrumentalmente valiosas – boas apenas como um meio para outros fins. Para tomar um exemplo óbvio, esta é a maneira como a maioria das pessoas se sente acerca de dinheiro. Para os filósofos, entretanto, uma teoria do bem-estar deveria fornecer uma lista de coisas *intrinsecamente* boas – os fins para os quais todas as outras coisas são os meios.

Os utilitaristas modernos oferecem três explicações amplas sobre o bem-estar. Este capítulo descreve brevemente as três teorias e pergunta como podemos escolher entre elas. (A questão separada de como podemos medir o bem-estar será adiada até o capítulo 8.)

1) *Teorias do estado mental ou da experiência* – As únicas coisas intrinsecamente valiosas são os estados mentais positivos. Os únicos males intrínsecos são os estados mentais indesejáveis. Nada pode melhorar o valor da minha vida, a menos que afete o modo como eu me sinto, ou o que eu experimento. O exemplo clássico é o hedonismo – que avalia as experiências em termos de prazer e dor.

2) *Teorias da preferência ou do desejo.* A única coisa valiosa é conseguir o que se *queira*, se *prefira* ou se *deseje*. (Às vezes esses diversos termos são utilizados para marcar distinções sutis, mas podemos usá-los alternadamente.) A vida de uma pessoa vai bem contanto que as suas preferências sejam satisfeitas. Perspectivas da preferência muitas vezes coincidem com o hedonismo. Conseguir o que se quer muitas vezes proporciona prazer, ao passo que não conseguir o que se deseja muitas vezes causa dor. No entanto, ambas podem vir separadas se as suas preferências se estenderem além das suas próprias experiências, ou se você preferir a dor.

3) *Teorias objetivas ou substantivas* – Tanto as teorias do estado mental quanto as da preferência são *subjetivas*. O que é bom

para mim depende de alguns fatos particulares acerca de mim: o que me dá prazer, ou o que eu desejo. A principal teoria alternativa oferece uma lista de coisas que simplesmente são boas para qualquer pessoa, independentemente de ela querê-las ou de sentir prazer nelas. Essa lista poderia incluir conhecimento, realização e vida moral. (A maioria das listas também inclui prazer, ausência de dor, satisfação do desejo e autonomia pessoal – reduzindo o hiato entre as teorias objetivas e as subjetivas.)

Hedonismo

Começamos com o hedonismo, a mais simples e mais popular teoria do estado mental. A alegação de que bem-estar é prazer naturalmente suscita três questões. O que *é* o prazer? O prazer é *sempre* bom? O prazer é o *único* bem?

O que é o prazer?

O "prazer" é surpreendentemente difícil de definir. Como você sabe se uma experiência é agradável? Examinando um encefalograma? Pela sua sensação? Ou consultando as suas preferências? Considere três visões básicas sobre o prazer.

1) *Prazer fisiológico* – O nível de prazer ou dor de um organismo particular é um fato natural, mensurável da maneira científica normal – exatamente como podemos medir o peso de um animal, ou o funcionamento do seu sistema digestivo. Um cientista pode dizer se sorvete me confere prazer examinando o meu cérebro.

2) *Prazer fenomenológico* – O valor de uma experiência depende inteiramente de como ela é sentida. Cada experiência tem um *tom hedônico* ou *intensidade*, um nível do prazer ou da dor sentidos. Estes podem ser medidos e comparados. Sorvete é melhor para mim do que chocolate se e somente se o prazer de sorvete for mais intenso. (Isto se refere apenas ao valor *intrínseco* do prazer do sorvete. O sorvete também pode ter outros, menos desejáveis, efeitos indiretos.)

3) *Preferência* – Os valores comparativos de duas experiências dependem das preferências da pessoa. Se eu prefiro a experiência do sorvete à do chocolate, então o sorvete é mais prazeroso.

Estas três acepções frequentemente caminham juntas. Compare uma dor extrema com um prazer muito bom. A dor envolve perturbação fisiológica e um tom hedônico negativo, enquanto o prazer envolve um funcionamento fisiológico perfeito e um tom positivo. E eu certamente preferirei o prazer.

Infelizmente, por vezes, as três definições se separam. Por conseguinte, devemos escolher entre elas. Isto ilustra uma técnica geral da *filosofia analítica* – o estilo de filosofia adotado pela maioria dos utilitaristas modernos. Se estivermos estudando um conceito ("bem-estar", "prazer"), começamos com uma série de definições vagas (ou "análises"). Procuramos então *casos de teste* – situações reais ou imaginárias nas quais as definições vêm separadas. Ao examinar casos de teste podemos decidir qual definição é a correta.

Definições fisiológicas da dor nem sempre coincidem com a sensação de dor. Em termos fisiológicos, as pessoas podem morrer de dor mesmo que elas estejam inconscientes e não sintam nada. Algumas drogas "anestésicas" deixam a base fisiológica da dor intocada, mas removem a sensação de dor. Pessoas cujos membros foram amputados "sentem" dor "em" seus membros inexistentes. Devemos separar duas questões. São esses eventos não sentidos "dores"? São eles males intrínsecos? Como filósofos morais, o nosso interesse é na segunda questão. Podemos precisar de diferentes definições para outros propósitos. Para propósitos médicos ou científicos a explicação fisiológica pode ser a melhor, uma vez que ela reúne eventos com causas e efeitos fisiológicos semelhantes. Mas o nosso foco é as vidas humanas tais como elas são vividas. Essa é a razão pela qual a maioria dos hedonistas privilegia a fenomenologia sobre a fisiologia. Se eu não sinto ou experimento um "prazer" ou "dor", então eles não fazem com que a minha vida se torne melhor ou pior. (Claro, se a "dor não sentida" causa a minha morte, então ela é instrumentalmente ruim para mim. A questão é se a "dor" *mesma* é uma coisa ruim.) Suponha que você tenha ido ao médico sentindo dor intensa, e disseram-lhe "não há nada de errado com você". Você poderia ficar aliviado por não ter (por exemplo) câncer. Mas você concluiria que não estava sentindo dor?

Se o prazer e a dor fossem propriedades fisiológicas ordinárias, então poderíamos esperar medi-los objetivamente. O cálculo utilitarista então seria fácil. Uma vez que nos movemos da fisiologia para a fenomenologia, entretanto, não há garantia de que os cálculos necessários serão possíveis. Na verdade, esta é uma razão para o desaparecimento do hedonismo. (Nós retornaremos ao *problema da mensuração* no capítulo 8.)

Agora compare o hedonismo fenomenológico e o hedonismo de preferência. Pacientes que tenham recebido certas drogas, ou que tenham sido submetidos a certas operações cerebrais, às vezes relatam que sentem dor, mas "já não lhe dão importância". Alguns filósofos negam a possibilidade de "não se importar com uma dor": é parte da *definição* de dor que uma experiência dolorosa seja execrada. Mesmo se concordarmos que faz sentido falar de "uma dor à qual não se dá importância", a questão ainda permanece: há algo errado com uma dor desse tipo? Um hedonista de preferência diz que não há, e, portanto, que o hedonismo fenomenológico deve estar enganado. Um hedonista fenomenológico responderá que, se você não se importa com a dor, então isso deve acontecer porque ela não tem a intensidade da *verdadeira dor*.

Muitos filósofos são relutantes em basear definições em situações bizarras ou inusitadas. Então eis aqui um caso mais ordinário. Muitas vezes as pessoas deliberadamente optam por um prazer menos intenso, ou até mesmo por uma dor mais intensa. Isso acontece muitas vezes por razões instrumentais. Eu escolho suco de laranja ao invés de cerveja, mesmo embora a cerveja seja mais agradável, para evitar a experiência negativa de uma ressaca amanhã. Eu vou ao dentista hoje para evitar a (maior) dor de uma dor de dente amanhã. No entanto, nem todas essas escolhas são instrumentais. Eu posso simplesmente preferir a experiência menos intensa. Eu escolho ficar em casa lendo ao invés de ir a uma festa dançante, mesmo embora eu saiba que a festa produziria um prazer mais intenso. O hedonismo fenomenológico sugere que eu tenha cometido um erro – o prazer mais intenso seria melhor para mim. O hedonismo de preferência pode evitar este resultado: o melhor prazer é aquele que eu prefiro, seja ele qual for. No entanto, como vimos em nossa discussão do juiz competente de Mill, o hedonismo de preferência coloca-nos em uma ladeira escorregadia. Se julgarmos os prazeres pelas preferências, o que faremos se as pessoas preferirem coisas diversas do prazer? Isso leva-nos às duas principais objeções ao hedonismo.

O prazer é sempre bom?

Alguns prazeres parecem moralmente errados. Este fato dá ensejo a uma das mais famosas objeções ao utilitarismo.

> **Cristãos e leões**
> Você é o antigo oficial romano responsável pelo entretenimento no Coliseu. Há uma casa cheia. A multidão não está interessada em corridas de bigas, ou atletismo, ou mesmo em combates de gladiadores. O que lhes daria mais prazer é ver um pequeno grupo de cristãos devorado vivo por leões famintos. O utilitarismo diz que você deveria alimentar aos leões com os cristãos, porquanto o seu sofrimento é superado pelo prazer de muitos milhares de espectadores.

Suponha que você acredite que não deva alimentar aos leões com os cristãos. Você ainda pode ser um hedonista? O seu primeiro passo é separar o hedonismo do utilitarismo. O hedonismo, por si só, é apenas uma teoria do bem-estar. Ele diz-nos o que é bom para cada pessoa – ele não nos diz como agir. Um hedonista que não seja um utilitarista pode evitar sacrificar os cristãos – talvez porque seja sempre errado torturar pessoas inocentes. (Como veremos no capítulo 5, os utilitaristas que não são hedonistas enfrentam objeções muito semelhantes – o que sugere que isto seja um problema geral para o utilitarismo, não um que seja específico ao hedonismo.)

Então hedonistas poderiam evitar sacrificar os cristãos. Mas suponha que os cristãos sejam lançados aos leões de qualquer maneira – e que os espectadores gostem de prazer sádico. Será que o hedonismo tem que dizer que este prazer *é bom para os espectadores*, uma vez que torna as suas vidas melhores? Alguns hedonistas aceitam esta conclusão. Muitas coisas ruins acontecem neste conto. Trata-se de algo ruim, *todas as coisas consideradas*, que os cristãos sejam torturados. (É certamente ruim *para os cristãos*.) O prazer sádico é *instrumentalmente ruim* – uma vez que incentiva as pessoas a se comprometerem ou a apoiarem a tortura. Pela mesma razão, é ruim que o mundo contenha pessoas que obtenham prazer da tortura ao invés de obtê-lo a partir de alguma atividade inocente. Mas – *considerado isoladamente* – o prazer sádico em si é *bom*. Um mundo no qual cristãos sejam torturados e prazer sádico seja sentido é melhor do que um mundo (de outro modo idêntico) no qual cristãos sejam torturados e prazer sádico não seja sentido.

Muitas pessoas consideram isso difícil de aceitar. Se você aufere prazer na tortura de outros, então isso faz com que a sua vida se torne *pior*, e não melhor. Não é que o valor do prazer sádico seja *compensado* por outros fatores – o prazer sádico não tem *absolutamente nenhum* valor. Suponha que uma das espectadoras seja a sua melhor amiga e você queira que a sua vida transcorra tão bem quanto possível. Você sabe que ela gosta de apreciar uma boa refeição leonina. Que a aconselharia a ir ao Coliseu? Isso lhe faria bem?

Um bom caso-teste é a *tortura virtual*. Suponha que os espectadores estejam em um jogo de realidade virtual. Ninguém é realmente torturado – há apenas prazer sádico. É este jogo – *em si mes-*

mo – uma coisa boa ou ruim? Suponha que os espectadores *saibam* que a tortura não é real. Isso torna o seu prazer mais respeitável?

Estes contos simples ilustram as complexidades do hedonismo. Eles também ilustram os problemas enfrentados pelas nossas duas definições restantes de prazer. Os hedonistas fenomenológicos têm dificuldade em evitar a dúbia afirmação de que o prazer sádico é um benefício para a pessoa que o experimenta – se a *sensação* é boa, como pode não *ser* bom? Hedonistas da preferência tampouco podem evitar esta afirmação, porquanto os nossos espectadores imaginários preferem o prazer sádico ao inofensivo.

O prazer é o único bem?
Relembre a seguinte objeção da nossa discussão sobre Mill.

A objeção da filosofia de porco
Polly tem duas opções: uma vida preenchida apenas com intensos prazeres de porco, ou uma vida humana bem-sucedida como uma filósofa com menos prazeres humanos intensos. O hedonismo deve dizer a Polly para escolher a vida de porco, porquanto os prazeres são mais intensos. Este é um bom conselho se Polly for uma porca, mas não se Polly for um ser humano.

Um dilema relacionado surge quando concentramo-nos no *número* de prazeres ao invés de nos concentrarmos na sua intensidade.

Haydn e a ostra
A fada boa oferece a Ollie Haydn duas alternativas. Ele pode viver uma vida humana florescente e bem-sucedida durante 100 anos (como seu pai, o famoso compositor), ou viver como uma ostra feliz experimentando prazeres muito simples. A vida de ostra pode ser tão longa quanto Ollie deseja – chegando até mesmo a milhões de anos. Cada ano da vida de ostras é valioso. Mesmo que este valor seja muito pequeno, não é zero. Por mais valor que atribuamos a uma vida humana florescente, isso pode ser compensado por um número suficientemente enorme de anos de ostra. Se Ollie for um hedonista, ele deve escolher a vida de ostra (Adaptado de Crisp. *Mill on Utilitarianism*, 24).

Oponentes do hedonismo objetam que uma vida humana florescente é mais valiosa do que qualquer vida de ostra, não importando quanto tempo ela dure. Pode o hedonismo acomodar esse resultado? O hedonismo fenomenológico parece preso. Em termos de intensidade e quantidade, tanto as vidas do porco quanto a da ostra contêm mais prazeres sentidos do que a vida do filósofo. O hedonismo de preferência se sai melhor. Se você prefere a vida do filósofo tanto à vida do porco quanto à vida da ostra, então ela é a mais prazerosa. Mas e se, ignorante da riqueza da filosofia, você preferir a outra vida? Será que isso a torna mais prazerosa?

Como vimos no capítulo 2, Mill usa uma visão de preferência para evitar a objeção de que o hedonismo é uma filosofia de porcos. Prazeres suínos (inferiores) são menos *desejáveis* do que prazeres humanos (superiores). Mesmo se os prazeres suínos forem mais intensos, qualquer *juiz competente* preferiria os prazeres humanos. Da mesma forma, qualquer um que compreenda devidamente a natureza dos prazeres humanos e dos prazeres de ostra preferirá a vida humana a qualquer vida de ostra, mesmo uma que seja eterna. E nenhum juiz competente vai preferir prazeres sádicos.

Neste ponto, o hedonismo de preferência enfrenta dois problemas principais: discordância entre juízes competentes e preferências além do prazer.

1) *Discordância entre juízes* – O hedonista de preferência enfrenta um dilema. Ou juízes competentes discordam, ou não. Se juízes competentes discordam, então a solução óbvia é acompanhar a maioria. (Com efeito, esta parece a única solução baseada em princípios.) Mas e se eu for um juiz competente em uma minoria? Experimentei ambos os prazeres, mas aconteceu que eu preferi os prazeres de comer lama, jogar varetas, assistir a *Todo mundo em pânico*, aos prazeres de tomar sorvete, jogar críquete, estudar filosofia e assistir a *O paciente inglês*. Quer isto dizer

que as minhas preferências estão equivocadas, mesmo embora eu seja um juiz competente?

A alternativa é negar que os juízes competentes discordem. Todos os que tenham *verdadeiramente apreciado* ambos os prazeres preferem filosofia a jogo de varetas – todos preferem a vida humana plena à vida de ostra. Mas agora o hedonismo ameaça tornar-se circular (ou "verdadeiro por definição"). Como sabemos se alguém verdadeiramente apreciou a filosofia? Porque eles a preferem ao jogo de varetas. Como sabemos que alguém aprendeu a apreciar filmes de arte? Porque os preferem aos filmes de ação. Parece como se nós independentemente decidíssemos que filmes de arte são melhores do que filmes de ação, e então usássemos esse julgamento para decidir quem é um juiz competente. As preferências reais do juiz competente são, então, "uma roda solta" – nós não aprendemos nada observando o que o juiz competente prefere. Todo o trabalho é feito pela nossa definição de competência.

2) *Preferências além do prazer* – O teste do juiz competente enfatiza um problema mais profundo para todos os hedonistas. Suponha que todos os juízes competentes concordem. Todos eles preferem ler filosofia a jogar varetas. O hedonista de preferência conclui que a *experiência* de ler filosofia é melhor, de acordo com esses juízes do que a *experiência* de jogar varetas. A filosofia confere *mais prazer* do que o jogo de varetas.

Essa inferência é ilegítima. O que os juízes competentes escolhem é a *atividade* da filosofia. Eles o podem fazer porque valorizam o conhecimento (por exemplo) mais do que o prazer. A sua preferência pela filosofia não nos revela os seus pontos de vista acerca do prazer ou da experiência da filosofia. E, se investigássemos esses pontos de vista, poderíamos descobrir que valorizam algumas coisas mais do que o prazer. (Este era o ponto da objeção original de Carlyle ao utilitarismo.) Para provar que as pessoas não valorizam apenas experiências, Robert Nozick apresenta um conto impressionante.

> **A máquina de experiência de Nozick**
> Ella tem duas opções. Pode viver o resto da sua vida no mundo ordinário, ou pode ser conectada a uma máquina de experiência. Uma vez dentro da máquina, ela vai esquecer que está nela. Eletrodos ligados ao seu cérebro vão conferir-lhe exatamente as mesmas experiências que teria no mundo real, exceto que a sua vida será mais agradável. Ela será mais feliz, mais bonita, mais saudável, mais rica, mais bem-sucedida – com mais amigos e menos sofrimento em sua vida. O que Ella deve fazer?

O fato de ser mais prazeroso oferece a Ella uma razão para escolher a máquina de experiência. E o hedonismo diz que Ella *não tem qualquer possível* razão para *não* escolher a máquina de experiência – não há nada de errado com as suas experiências. Então, ela deve conectar-se. Nozick apresenta este conto como uma objeção categórica ao hedonismo. O seu argumento é simples.

1) A vida na máquina de experiência carece de algo valioso.

2) O hedonismo diz que a vida na máquina de experiência não carece de nada valioso.

3) Portanto, o hedonismo é falso.

A máquina de experiência é um caso-teste muito útil. Se você não escolheria a vida na máquina, então você não é um hedonista. Se for racional recusar a máquina, então é racional rejeitar o hedonismo. Se for irracional escolher a máquina, então o hedonismo está definitivamente errado.

Para imaginarmos a máquina de experiência precisamos deixar de lado todas as dificuldades práticas. Ella não está preocupada com a possibilidade de a máquina de experiência funcionar mal, de poder ser reprogramada por extremistas políticos que lhe proporcionarão um tipo de vida extremamente indesejável, ou de as suas experiências na máquina serem irrealistas. (A maioria das pessoas não gostaria de gastar a sua vida em um jogo de invasores espaciais, ou um programa televisivo de *reality show* muito mal projetado.) Os hedonistas podem, então, argumentar que a aversão de Nozick à máquina de experiência está na verdade baseada (talvez inconscientemente) nessas dificuldades de ordem prática. Se estivéssemos realmente confiantes de que a máquina de experiência funcionaria, então a escolheríamos.

Tenho discutido este exemplo com muitos estudantes de filosofia (e outros) ao longo dos anos. Em minha experiência as pessoas dividem-se praticamente ao meio – cerca da metade escolheria a máquina de experiência, enquanto a outra metade não. Isto pode sugerir que as pessoas estão igualmente divididas entre o hedonismo e o não hedonismo. No entanto, precisamos ter cuidado. Um hedonista *iria* escolher a máquina. Mas um não hedonista *também poderia* escolhê-la. Se você não escolheria a máquina, você não é um hedonista. Mas se você a escolheria, isso não mostra que você *é* um hedonista. Poderia simplesmente acontecer de o seu bem-estar coincidir com o hedonismo neste caso particular. (Conforme veremos, isto é exatamente o que os adversários do hedonismo argumentam.)

Suponha que você concorde com Nozick. Mesmo com provas de fiabilidade, depoimentos de clientes satisfeitos, e uma garantia do governo de que a máquina é à prova de terroristas, você ainda acha que Ella deveria recusar a máquina de experiência. Por que ela o faria? O que está faltando? A resposta de Nozick é que as pessoas querem realmente *fazer* coisas, não apenas *ter experiências*. Suponha que a ambição da vida de Ed seja escalar o Monte Everest. Depois de anos de treinamento, envolvendo considerável sacrifício, Ed chega ao acampamento-base no Himalaia, onde ele é abordado por um operador de máquina de experiência. O operador oferece a Ed a experiência de escalar o Monte Everest. "Afinal", diz o operador, "você veio aqui para esta experiência, e eu a posso oferecer-lhe sem qualquer risco".

Ed recusa. Ele não quer apenas sentir *como se* ele estivesse escalando o Monte Everest; ele realmente quer escalá-lo. Ele quer a verdadeira realização, não apenas a ilusão de realização. Esta não é uma reação incomum. Suponha que o operador leve a sua máquina para os Jogos Olímpicos e ofereça a todos os competidores a experiência de ganhar uma medalha de ouro. "Você treinou por quatro anos para conseguir esta experiência, e posso garanti-la." (Isso maximizaria o bem-estar, porquanto todos experimentariam os prazeres da vitória, e todos os efeitos colaterais da vitória – fama, adulação, uma carreira no circuito de programas de entrevista, relacionamentos com outras celebridades, e assim por diante.)

Talvez alguns competidores aceitassem. Mas a maioria responderia que eles querem *ganhar*, não meramente pensar que ganharam, ou ter a sensação de ganhar. Pense em nossa reação a filmes ou histórias nas quais alguém acorda uma manhã e descobre que toda a sua vida foi uma mentira (*O show de Truman, Matrix*). Suponha que você acorde amanhã e descubra que você passou os últimos dez anos em um programa televisivo de *reality-show*. (Você sempre se perguntou por que os seus pais estavam tão ansiosos por lhe enviar para um colégio interno na Suazilândia.) As pessoas que você achava que eram seus amigos são na verdade atores que nunca gostaram de você. Obviamente, você ficaria aborrecido. Nozick argumenta que você também reavaliaria os últimos dez anos da sua vida. Você pensou que a sua vida estivesse indo muito bem, e descobriu que não ia. O hedonista deve negar isso. Qualquer que tenha sido a sua origem, o prazer que você experimentou foi real. A sua descoberta não pode tornar a sua vida anterior menos valiosa do que você pensava que era.

Suponha que você aceite que algo *está* faltando na máquina de experiência. Por definição, nada há de errado com as suas experiências na máquina. Portanto, o elemento faltante diz respeito ao modo como as suas experiências se relacionam com a realidade. Filósofos oferecem três explicações. Um hedonista poderia responder que a relação correta com a realidade é parte do que faz com que os *prazeres* sejam valiosos. Juízes competentes preferem a vida real à vida na máquina de experiência. Destarte, a vida real é mais prazerosa. No entanto, a maioria das pessoas pensa que este movimento abandone a premissa hedonista básica segundo a qual o valor da minha vida é inteiramente uma função de como a minha vida é sentida, ou parece sê-lo, *para mim*.

No outro extremo do espectro, *objetivistas* argumentam que uma conexão adequada com a realidade é intrinsecamente valiosa. Uma vida de ilusão ou engano não é uma boa vida. É sempre irracional conectar-se à máquina de experiência – contanto que a vida no mundo real não seja tão terrível. (Por exemplo, Ella pode conectar-se se ela tiver uma doença terminal dolorosa que só possa ser curada através da máquina de experiência.)

Teóricos da preferência tomam um caminho intermediário. Não existe uma resposta universal para a máquina de experiência. Algumas pessoas estão em melhor situação na máquina, outras estão em pior situação – mesmo que todos tenham a mesma qualidade de experiência. O que realmente importa é conseguir o que se quer. Algumas pessoas *querem* uma forte ligação com a realidade, enquanto outras não. Algumas pessoas querem realização genuína, enquanto outras valorizam apenas a experiência. A teoria da preferência, portanto, explica *todas* as reações à máquina de experiência. Algumas pessoas escolhem a máquina porque preferem o prazer. Essas pessoas devem entrar na máquina, não porque o prazer seja intrinsecamente bom, mas porque elas o preferem.

A teoria da preferência

Todos os utilitaristas estão interessados em preferências ou desejos. O bem-estar está intimamente relacionado a conseguirmos o que queremos. Para o hedonista, no entanto, as preferências de uma pessoa são apenas um *indicador* de bem-estar. Dar a uma pessoa o que ela quer é muitas vezes a maneira mais confiável de lhe dar prazer – e, deste modo, torná-la em melhor situação. Mesmo na teoria do prazer baseada na preferência, as preferências somente determinam quais experiências contam como prazeres. Ainda é a experiência prazerosa em si que é intrinsecamente valiosa. (Isso é claro com o próprio Mill. O seu juiz competente não *torna* certos prazeres valiosos, ele apenas *orienta*-nos no sentido dos melhores prazeres.) Para a teoria da preferência, em contrapartida, a preferência é *constitutiva* do bem-estar. Dar a uma pessoa o que ela quer *é* torná-la em melhor situação. Algo é bom para você se e somente se satisfaz uma das suas *preferências intrínsecas*. (Ou seja, você a quer por ela mesma, não apenas como um meio para outra coisa.) É bom para mim que eu tome um sorvete, se eu quiser sorvete, mas não o contrário.

A teoria da preferência está relacionada à noção de Mill do juiz competente, mas há duas diferenças fundamentais. Conforme acabamos de ver, ao invés de usar as preferências para testar o valor dos prazeres, agora usamos as preferências diretamente como o *critério* do próprio bem-estar. Além disso, Mill parece sugerir que as preferências dos juízes competentes produzirão um *ranking* de prazeres válido para todos. A teoria da preferência, pelo menos em sua formulação inicial, rejeita este movimento potencialmente paternalista. O seu bem-estar é constituído pelas *suas* preferências, e não pelas de outra pessoa.

Essas características da teoria da preferência lhe conferem várias vantagens sobre o hedonismo: uma maior conexão com a realidade, um risco reduzido de paternalismo e uma maior receptividade à mensuração.

A teoria da preferência acomoda facilmente uma insatisfação, como a de Nozick, em relação à máquina de experiência. Ela também acomoda a teoria oposta – segundo a qual a máquina de experiência é inofensiva. Com efeito, a teoria da preferência oferece uma *explicação* dessa discordância. É bom para Ella evitar a máquina de experiência, *se* ela quiser uma vida conectada com a realidade. Mas se ela não tiver essa preferência, então a máquina de experiência será igualmente boa, ou talvez melhor. A máquina é muito ruim para aqueles que preferem uma forte conexão com a realidade, mas pode ser boa para outros.

Muitas pessoas estão muito ansiosas em evitar o "paternalismo" – a presunção de que eu sei o que é bom para você melhor do que você mesmo o sabe. Uma teoria do bem-estar pode parecer paternalista se isso implicar que as pessoas não sejam as melhores juízas do que é bom para elas. A teoria da preferência é projetada para evitar o paternalismo. Um hedonista devoto *forçaria* as pessoas à máquina de experiência para tornar as suas vidas melhores contra a sua vontade, ao passo que um teórico da preferência deixaria cada pessoa escolher por ela mesma. Hedonistas negarão que, na prática, a sua teoria seja paternalista, uma vez que nós invariavelmente promovemos melhor o prazer, deixando as pessoas livres para escolherem por si mesmas. Mas a teoria da preferência procura uma resposta mais bem fundamentada para o paternalismo – uma que não dependa de um cálculo de probabilidades.

O prazer é algo muito difícil de medir. Como podemos comparar o seu prazer em comer sorvete com o seu prazer em ir ao cinema? Como podemos comparar o meu prazer com o seu? Por outro lado, as preferências são fáceis de medir, porque elas são *reveladas* na ação. Se eu oferecer-lhe uma escolha entre sorvete e cinema, posso observar a sua preferência. Você escolherá o que você preferir. Se eu oferecer a duas pessoas uma chance de comprar sorvete, então aquela que oferecer mais dinheiro revelará uma preferência mais forte.

Esta vantagem é particularmente significativa se aplicarmos o utilitarismo a grandes instituições. Não podemos conceber instituições que maximizem o prazer total. Mas podemos maximizar a satisfação de preferências concebendo instituições nas quais as pessoas sejam livres para escolher. Mesmo que não possamos calcular a *quantidade* de satisfação de preferências que produzimos, sabemos que maximizamos a satisfação de preferências se todos forem livres para seguirem as suas próprias preferências. (Voltamos a essas questões no capítulo 8.)

Alguns dos trabalhos mais interessantes sobre o utilitarismo contemporâneo estão na interseção da economia com a filosofia. Porquanto se concentram na medição e no planejamento institucional, os economistas têm preocupações diferentes daquelas dos filósofos. Os economistas almejam uma acepção viável para o bem-estar, ao passo que os filósofos buscam uma definição infalível. Preferências reveladas são a base da economia moderna, visto serem consideradas o indicador mais confiável de bem-estar, especialmente quando estamos avaliando instituições. Um dos principais desafios na economia contemporânea é planejar instituições onde todos tenham uma chance genuinamente igual de revelar as suas preferências. Isto é especialmente significativo na economia de desenvolvimento – a economia das pessoas pobres e das nações pobres – onde muitos fatores podem interferir na livre expressão das preferências, tais como deficiências no poder político, liberdade de expressão, alfabetização, nutrição e saúde básica.

A preferência é suficiente?

A teoria da preferência levanta muitas questões. Concentramo-nos em três.

1) Todos os desejos contam?
2) Devemos saber que os nossos desejos são satisfeitos?
3) Como valoramos desejos?

A teoria da preferência consiste em duas afirmações relacionadas. A primeira diz que a satisfação da preferência é *suficiente* para o bem-estar: se eu sei que x satisfaz uma das suas preferências intrínsecas, então eu sei que x consistirá em um benefício para você. (É claro que satisfazer uma preferência pode ser *instrumentalmente* ruim para você, por exemplo, se você tiver uma reação alérgica muito ruim. Mas a satisfação da preferência *em si mesma* é sempre um benefício.) A segunda alegação diz que a satisfação da preferência é *necessária* para o bem-estar: nada pode ser um benefício para pessoa alguma, a menos que ela o prefira. Se eu sei que você não prefere x, então eu sei que x não é intrinsecamente um benefício para você.

A maioria das objeções à teoria da preferência enfoca a primeira dessas duas afirmações. (Voltaremos à segunda em nossa discussão sobre a teoria da lista objetiva.) Elas negam que a satisfação da preferência seja suficiente para o bem-estar, imaginando casos nos quais a satisfação de uma preferência não beneficie a pessoa. As pessoas podem querer, desejar ou preferir praticamente qualquer coisa. Algumas preferências parecem ruins para a pessoa, ou, na melhor das hipóteses, inúteis. Mais notavelmente, outras preferências vão muito além da própria vida da pessoa. O astrônomo Carl Sagan queria que houvesse vida inteligente em outros planetas. Leonardo da Vinci esperava que os seres humanos um dia voassem. Se você vir pessoas assoladas pela fome no noticiário da televisão, pode querer que elas sejam poupadas. No saguão de um aeroporto você encontra um estranho com uma doença potencialmente fatal. Você quer que ele se recupere, mesmo sabendo que você nunca vai saber se ele se recuperou. Suponha que você tenha todas essas preferências e cada uma delas seja satisfeita. Há vida em outros planetas, os seres humanos voam, a fome é combatida, o estranho vive. Será que o simples fato de a preferência ter sido satisfeita beneficiou a *você*? Os opositores da teoria da preferência argumentam que não, uma vez que o *conteúdo* dessas preferências está muito remoto da sua vida. Tais eventos distantes nada têm a ver com você.

Suponha que queiramos descartar estes desejos irrelevantes. Um primeiro movimento comum consiste em uma restrição aos "desejos egocêntricos": preferências que se relacionam diretamente com a vida da própria pessoa. A sua vida vai melhor se a sua preferência de comer sorvete for satisfeita, mas não se houver vida em galáxias distantes. A primeira preferência diz respeito a você mesmo, enquanto a segunda não. Uma boa vida é aquela na qual todos os seus *desejos egocêntricos intrínsecos* são satisfeitos – você consegue as coisas mesmas que quer *para si mesmo*.

Suponha que concordemos acerca da hipótese segundo a qual *apenas* desejos egocêntricos contribuem para o bem-estar de uma pessoa. *Todos* os desejos egocêntricos valem? Considere um novo conto no qual você claramente satisfaz um desejo egocêntrico, mas parece tornar a pessoa em pior situação. Você é o anfitrião de uma festa para quatro amigos. Bob quer beber o líquido no seu copo, pensando que é cerveja. Você dá a Bob o copo, mesmo sabendo que ele contém suco de laranja, ao qual Bob é alérgico. Bob satisfaz o seu desejo, e fica terrivelmente doente. Quando chega à festa, Maria lhe dá as chaves do seu carro dizendo-lhe para não lhas devolver se ela estiver bêbada. Duas horas mais tarde, Maria expressa o desejo de ter as suas chaves. Você as devolve a ela, mesmo sabendo que ela está muito bêbada. No decorrer da festa você oferece heroína a Albert, que é um viciado. Finalmente, a sua amiga Jenny deu-lhe a chave do seu armário de remédios, dizendo-lhe para não lha devolver se ela estiver deprimida. Quando Jenny pede a chave, no final da festa, você a devolve, mesmo sabendo que Jenny normalmente fica deprimida depois de uma noite fora e pode muito bem se matar.

Você torna a vida de cada pessoa melhor dando-lhes o que querem? A maioria das pessoas diria "não". Como responderia o teórico da preferência? Uma resposta consiste em distinguir entre um benefício *considerado isoladamente* e um benefício em que sejam *consideradas todas as coisas*. O teórico da preferência poderia concordar que você não tornou a vida da pessoa melhor no geral. Mas isso é porque, em cada caso, *outras* preferências conflitam com a preferência que você satisfaz. Bob não deseja suco de laranja ou doença. O seu nível geral de satisfação de preferência é maior se ele não bebe o suco. Em seu estado sóbrio, Maria valoriza o seu desejo (sóbrio) de não dirigir bêbada mais do que o seu desejo subsequente (quando bêbada) de dirigir. Uma vez que Maria está mais bem colocada para comparar as suas próprias preferências, você não deve devolver-lhe as chaves. Embora Albert deseje heroína, ele também deseja não ser viciado em heroína. E o último desejo é mais importante para ele. (Em termos técnicos, os filósofos dizem que os *desejos de segunda ordem* de Albert – o que ele quer querer – estão desarmonizados com os seus *desejos de primeira ordem* – o que ele de fato quer. E, em tal caso, os desejos de segunda ordem são mais representativos dos verdadeiros interesses da pessoa.) O desejo de Jenny mais fortemente ponderado é permanecer viva. Você não maximiza a sua satisfação de preferência *geral* permitindo que ela se mate. Você faz a cada um dos seus amigos *algum* bem, satisfazendo as suas preferências, mas este bem é superado pelas preferências que você frustra.

Este movimento é semelhante à defesa hedonista do prazer sádico – é ruim no geral, mas intrinsecamente bom. Assim como com o prazer sádico, muitas pessoas não estão satisfeitas com essa resposta. Elas argumentam que essas preferências não devem contar absolutamente. Se concordarmos, temos que impor ainda mais condições às preferências de uma pessoa. Duas possibilidades são uma *necessidade de informação completa* (por exemplo, o desejo de Bob de suco não conta porque ele carece de informações cruciais) e uma *necessidade de prudência* (por exemplo, o desejo de Maria de dirigir embriagada não deve contar, porque não é consistente com a sua própria visão ponderada dos seus melhores interesses de longo prazo). O desafio para qualquer um desses testes é evitar a circularidade. (Pergunta: Quais desejos melhoram o bem-estar? Resposta: Aqueles que uma pessoa prudente plenamente informada teria. Pergunta: Quais desejos uma pessoa prudente plenamente informada teria? Resposta: Aqueles que melhoram o bem-estar.)

Mesmo quando um desejo não é prejudicial, pode parecer sem sentido – especialmente quando comparado com desejos mais importante. Contraste um desejo de contar todas as lâminas de grama no parque com um desejo de provar um complicado e importante teorema matemático, ou de encontrar uma cura para o câncer. Poderíamos dizer que ou o desejo de contar folhas de grama é *inútil*, ou meramente que ele *vale menos* do que o desejo de curar o câncer. Em ambos os casos, algo é valioso além do fato da minha preferência e da força dessa preferência. Isto aponta-nos para além da teoria da preferência.

Danos póstumos

Eventos após a morte de uma pessoa podem certamente afetar a forma como pensamos acerca da sua vida, conforme demonstrado nos exemplos a seguir. Derek dedicou-se a sua vida inteira a preservar os monumentos de Veneza. No dia seguinte à sua morte eles são destruídos por terroristas. Ally dedica a sua existência a prover aos seus filhos um bom começo na vida. No dia seguinte à sua morte eles são dizimados pela praga. Tony passa a sua vida inteira defendendo a sua própria reputação de integridade pessoal. No dia seguinte à sua morte a sua reputação é destruída pela publicação do diário do seu assessor de imprensa. Dada a significância que esses projetos desempenharam na vida de cada pessoa, o seu fracasso póstumo reduz retrospectivamente o valor das suas vidas?

Eventos póstumos também podem *melhorar* a vida de uma pessoa. Considere o contraste entre Lex e Leia – dois cientistas que são igualmente bem considerados durante a sua vida. Lex passa a sua vida inteira argumentando que a vida na terra veio do planeta Krypton. A teoria de Lex atrai atenção durante a sua vida. Mas, logo após a sua morte, cientistas descobrem que não há planeta Krypton, e Lex é esquecido. Leia dedica toda a sua vida à teoria de que a vida na Terra evoluiu de papéis de bala descartados por turistas espaciais descuidados do planeta Alderon. A teoria de Leia provê a fundamentação para uma completa revolução na ciência. Gerações de cientistas debruçam-se sobre o trabalho de Leia e saúdam-na como um gênio. Leia é uma cientista mais bem-sucedida do que Lex. Ambos desejavam produzir uma teoria científica influente e duradoura. A preferência de Leia é satisfeita, enquanto a de Lex não o é. Parece natural dizer que a vida de Lex foi desperdiçada, enquanto a de Leia não o foi.

Eventos póstumos podem ser relevantes para a vida de uma pessoa. Mas podem eles afetar o seu *bem-estar* – quão bem transcorre a sua vida? Pode haver danos ou benefícios póstumos? Na teoria de preferência, tal como a interpretamos até agora, danos e benefícios póstumos serão comuns, uma vez que muitos desejos são satisfeitos apenas após a morte da pessoa. Muitos destes (como o desejo de Leonardo de que os seres humanos voassem) são descartados pelas nossas restrições anteriores aos desejos egocêntricos. Mas alguns desejos egocêntricos também são satisfeitos apenas postumamente, como quando o desejo de uma mãe de que os seus filhos concluam o Ensino Médio só é satisfeito após a sua morte tragicamente prematura. Neste caso, o desejo é apenas *contingentemente póstumo*, uma vez que os filhos dessa pessoa poderiam ter se formado durante a sua vida se ela tivesse vivido mais tempo. Mas outros desejos são *intrinsecamente póstumos*. Se eu quiser ser lembrado depois da minha morte, então o meu desejo não pode ser satisfeito enquanto eu estiver vivo. (Eu poderia, obviamente, fingir a minha própria morte para descobrir o que as pessoas diriam quando *pensassem* que estou morto, mas isso não é a mesma coisa.) Muitos outros desejos, mesmo embora logicamente *pudessem* ser satisfeitos antes da morte, quase certamente somente serão satisfeitos postumamente. Charlotte espera que os seus tetranetos continuem o seu apoio ao utilitarismo, mesmo embora (como a maioria dos utilitaristas modernos) ela não pense que vá existir quando isso acontecer. Se o meu bem-estar é aumentado sempre que um dos meus desejos é satisfeito, então eventos póstumos muitas vezes melhorarão (ou piorarão) a qualidade da minha vida.

A questão dos benefícios póstumos fornece um bom estudo de caso da maneira como os filósofos morais tentam construir teorias usando os nossos julgamentos e intuições cotidianos. Algumas pessoas consideram a própria ideia de benefícios ou danos póstumos ininteligível. Uma vez que a vida de uma pessoa tenha terminado, nada pode torná-la melhor ou pior. Tais pessoas considerarão o fato de admitir benefícios póstumos generalizados uma *reductio ad absurdum* da teoria da preferência – um resultado tão absurdo que invalida toda a abordagem. Certamente a qualidade da minha vida só pode depender de eventos acontecidos durante a minha vida. Se permitirmos benefícios ou danos póstumos, então nunca poderemos dizer quão boa a vida de uma pessoa foi. A despeito de há quanto tempo ela tenha morrido, sempre haverá a chance de que algum evento novo perturbe os nossos cálculos.

Muitos teóricos da preferência ficariam felizes em descartar os desejos póstumos. Infelizmente, é muito difícil parar por aí. Parece que estamos em uma ladeira escorregadia em direção à conclusão de que não existem danos ou benefícios que não interferiram diretamente na consciência da pessoa. Para ilustrar isso, suponha que Maria e seu parceiro tenham ambos sido feridos em um acidente de carro e levados para diferentes hospitais. O último desejo de Maria é o de que o seu parceiro sobreviva. O seu parceiro morre imediatamente *antes* de Maria, mas ela jamais o soube. Podemos permitir que isso afete o bem-estar de Maria? Parece que podemos, uma vez que o evento ocorre durante a vida de Maria, e satisfaz uma das suas preferências. Infelizmente, as coisas não são tão simples. Se não acreditamos em danos póstumos, então devemos concluir que, se a morte do parceiro tivesse ocorrido alguns momentos mais tarde, então esse evento não teria afetado o bem-estar de Maria. Mas parece ridículo que um atraso de poucos momentos faça uma diferença tão grande. Para tornar a questão mais vívida, suponha que você queira saber o quanto a vida de Maria foi boa, mas não sabe os tempos relativos das duas mortes. Você precisaria descobrir quem morreu primeiro? Parece improvável que você precisasse. Se eventos durante a vida de Maria são capazes de reduzir o seu valor, mesmo embora ela nunca esteja ciente deles, é arbitrário dizer que os acontecimentos após a sua morte não o podem. Se rejeitarmos os danos póstumos, então a coerência exige que nos recusemos a permitir que a morte do seu parceiro absolutamente afete o bem-estar de Maria, mesmo que essa morte ocorra durante a sua vida.

Se rejeitarmos os danos póstumos, então parece que também teremos que rejeitar todos os desejos cuja satisfação não tenha impacto sobre a vida da pessoa. As coisas seriam obviamente diferentes se Maria tivesse tomado consciência da morte do seu parceiro antes da sua própria morte – uma vez que ela iria sofrer e saber que a sua preferência não foi satisfeita. Então, talvez desejos só devam valer se a pessoa estiver ciente de que eles tenham sido satisfeitos. Devemos acrescentar uma *necessidade de experiência* à nossa teoria de preferência do bem-estar. Nada me beneficia a não ser que eu esteja consciente disso.

Para permitir-nos formular esta nova versão da teoria da preferência precisamente, alguns utilitaristas distinguem duas maneiras pelas quais um desejo pode ser satisfeito, as quais podemos rotular de *realização* e *satisfação*. A minha preferência é realizada contanto que o que quer que eu queira aconteça. Ela só é satisfeita se eu estiver consciente disto. Uma vez que tenhamos feito essa distinção, vemos que alguns dos nossos casos anteriores de "preferências satisfeitas" realmente envolveram apenas realização. A preferência de Leonardo de que os seres humanos voassem foi cumprida, mas não foi satisfeita. Se coisa alguma me beneficia a não ser que eu esteja consciente dela, então apenas uma preferência satisfeita é um benefício.

Ainda que dela precisemos para evitarmos danos póstumos, a necessidade de experiência tem os seus próprios custos ocultos. Lembre-se de que um motivo para a teoria da preferência consiste em acomodar a rejeição de Nozick da máquina de experiência. Se eu quero que as minhas experiências sejam reais, então a minha vida se torna pior se elas não forem reais, *mesmo se* eu nunca descobrir isso. Se eu quero ter verdadeiros amigos e quero ser bem-visto, então a minha vida vai mal se eu não for bem-visto e não tiver amigos verdadeiros, mesmo que eu nunca descubra a verdade. A necessidade de experiência, portanto, parece minar uma vantagem-chave da teoria da preferência sobre o hedonismo, porquanto elimina a possibilidade de benefício (ou dano) sem conhecimento.

Começamos com uma objeção intuitiva aos danos póstumos. Quando combinada com a reação intuitiva de Nozick à máquina de experiência, esta objeção leva-nos a uma *tríade inconsistente*. Temos três afirmações incompatíveis, cada uma das quais parece intuitivamente convincente.

1) Devemos evitar ter que aceitar que danos póstumos existem.

2) Se tivermos que evitar ter que aceitar que danos póstumos existem, então não podemos opor qualquer objeção à máquina de experiência.

3) Devemos rejeitar a máquina de experiência.

Obviamente, devemos abandonar uma dessas três crenças. Neste ponto as intuições das pessoas divergem. Algumas pessoas podem sentir que tomamos o caminho errado desde o começo. Talvez devêssemos simplesmente aceitar os danos e benefícios póstumos e, assim, facilmente evitar a necessidade de experiência. Se uma pessoa dedica toda a sua vida a um projeto central – sacrificando tudo o mais na sua busca –, então parece plausível que o seu bem-estar esteja amarrado ao sucesso desse projeto. Se lhe fosse oferecido escolher entre a vida de Leia e a de Lex, você realmente seria indiferente – como a necessidade de experiência sugere? Ou você preferiria a de Leia? Esta posição é talvez a mais plausível no caso dos danos. Se o projeto de uma pessoa entra em colapso após a sua morte, então isso pode tornar a sua vida sem sentido. Você escolheria a vida de Derek ou a de Tony em detrimento de uma alternativa menos trágica?

Antes de aceitarmos os danos póstumos temos que considerar outro problema geral que eles destacam para a teoria da preferência. Podemos introduzi-lo observando que o quebra-cabeça dos desejos póstumos só se coloca se ou a morte termina a sua *existência* (como a maioria dos utilitaristas contemporâneos acredita), ou (por alguma outra razão) os eventos após a morte de uma pessoa não podem afetar o valor de sua vida *terrena*. Se as pessoas continuam a existir após a sua morte terrena – se no céu ou através da reencarnação –, então danos ou benefícios *post-mortem* são filosoficamente não problemáticos. Será difícil para nós sabermos quais esses danos e benefícios serão, mas assim é a vida.

O nosso novo problema surge se assumirmos que a morte envolve o desaparecimento dos meus desejos presentes. Isto, obviamente, acontece se a morte for não existência. Se eu já não existo, então as minhas preferências não mais existem. Mas, mesmo se continuar a existir depois da minha morte, provavelmente eu perderei a maioria dos meus desejos mundanos. Portanto, se a realização póstuma das minhas preferências pode melhorar a minha vida, então deve ser possível que a realização de uma preferência seja um benefício, mesmo quando essa preferência não mais existe. Mas este princípio geral tem algumas implicações estranhas, como ilustra o conto a seguir.

O presente atrasado

Aos seis anos Bruce diz a Alfred que quer ganhar um traje de morcego. Considerando que Bruce não está pronto para uma tamanha responsabilidade, Alfred espera até que Bruce complete vinte e um anos, e então lhe dá um traje de morcego. Bruce, tendo se esquecido completamente do seu antigo desejo, não se impressiona. "O que você acha que eu sou – uma criança de seis anos?"

O presente de Alfred realiza uma preferência que Bruce teve um dia. Podemos até mesmo dizer que o presente *satisfaz* a preferência de Bruce, especialmente se Bruce estiver consciente de estar recebendo algo que um dia ele quis. Mas será que Alfred beneficia Bruce? A natureza enigmática da sugestão de que Alfred realmente beneficia Bruce fica ainda mais clara em uma estória em primeira pessoa. Suponha que, em vez de comprar o traje, Alfred apenas lembre Bruce de seu antigo desejo. Deveria Bruce comprar para si mesmo uma fantasia de morcego (ao invés de um terno novo) simplesmente porque ele quis um quando tinha seis anos?

O desafio é manter os danos póstumos sem admitir a significância universal dos desejos abandonados. Uma solução é considerar apenas os desejos *estáveis adultos* da pessoa. Se você fica mudando de ideia, então não temos nenhuma boa razão para realizar as preferências particulares que porventura você tenha ao morrer – não mais do que temos qualquer razão para realizar as preferências que você abandonou há muito tempo. Mas realmente temos uma boa razão para realizar preferências às quais você se prendeu durante toda a sua vida – e às quais ainda endossava quando morreu. (A alternativa seria argumentar que as preferências de uma pessoa morta *ainda existem* em algum sentido, enquanto as preferências passadas de uma pessoa ainda viva não existem – talvez por terem sido substituídas por preferências posteriores.)

Os custos de se endossar os danos póstumos podem levar-nos a explorar respostas alternativas à nossa tríade inconsistente. Alguns teóricos da preferência aceitam a necessidade de experiência, e oferecem um diagnóstico diferente da nossa relutância em entrar na máquina de experiência. O verdadeiro problema com a máquina aí é que, uma vez que estejamos nela, nós não sabemos que não estamos conseguindo o que queremos. Isso não mostra que a qualidade da nossa experiência seja irrelevante para o bem-estar – simplesmente mostra que não é toda a história. A máquina de experiência oferece uma vida na qual os meus desejos não são realizados, mas eu *acreditando erroneamente* que eles o são. Isso é indesejável. Eventos póstumos (ainda que bons) só podem oferecer uma vida na qual os meus desejos são satisfeitos, mas eu *não sei* que eles o são. Isso tampouco é satisfatório. Para ter uma boa vida devo ter ambos, desejos e experiências – preciso *saber* que os meus desejos foram realizados. O meu desejo deve ser *satisfeito*. Se pudermos, assim, evitar a máquina de experiência e ainda abraçar a necessidade de experiência, então a pressão para rejeitar essa exigência se dissolve.

Como valoramos desejos?

Na teoria de preferência o valor da vida de uma pessoa é uma função da medida em que as suas preferências são satisfeitas. Pode parecer que podemos determinar o bem-estar de uma pessoa simplesmente somando quantos dos seus desejos são satisfeitos. Para comparar duas vidas, perguntamos qual delas tem mais satisfação de desejos. Infelizmente, as coisas não são tão simples. Nem todas as preferências são igualmente fortes, e algumas vidas contêm mais preferências do que outras. Esses fatores tornam difícil comparar os níveis gerais de satisfação de preferências das pessoas por várias razões.

1) *Quantidade* versus *qualidade* – Um problema é análogo à ameaça representada para o hedonismo pela vida de ostra. Suponha que o seu médico ofereça-lhe um novo medicamento que vai aumentar muito a duração da sua vida, mas reduzir as suas capacidades intelectuais ao ponto de você somente ser capaz de permanecer em uma cama de hospital comendo geleia e assistindo novelas. (Suponha que você goste tanto de geleia quanto de novelas.) Se a vida de geleia e novela for suficientemente longa, então ela envolverá mais satisfação total de preferência do que uma vida plenamente humana. Portanto, um teórico da preferência deveria aceitar este tratamento. Ou compare uma tartaruga

satisfeita e um ser humano satisfeito. Quem pode dizer que a vida da tartaruga não contém mais satisfação de preferência do que a vida humana? As preferências da tartaruga podem ser de um tipo mais básico, mas a vida da tartaruga típica é tão longa que contém muito mais delas.

2) *Satisfação* versus *frustração* – Ninguém em nossa cidade tem qualquer interesse em chocolate. Eu projeto uma campanha publicitária que faz com que todos tenham um desejo irresistível por chocolate. Eu, então, vendo chocolate. Exatamente a metade das pessoas compra chocolate, e seu desejo é satisfeito. Infelizmente, nem todos podem pagar pelo chocolate, de modo que a outra metade é deixada com um desejo frustrado. Eu aumentei tanto o nível de satisfação quanto o de frustração. Eu tornei as coisas melhores ou piores?

Esta questão é muito significativa hoje e dia, uma vez que grande parte da nossa moderna atividade econômica aumenta tanto a satisfação quanto a frustração. Há três respostas possíveis. A primeira, que muitas pessoas endossariam, consiste em que eu reduzi o bem-estar geral. Criar um desejo por chocolate e então satisfazê-lo não causa nenhum bem, mas criar um desejo que eu não posso satisfazer torna pior a situação de algumas pessoas. Esta posição aparentemente plausível tem implicações muito radicais para a política populacional. Se a satisfação de um desejo não pode tornar em nada melhor a situação do agente, então, se ele nunca tivesse tido absolutamente o desejo, e se a frustração de desejos sempre torna uma vida pior, toda vida é pior do que absolutamente nenhuma vida – uma vez que toda vida humana concreta inclui alguns desejos frustrados. O melhor futuro possível envolveria a extinção da raça humana. Como o antigo poeta grego Sófocles o colocou: "Não ter nascido é o melhor". (Voltaremos a questões populacionais no capítulo 9.)

A segunda alternativa consiste em que eu melhorei o bem-estar geral, porque a satisfação supera a frustração. Aqueles sem chocolate não estão em pior situação do que antes – não há coisa alguma que eles tivessem antes que agora lhes falte – enquanto aqueles com chocolate estão claramente em melhor situação. A alternativa final é que as minhas ações deixam as coisas inalteradas, uma vez que a satisfação e a frustração exatamente se cancelam. (Se eu tivesse produzido mais satisfação, então eu teria melhorado as coisas.)

Pode ser difícil escolher entre essas três alternativas. Podemos sentir que isso aconteça porque chocolate é um exemplo trivial. Talvez as coisas sejam mais claras se lidarmos com desejos mais importantes, tais como aqueles em nossos próximos dois exemplos.

3) Desejos *indesejáveis* – Às vezes, um novo desejo claramente parece tornar muito pior a vida de uma pessoa, mesmo que se trate de um desejo muito forte que seja completamente satisfeito. Eu ameaço torturá-lo se você não me der R$ 10,00. Isso cria um desejo muito forte de não ser torturado – muito mais forte do que o seu desejo de tomar o dinheiro. Você me dá R$ 10,00 e eu satisfaço o seu desejo de não ser torturado. Eu aumentei o seu nível total de satisfação de desejos – especialmente se considerarmos a força dos desejos envolvidos. No entanto, é difícil negar que eu torno a sua vida pior. Se eu fosse acusado de obter dinheiro através de ameaça de violência, é improvável que qualquer juiz ou júri aceitasse a minha defesa de que eu estava melhorando a sua vida aumentando o seu nível de satisfação de desejos!

4) Desejos *desejáveis* – Por outro lado, às vezes novos desejos claramente parecem *melhorar* a vida de uma pessoa, mesmo que eles *não* sejam *todos* satisfeitos. Mesmo embora você não tenha qualquer desejo de adquirir educação, eu o forço a ir para a escola. Como resultado, os seus horizontes são ampliados e você

adquire muitos desejos. Muitos (mas nem todos) destes novos desejos são então satisfeitos. O meu presente de educação claramente torna a sua vida melhor.

O desafio para o teórico da preferência é explicar as diferenças entre esses casos. Um movimento tentador é recorrer a desejos preexistentes. No conto da ameaça, você já tinha um desejo de não ser torturado. A minha ameaça apenas o tornou consciente dessa preferência existente. Você presumivelmente também tinha um desejo de não ser ameaçado, o qual eu claramente frustrei. O problema com essa resposta é que a maioria dos teóricos da preferência considera a intensidade consciente de um desejo como uma indicação da sua importância. Ao torná-lo consciente do seu desejo, aumento a importância de não ser torturado. A minha decisão subsequente de não torturá-lo é, então, um maior benefício. (O seu desejo de não ser torturado é provavelmente mais forte do que o seu desejo de não ser ameaçado.)

Outra solução é passar de preferências isoladas para *preferências globais*. Em vez de comparar vidas agregando a satisfação de preferências dentro delas, poderíamos dar um passo atrás e perguntar qual a vida é preferível de um modo geral. Se você preferir a vida plena, mais curta, à vida de geleia e novela, muito mais longa, então é melhor para você. Embora esta passagem pareça intuitivamente atraente, ela está em tensão com os fundamentos da teoria da preferência. Por definição, a vida de geleia e novela envolve mais satisfação de preferências. Se preferir a outra vida, então você não está escolhendo entre as duas vidas com base na satisfação de preferências apenas. Isto sugere que você valoriza algo além da satisfação de preferências. Uma teoria do bem-estar que endosse o seu julgamento – e o utilize como critério para julgar o seu bem-estar – abandonou a teoria da preferência.

A teoria da lista objetiva

Muitos utilitaristas permanecem associados tanto ao hedonismo quanto à teoria da preferência. Mas outros concluem que nenhuma dessas duas teorias é satisfatória. Nem a satisfação do prazer nem a da preferência é necessária ou suficiente para o bem-estar. Alguns prazeres são bons, alguns ruins, outros são neutros. Algumas preferências melhoram a sua vida, enquanto outras não. Considere uma criança que queira brincar na areia muito mais do que ir para a escola. Em geral, muitas pessoas concordariam que tornamos a sua vida melhor se a enviamos para a escola. Por que é assim? Uma defesa da educação afirma que ela não apenas ajuda as pessoas a satisfazerem as suas preferências existentes, mas também lhes ensina o que desejar. A teoria da preferência tem a sua explicação invertida. É importante satisfazer o desejo das pessoas *porque* o que elas valorizam é independentemente valioso. Os objetos não são valiosos porque são desejados – eles são desejados porque são valiosos. Isto conduz à *teoria da lista objetiva*.

Eu chamei a teoria da lista de *objetiva*. Isto sugere que as nossas duas outras teorias são *subjetivas*. Acerca do significado mais comum da palavra, isso é verdade. No entanto, em outro sentido, tanto a teoria do hedonismo quanto a da preferência também são teorias objetivas. O hedonismo diz que o prazer é a única coisa valiosa *para todos*, não importando o que eles possam pensar acerca disso. A teoria da preferência diz que, *para todos*, o bem-estar consiste na maximização da satisfação de preferências. Uma teoria do bem-estar puramente subjetiva ou *relativista*, em contrapartida, diria que o bem-estar *para você é o que quer que você pense que seja*.

Tanto a teoria do hedonismo quanto a da preferência poderiam ser interpretadas como teorias da lista, onde o prazer e a ausência de dor, ou a satisfação de preferências (ou talvez apenas a realização de preferências) são os únicos itens em nossa lista. Ou poderíamos juntar a teoria do hedonismo e a da preferência em uma lista com dois itens: o prazer e a satisfação de preferências. A maior parte das teorias da lista contemporânea inclui tanto a satisfação do prazer quanto da preferência, tanto como itens separados na lista ou como componentes de outros itens.

Há duas questões cruciais a serem colocadas acerca de qualquer lista. O que entra na lista? Como é que decidimos o que entra na lista? Embora a segunda questão devesse vir em primeiro lugar em termos de método filosófico, é muito mais fácil começar com a primeira. Aqui estão alguns itens comumente encontrados nas listas oferecidas por utilitaristas contemporâneos.

Componentes de bem-estar

1) Necessidades básicas. "O que precisamos para sobreviver, para sermos saudáveis, para evitarmos dano, para funcionarmos adequadamente" (James Griffin. *Well-being*, 42).

2) Sucesso ou realização.

3) Entendimento ou conhecimento.

4) Capacidade de ação, autonomia, liberdade.

5) "Amizade" (Shelly Kagan), "relações pessoais profundas" (James Griffin), "amor mútuo" (Derek Parfit).

6) Religião.

7) Fama ou respeito.

É útil dizer algumas palavras sobre cada um desses itens. A inclusão de necessidades básicas pode parecer anômala, uma vez que elas não são realmente *componentes* do bem-estar de uma pessoa, mas sim *necessidades instrumentais* – coisas que cada ser humano precisa se quiser desfrutar de absolutamente qualquer bem-estar. A principal razão para se incluir as necessidades básicas não é teórica, mas pragmática, uma vez que um foco nas necessidades básicas nos ajuda a pensar acerca de muitas situações práticas, como a alocação de recursos da saúde. (Será que os estamos oferecendo àqueles com maiores necessidades básicas?) Isso também explica a importância que muitos utilitaristas contemporâneos conferem à ajuda de vítimas da fome e de desastres.

Para contar como uma contribuição independente para o seu bem-estar (além e acima de qualquer prazer ou satisfação de preferência), uma atividade bem-sucedida deve envolver algo que é independentemente valioso. Encontrar a cura para o câncer ou provar um teorema matemático contaria como uma *realização*, enquanto contar as lâminas de grama em seu gramado não o seria.

O nosso terceiro item pode incluir o conhecimento prático, o conhecimento abstrato e o conhecimento do mundo e do lugar que se ocupa nele. Muitos filósofos também incluem o conhecimento *religioso*, que tanto pode ser positivo (o conhecimento de que existe um Deus, acompanhado do conhecimento do propósito de Deus para a criação) ou negativo (o conhecimento de que Deus não existe).

O nosso quarto item é talvez o mais importante em muitas listas. Ele reflete uma forte tradição utilitarista estabelecida por Mill. A maioria dos utilitaristas modernos atribui um valor muito alto à liberdade humana, especialmente à capacidade de fazer escolhas de vida importantes, deliberando-se a partir de seus próprios valores. James Griffin chega mesmo a chamar esses itens de "componentes da existência humana" – sem eles a vida não é autenticamente humana (Griffin. *Well-being*, 67).

A mais simples teoria da lista calcularia o valor da sua vida somando os valores dos seus componentes. Abordagens mais sutis postulam interações complexas entre os itens em nossa lista. Por exemplo, prazer e preferência podem afetar o valor de outros itens, seja por aumentar esse valor ou por ser uma precondição para isso. Talvez outros itens da lista apenas o beneficiem se você os experimentar, ou se você os desejar. (Mais modestamente, outros itens da lista podem ser mais valiosos se você os experimentar ou desejar.)

Podemos combinar várias precondições, tais como escolha e prazer, ou experiência e preferência. Talvez o conhecimento, embora sempre valioso, seja muito mais valioso se for desejado e experimentado. Ou talvez o conhecimento *só* seja valioso exclusivamente quando é desejado e experimentado. Isso não reduz o valor do conhecimento ao valor do desejo, mas significa que conhecimento sem desejo não é valioso. Ou talvez uma realização só seja valiosa se for tanto independentemente valiosa *e* uma fonte de prazer.

Utilitaristas influenciados pela tradição liberal de Mill frequentemente consideram a autonomia como uma aumentadora ou uma precondição do valor dos outros itens. Qualquer item da lista só é um benefício para você se você o tiver escolhido de maneira autônoma. Isto vai além de um requisito de preferência. Não basta desejar o item. Você precisa tê-lo perseguido ativa e conscientemente. Ter nascido um rei não é realização, ao passo que fazer-se rei o é. Esta é uma visão comum do valor da religião. A crença e a prática religiosa correta só são valiosas se forem livremente escolhidas, não se as pessoas são forçadas a se conformarem.

A amizade poderia ser incluída entre as realizações, mas frequentemente também aparece como um item separado na lista. Recorde-se da pessoa que é traída e não tem absolutamente nenhum amigo, mas não o sabe. Consideramos esta vida indesejável porque lhe falta o bem da amizade. Situar a amizade separadamente na lista enfatiza o pensamento de que, quaisquer que sejam as outras realizações que a minha vida possa conter, ela não é verdadeiramente valiosa a menos que também contenha amizade.

Alguns filósofos morais de inclinação religiosa acrescentam a religião como um item separado da lista. Eles têm em mente não só o conhecimento religioso, mas também viver a sua vida de acordo com a verdade religiosa, e procurar estabelecer uma relação adequada com o divino. Outros filósofos, frequentemente de uma inclinação menos abertamente religiosa, incorporariam os componentes separados da religião em outros itens já presentes na lista, tais como conhecimento, realização e relações pessoais. Ou podemos expressar o valor da religião condicionalmente: se existe um Deus, então ter uma relação adequada com Ele é um componente essencial da existência humana. Isto sugeriria que você não pode saber como se pareceria uma boa vida humana a menos que você saiba se Deus existe ou não.

O valor de um item, e até mesmo se de fato possui algum valor, não pode ser sempre avaliado de forma isolada. Pode depender do seu lugar no contexto da sua vida como um todo. Poderíamos valorizar a *variedade* – um item da lista é mais valioso se a sua vida contiver poucos itens similares. A *singularidade* pode ser especialmente valiosa. Uma realização em particular é muito mais valiosa se você não a tiver alcançado antes. Por outro lado, algumas pessoas conferem valor à *unidade*. Um item pode ser especialmente valioso em sua vida precisamente porque se encaixa com outras coisas que você fez. Ou uma conquista que seria valiosa para outra pessoa pode ser trivial para você, ou até mesmo detrativa do valor da sua vida, dado o alto padrão determinado pelas suas outras realizações. Thomas Hurka fornece a analogia de uma carreira esportiva. Um desempenho modesto no Aberto da Inglaterra pode detrair o valor global da carreira do Tiger Woods, mesmo embora pudesse ser o auge da vida no golfe de outra pessoa.

Todas as listas são controvertidas. (Outros itens frequentemente incluídos são: *saúde, criatividade, diversão, consciência da beleza, viver moralmente.*) Como podemos justificar a adição de um item extra à nossa lista? Suponha que algum filósofo moral proponha um item que você não tenha atualmente em sua lista. Como você decidir o que fazer? Por uma questão de simplicidade, podemos imaginar uma lista vazia, e perguntar quais itens adicionar. Suponha que um novo item (x) seja proposto para a nossa lista. Imaginamos duas vidas de outra maneira idênticas, onde uma contém x enquanto a outra não. Se a vida com x for melhor do que a vida sem, então x

entra em nossa lista. (Por exemplo, o prazer.) Se a vida com x for pior do que a vida sem, então a *ausência* de x entra em nossa lista. (Por exemplo, a dor.) Se uma vida com x não parece nem melhor nem pior do que uma vida sem, então nem x nem a ausência de x entram em nossa lista.

Reserve um momento para aplicar este teste a cada um dos itens em nossa lista. Um bom exemplo é a fama ou o respeito. Este item não é frequentemente listado como um componente separado do bem-estar por utilitaristas modernos, mas era especialmente popular entre os gregos antigos. O caso-teste para este item é a *fama póstuma*. Seria bom para você ser bem lembrado depois da sua morte, mesmo se você não sabe disso, e mesmo se não foi algo que você alguma vez tenha desejado? Se você pensa que a fama póstuma ainda é boa, mesmo nestas circunstâncias, então você deve incluí-la como um item separado em sua lista.

Este simples método enfrenta um conjunto de objeções relacionadas. Podemos construir uma única lista para todos? O teórico da lista enfrenta um dilema. Se a sua lista se aplica a todos, então ela pode ser paternalista e/ou culturalmente insensível. No entanto, se temos listas diferentes para pessoas diferentes, então como pode o teórico da lista esperar fornecer uma teoria do bem-estar humano que nos deveria unir ao invés de dividir?

Um bom lugar para começar é com uma objeção que nós vimos pela primeira vez em relação ao hedonismo. Não é a teoria da lista paternalista, uma vez que a pessoa que compila a lista deve supor saber melhor do que nós mesmos sabemos o que é bom para nós? O teórico da lista tem várias réplicas a esta objeção. A mais geral consiste em que a teoria lista não precisa ser paternalista em suas implicações para a moralidade prática. Nada na noção de uma teoria da lista *per se* diz que eu compilo melhor uma lista do que você. Em particular, nada na lista sugere que eu esteja mais bem situado do que você para saber o que poderia ser considerado um bem *para você*. Com efeito, a maioria das teorias da lista implica exatamente o oposto – você está muito melhor situado do que qualquer outra pessoa para saber o que contribui para o seu bem-estar. Isso é especialmente verdadeiro se prazer, preferência e autonomia estão na lista. Algo só poderá ser considerado bom se você endossá-lo, buscá-lo ativamente e obtiver prazer dele.

A própria ênfase na autonomia pode levar a uma objeção relacionada: a de que a teoria da lista é demasiadamente culturalmente relativa para fornecer uma teoria do bem-estar para todos os seres humanos. Tal como aplicada pelos filósofos contemporâneos, ela produz listas que refletem os valores e preconceitos dos filósofos ocidentais de classe média, prósperos e bem-educados (e que normalmente também são homens brancos de meia-idade). Em particular, diz-se frequentemente que a autonomia é um valor peculiarmente ocidental, e que pessoas de outras culturas (especialmente na Ásia Oriental) não valorizam a liberdade. A resposta utilitarista padrão a esta acusação é apresentada de maneira especialmente vigorosa pelo economista vencedor do Prêmio Nobel Amartya Sen, que argumenta detidamente que, ao contrário das reivindicações de regimes não democráticos em todo o mundo, as pessoas em todas as culturas sempre valorizaram as liberdades fundamentais apreciadas pelos utilitaristas clássicos – incluindo a liberdade de viver a sua própria vida de acordo com os seus próprios valores.

Os utilitaristas provavelmente concordarão que muitas listas atuais enfatizam excessivamente as prioridades dos filósofos ocidentais. Mas eles verão isso como um alerta para garantir que a nossa lista seja sensível às diferenças culturais, ao invés de uma objeção à abordagem da lista *per se*. Por exemplo, incluir a realização na nossa lista não nos diz em si mesmo quais realizações são valiosas. Culturas diferentes podem operar com listas bastante diferentes de realizações específicas – como o podem diferentes indivíduos dentro da mesma cultura. Da mesma forma, incluir a liberdade em nossa lista não nos compromete com nenhuma teoria particular sobre o que constitui uma liberdade humana valiosa. A teoria lista objetiva certamente não prescreve uma única vida ideal para todos.

Por outro lado, alguns itens da lista podem ser quase idênticos em várias culturas, mesmo em seus detalhes específicos. A diferença cultural é fácil de exagerar. Será que as respostas realmente diferem tanto entre as culturas? Alguém excluiria as necessidades básicas da sua lista? Um teórico da lista concluiria que a discordância não é mais um problema aqui do que em outras áreas da ética, ou em outras disciplinas como a economia ou física. Afinal, são as teorias éticas não utilitaristas em alguma medida menos culturalmente comprometidas do que o utilitarismo? Se quisermos evitar o imperialismo cultural, a teoria da preferência ou o hedonismo seriam de alguma maneira melhores? Podemos viver sem alguma teoria implícita sobre o que faz a vida valer a pena? Se não o podemos, então talvez tenhamos que nos contentar com as nossas intuições, mesmo que elas sejam culturalmente comprometidas.

Uma objeção final, nesta mesma linha, concerne à possibilidade de que alguns itens da lista possam ser positivamente ruins para algumas pessoas. É o conhecimento bom para as pessoas que não o valorizam absolutamente, mesmo que isso as torne miseráveis? Suponha que você encontre alguém cujas fortes crenças religiosas confiram significado e estrutura à sua vida. Infelizmente, a sua religião é fundada na crença de que o universo tem apenas cem anos de idade e de que a Terra é plana. Você oferece a ela uma educação rudimentar, que destrói completamente a sua religião. A sua vida perde todo sentido e ela torna-se absolutamente incapaz de funcionar. Você lhe ofereceu um item na lista, mas parece claramente que você tornou a sua vida pior.

O teórico da lista tem duas respostas. A primeira consiste em que, embora cada item na lista contribua para o bem-estar quando considerado *isoladamente*, isto não significa que conceder a alguém um item da lista implica sempre uma melhoria no bem-estar *todas as coisas consideradas*. O próprio efeito positivo do item pode ser contrabalançado pelo seu impacto indireto. O benefício do conhecimento poderia ser contrabalançado por perdas maiores, em relação a outros itens da lista. No caso da fé perdida, o conhecimento pode destruir o prazer, ou tornar impossível para a pessoa conseguir qualquer coisa ou formar relações pessoais profundas com qualquer pessoa. O conhecimento é, então, bom *em um aspecto*, mas ruim, *todas as coisas consideradas*.

Uma segunda resposta consiste em que, embora o conhecimento possa ser um benefício para alguém que não o deseja *de antemão*, ele ainda deve ser avaliado pela pessoa *em algum ponto*. Lembre-se da criança que é relutantemente educada. Um claro sinal de que isso constitui uma vantagem é que, mais tarde na vida, a própria criança vem a ser grata pela ampliação dos seus desejos. Ela acredita que a sua educação melhorou a sua vida. Se, à maneira de *The Matrix*, lha oferecêssemos uma pílula que lhe permitiria acordar como uma pessoa ignorante (sem nenhuma memória da sua educação), ela recusaria. Poderíamos aplicar o mesmo teste para a pessoa ex-religiosa no nosso presente conto. Se ela preferisse retornar à sua ignorância anterior, então poderíamos concluir que o seu conhecimento recém-descoberto não a beneficiou, uma vez que ela não o endossou.

O endosso *post hoc* não é infalível. Se eu lhe fizer uma lavagem cerebral de modo a que você rejeite os seus desejos atuais, então podemos considerar o seu endosso ulterior como mais uma evidência de que eu o prejudiquei – não como prova de que você se beneficiou. Neste ponto, os proponentes da teoria da lista objetiva podem notar que, embora ela enfrente problemas aqui, pelo menos está mais bem situada para resolvê-los do que a teoria da preferência. Isso acontece porque a teoria da lista objetiva pode distanciar-se mais facilmente para preferências adaptativas – aquelas resultantes de condicionamento social. O fato mais preocupante para a teoria da preferência é que, além de adicionar preferências, o condicionamento social também pode removê-las ou distorcê-las. Se as pessoas forem privadas de algo por tempo suficiente, elas podem perder o seu desejo por isso – ou mesmo sequer chegarem a desenvolvê-lo. Os escravos não expressam desejo por se tornarem livres, nem os desabrigados por adquirirem propriedade, nem as mulheres alienadas por participarem da política. Uma vez que a teoria da preferência toma todas as preferências como dadas, ela, portanto, suporta a injustiça e a opressão. Se uma pessoa não tem qualquer desejo de x, então como pode ser errado não lhe oferecer x?

Além da felicidade

Na sua formulação clássica, o utilitarismo considera a felicidade como o único valor. Isto levanta duas questões. *Toda* a felicidade é valiosa? Alguma outra coisa é valiosa? Retornamos à primeira questão na próxima seção. Tal como acontece com questões paralelas a respeito tanto do prazer quanto da preferência, a segunda questão é a mais controvertida. Poucos filósofos contemporâneos negam que a felicidade seja importante. Mas é ela a única fonte de valor? Mesmo se a felicidade for o único valor intrínseco, muitas outras coisas são obviamente instrumentalmente valiosas. Portanto, a nossa verdadeira questão é se alguma outra coisa é intrinsecamente valiosa. Assim como a teoria da lista objetiva aponta para valores além do prazer e da preferência, ela também levanta a possibilidade de valores além da felicidade. Se a apreciação da beleza for intrinsecamente valiosa, então talvez a beleza seja valiosa por si só, mesmo se não houver pessoa alguma para apreciá-la. No início do século XX G.E. Moore usou o seguinte experimento de pensamento contra a explicação do bem-estar amplamente hedonista de Sidgwick.

> **Dois mundos vazios**
> Imagine dois universos possíveis. Nenhum dos dois contém qualquer ser humano ou outras criaturas sencientes. Um universo é extremamente bonito, o outro muito feio. Qual é melhor?

Moore argumenta que o primeiro universo é muito melhor. Suponha que você seja o último homem. Todos os outros animais estão extintos. Você pode providenciar para que uma enorme bomba seja detonada por ocasião da sua morte, tornando o mundo feio. Um utilitarista como Sidgwick nada encontraria de errado nisso. Entretanto, certamente trata-se de fato de algo muito errado.

Alguns utilitaristas simplesmente rejeitam a intuição de Moore. Outros tentam encontrar argumentos para refutá-la. A beleza natural é instrumentalmente valiosa porque confere prazer às pessoas. Muitas coisas naturalmente belas também são instrumentalmente úteis de outras maneiras. Portanto, temos uma forte aversão à destruição gratuita da beleza natural. Esta aversão é transferida para o caso artificial de Moore, mesmo embora a lógica utilitarista não mais se aplique.

A teoria da lista objetiva adéqua-se impecavelmente à intuição de Moore. Com efeito, é difícil ver como essa teoria poderia sobreviver sem *alguns* valores independentes. Como podemos dizer que uma conquista contribui para o bem-estar por causa do seu valor independente se ela não possui nenhum valor independente?

A teoria da lista objetiva, portanto, produz uma forma incômoda de utilitarismo. Se acreditarmos que todos os valores devem ser, em última instância, redutíveis à felicidade, então o fato de ela apontar para além da consciência de seres sencientes configura-se um desafio à teoria da lista objetiva. Por outro lado, se quisermos admitir tanto o valor da felicidade quanto aquele da existência de valores independentes da humanidade, então a teoria da lista objetiva fornece uma ponte plausível entre ambos.

Animais não humanos

Terminamos a nossa discussão sobre o bem-estar aplicando as nossas três teorias aos animais não humanos. Se estivermos seguros da nossa teoria do bem-estar para os seres humanos, então podemos estendê-la aos animais não humanos para descobrir como deveríamos tratá-los. Por outro lado, se estivermos mais seguros das nossas crenças acerca da relação entre humanos e não humanos, podemos usar essas crenças para testar nossas teorias do bem-estar. Por exemplo, se você tiver certeza de que animais e humanos não estão no mesmo nível, então você rejeitará qualquer teoria do bem-estar que não seja capaz de distingui-los.

Suponha que você seja um hedonista. As vidas humanas são importantes porque elas contêm prazer e dor. Muitos animais não humanos podem desfrutar do prazer e sofrer a dor. Se as vidas humanas são importantes, então assim devem sê-lo as vidas desses animais. Ao invés de maximizar a felicidade humana, os utilitaristas deveriam maximizar a felicidade *per se*. Os animais deveriam valer exatamente tanto quanto os seres humanos.

As consequências práticas da equivalência moral dos seres humanos e não humanos são tanto óbvias quanto radicais. Muitas práticas humanas causam sofrimento a animais amplamente fora de proporção em relação a qualquer prazer humano resultante. Os seres humanos precisam comer e se divertir. Mas poderíamos comer plantas e jogar jogos inofensivos ao invés de matar animais para alimentação e por esporte. Não é por acaso que uma das figuras mais influentes no movimento de libertação animal tenha sido um filósofo utilitarista – Peter Singer.

A maioria dos utilitaristas concorda que o bem-estar dos animais deve valer alguma coisa. Entretanto, nem todos situam os animais em pé de igualdade com os seres humanos. Um hedonista poderia argumentar que só os humanos podem experimentar os prazeres mais elevados. Se uma vida filosófica é melhor do que uma vida suína, e apenas os humanos são capazes de desfrutar da vida filosófica, então os utilitaristas deveriam prestar mais atenção aos seres humanos. Os teóricos da preferência podem fazer um movimento semelhante. Embora os animais não humanos tenham desejos, talvez os desejos humanos sejam mais sofisticados e complexos, e, portanto, valham mais. (Isto não implica negar que alguns teóricos da preferência alcancem conclusões radicais a respeito dos direitos dos animais. O próprio Singer, por exemplo, adota uma abordagem do bem-estar baseada na preferência, na qual o sofrimento dos animais é muito ruim porque os animais têm uma forte aversão à dor.) A teoria da lista objetiva pode ir ainda mais longe, uma vez que muitos itens em nossa lista podem estar completamente indisponíveis para animais não humanos. (Embora porcos possam preferir lama a concreto, eles provavelmente não podem autonomamente perseguir uma vida dedicada a alargar as fronteiras do conhecimento matemático).

Se a felicidade dos animais difere da felicidade humana, então, além de considerar menos os animais do que os humanos, nós podemos ainda ser autorizados a fazer algumas coisas aos animais que não devemos fazer aos humanos. Para testar as nossas intuições, considere dois casos.

As réplicas
Eu desenvolvi uma máquina que pode matar uma criatura de maneira indolor, e então substituí-la por uma réplica quase exata. A única diferença é que a réplica é um pouco mais feliz do que a criatura original. Eu uso a máquina em Bob.

O agricultor amigável
Bob vive em um campo na minha fazenda. Ele tem uma vida muito agradável e não tem conhecimento do seu destino. Um dia eu, de maneira indolor e instantânea, mato Bob. O seu corpo é transformado em hambúrgueres.

Em ambos os casos, a maioria das pessoas acha que eu me comportei muito mal se Bob for um ser humano. (Discutimos o conto das réplicas no capítulo 5, onde veremos que muitos dos seus opositores argumentam que o utilitarismo sanciona este tipo de tratamento mesmo no caso dos seres humanos.) Mas será que você sente o mesmo se eu lhe digo que Bob é uma vaca? Que tal uma barata, um cão, um porco, um macaco, um golfinho ou uma lacraia? Se as suas intuições realmente diferem, será que você está irracionalmente favorecendo a sua própria espécie, ou será que se pode oferecer uma boa justificativa utilitarista às suas respostas?

Pontos-chave

• As três principais teorias do bem-estar são o hedonismo (a felicidade consiste no prazer), a teoria da preferência (a felicidade consiste em conseguir o que se quer) e a teoria da lista objetiva (a felicidade consiste em conseguir coisas que são independentemente valiosas).

• O teste-chave para o hedonismo é a máquina de experiência de Nozick. Se você não entraria na máquina, então você não é um hedonista.

• Os testes-chave para a teoria da preferência são os desejos não egocêntricos, os desejos irracionais, os desejos póstumos e a agregação de desejos.

• Os testes-chave para a teoria da lista objetiva são o relativismo cultural, o paternalismo, e se os itens da lista são bons para alguém que não os quer.

• Outro teste importante para qualquer teoria do bem-estar é se explica o valor do bem-estar animal.

5

Injustiça e exigências

Quatorze contos de injustiça e exigência absurda

As objeções intuitivas ao utilitarismo dividem-se em dois tipos principais. O utilitarismo é acusado de lhe exigir fazer coisas para com as outras pessoas que você não deveria fazer, e de lhe proibir de fazer coisas para consigo mesmo que você deveria estar autorizado a fazer. Poderíamos chamá-las de *objeções de injustiça* e de *objeções de exigência*, respectivamente. Ambas as objeções são mais bem introduzidas utilizando-se histórias simples, algumas já familiares a partir de capítulos anteriores. As histórias de 1 a 9 concernem às objeções de injustiça; as de 10 a 12 às objeções de exigência; ao passo que em nossos dois últimos contos o utilitarismo obriga-lhe tanto a sacrificar-se quanto a comportar-se injustamente para com os outros.

1) *O xerife* – Você é o xerife de uma cidade isolada do velho oeste. Um assassinato foi cometido. A maioria das pessoas acredita que Bob é culpado, mas você sabe que ele é inocente. A menos que você enforque Bob agora, haverá uma revolta na cidade e várias pessoas morrerão. O utilitarismo diz que você deve enforcar Bob, porque a perda da sua vida é compensada pelo valor de se prevenir o motim.

2) *O transplante* – Você é um médico em um hospital. Você tem cinco pacientes que morrerão se não receberem um transplante imediatamente. Um dos pacientes precisa de um coração novo, dois precisam de um pulmão novo, e dois precisam de um rim

novo. Maria vem ao hospital para um exame de rotina. Por uma coincidência notável, Maria é uma doadora potencial compatível para todos os cinco pacientes. O utilitarismo diz que você deveria providenciar para que Maria morresse de forma inesperada na mesa de operação, porquanto a perda da sua vida é compensada pelas vidas dos cinco pacientes.

3) *O torturador* – Você é um policial interrogando um conhecido terrorista que admitiu ter plantado uma bomba em uma área movimentada da cidade. Ele não vai lhe dizer onde ela está. A única maneira de se conseguir fazer o terrorista confessar é torturar o seu filhinho inocente. O utilitarismo diz que você deve torturar a criança, uma vez que o seu sofrimento é compensado pelo das muitas vidas que vai poupar se você desarmar a bomba.

4) *O bonde* – Você está parado em uma ponte com o seu amigo Albert quando vê um bonde desgovernado transportando dez pessoas indo de encontro a uma ponte interrompida. A menos que você pare o bonde, ele vai mergulhar de um íngreme penhasco e dez pessoas morrerão. A única maneira de parar o bonde é empurrar Albert na sua frente. A sua colisão com o bonde matará Albert, mas fará o bonde parar antes do penhasco. O utilitarismo diz que você deve empurrar Albert, uma vez que a sua vida é compensada pela vida das dez pessoas no bonde.

5) *O arcebispo e a camareira* – Você está preso em um edifício em chamas com duas outras pessoas. Uma delas trata-se de um arcebispo que é "um grande benfeitor da humanidade" e a outra é uma camareira que, por acaso, é a sua mãe. Você só tem tempo de salvar uma pessoa do fogo. O utilitarismo diz que você deve salvar o arcebispo, uma vez que ele contribui mais para a felicidade humana do que a camareira. (Este velho exemplo é de William Godwin, que endossou a conclusão, como vimos no capítulo 2. Se duvida de que arcebispos sejam mais úteis do

que camareiras, você deve reescrever a história – substituindo o arcebispo por alguém genuinamente útil.)

6) *O jogo* – A final da Copa do Mundo de futebol está sendo transmitida ao vivo em todo o mundo para uma audiência de vários bilhões de pessoas. Você está encarregado do transmissor de energia próximo ao estádio. Hapless Harry ficou preso nas linhas de energia no transmissor. A única maneira de salvar Harry é desligar o transmissor por quinze minutos. Isto privaria vários bilhões de pessoas do prazer de assistir aos 15 minutos finais da final da Copa do Mundo. O utilitarismo diz que você não deve resgatar Harry, uma vez que a sua morte agonizante é compensada por todas aquelas bilhões de unidades de prazer.

7) *As réplicas* – Você desenvolveu uma máquina capaz de matar sem dor uma pessoa, e então substituí-la por uma réplica quase exata. A única diferença é que a réplica é um pouco mais feliz do que a pessoa original. O utilitarismo diz que você deve utilizar esta máquina em todas as pessoas que encontrar, uma vez que isso aumenta a felicidade humana.

8) *Cristãos e leões* – Você é o antigo oficial romano responsável pelo entretenimento no Coliseu. A casa está cheia. A multidão não está interessada em corridas de charretes ou atletismo, ou mesmo nos combates de gladiadores. O que lhes daria mais prazer é ver um pequeno grupo de cristãos serem devorados vivos por leões famintos. O utilitarismo diz que você deve servir os cristãos como alimento aos leões, uma vez que o seu sofrimento é compensado pelo prazer de muitos milhares de espectadores.

9) *Escravidão eficiente* – Você está no comando da política econômica em uma sociedade cuja economia é construída sobre a escravidão. (Imagine a Grécia Antiga, ou a Inglaterra no século XVIII, ou o sul dos Estados Unidos do século XIX.) Você deve decidir se abole ou não a escravidão. Sem o trabalho gratuito

fornecido pelos escravos os seus manufatureiros e exportadores não seriam capazes de competir. O utilitarismo diz que você deve manter a instituição da escravidão, uma vez que o sofrimento dos escravos é compensado pelos benefícios aos produtores e consumidores.

10) *O envelope* – Em sua mesa há um envelope endereçado a uma respeitável instituição de caridade em busca de doações para salvar a vida de vítimas da fome ou de outros desastres naturais. O utilitarismo diz que você deve dar *todo* o seu dinheiro a esta instituição de caridade, uma vez que cada dólar produzirá mais felicidade em suas mãos do que você possivelmente seria capaz de produzir gastando-o de qualquer outra maneira.

11) *A vida caritativa* – Você vê na televisão uma propaganda de uma organização de caridade chamando voluntários para passarem os próximos 30 anos trabalhando com pessoas carentes em um país muito pobre. O utilitarismo diz que você deve interromper qualquer outra coisa que possa estar fazendo e apresentar-se como voluntário, uma vez que isso produziria mais felicidade do que qualquer outra coisa que você poderia fazer com a sua vida.

12) *O banqueiro relutante* – Você deve decidir se vai tornar-se um professor ou um banqueiro. Embora considere extremamente insatisfatório ser banqueiro, você tem uma aptidão natural para sê-lo. Você calcula que, se tornar-se um banqueiro e doar todos os seus ganhos para obras de caridade, isto produzirá mais felicidade para os outros do que se fizer qualquer outra coisa com a sua vida. A sua miséria é compensada pela felicidade dos destinatários da caridade. O utilitarismo diz que você deve tornar-se um banqueiro.

13) *A promessa quebrada* – Você e sua amiga Betty estão competindo em uma competição de duplas nos Jogos Olímpicos. Vocês duas treinaram para este evento muitas horas por dia, todos os dias, por vários anos, e fizeram grandes sacrifícios para chega-

rem à final. No dia da final, você vê o anúncio da organização de caridade do conto 11. Eles precisam de voluntários imediatamente. Você calcula que, mesmo se vocês ganharem a medalha de ouro, esta não produzirá tanta felicidade quanto a que você é capaz de produzir partindo imediatamente para a área atingida. O utilitarismo diz que você deve partir, abandonando Betty e tornando inúteis todo o seu trabalho e sacrifício.

14) *O dilema do país pequeno* – Você e Betty chegaram à final dos Jogos Olímpicos. Você está representando a Nova Zelândia, um país pequeno. Na fase final da corrida você e Betty estão liderando, seguidas pela equipe da Índia, que é um país muito populoso. Nem a Nova Zelândia nem a Índia ganharam muitas medalhas de ouro. Você percebe que os vencedores trarão felicidade a todos em seu país. O utilitarismo diz que você deve desistir, permitindo que a equipe da Índia ganhe, uma vez que isso trará felicidade a muito mais pessoas.

Em cada conto a objeção consiste em que o utilitarismo oferece resposta errada. Ele tanto permite que você faça algo monstruoso quanto impede que faça algo perfeitamente aceitável. (Pode ser útil fazer uma pausa neste momento para examinar se, em cada conto, o utilitarismo realmente diz o que os seus adversários o alegam dizer, e então, se for o caso, se essa implicação é realmente tão censurável.) Embora pareçam muito diferentes, todas as quatorze objeções têm uma estrutura comum. Os utilitaristas estão interessados apenas na quantidade total de felicidade. Eles não estão absolutamente interessados em *como* a felicidade é produzida, ou *quem* é a pessoa cuja felicidade está em jogo. A objeção geral consiste em que, como agentes morais, nós *deveríamos* nos preocupar com essas duas coisas. Com efeito, às vezes importa como a felicidade é produzida ou quem é a pessoa cuja felicidade está envolvida. Nos casos do xerife, do transplante, do torturador e do bonde, você não deve sacrificar a felicidade de uma pessoa simplesmente para maximizar a felicidade total. A felicidade geral é restringida por proibições morais em certos tipos de ações: matar povos inocentes, assassinar os seus próprios pacientes, torturar uma criança inocente ou empurrar alguém na frente do bonde.

O erro da ação é aumentado em cada caso, pelo fato de você encontrar-se em um relacionamento especial com a pessoa que você sacrifica. Você tem uma obrigação particular de não prejudicá-los desta forma. Os xerifes, dentre todas as pessoas, não devem enforcar o inocente. Um homicídio é ruim por si só, mas sobretudo os médicos têm um dever de cuidado para com os seus pacientes. Seria ruim o bastante empurrar um estranho na frente do bonde, mas é ainda pior se Albert é seu amigo.

Nos contos de exigência absurda, o utilitarismo falha porque não lhe permite conferir um peso especial aos seus próprios interesses e projetos, e aos das pessoas que lhe são próximas. Você deve ser autorizado a salvar a sua mãe do fogo, ou a favorecer-se a si mesmo. Não é razoável esperar que alguém seja perfeitamente imparcial. Assim como você não está autorizado a sacrificar outras pessoas, você não pode ser obrigado a sacrificar-se a si mesmo.

Para destacar as ligações entre os dois tipos de oposição, poderíamos recontar todos os contos de injustiça na primeira pessoa, gerando assim novos contos de exigências absurdas. Suponha que Bob, que sabe que é inocente, tenha escapado da custódia. Ele sabe que haverá um motim a menos que ele se permita ser enforcado. O utilitarismo exige que ele se entregue? Suponha que você descubra que *você* é um potencial doador compatível para cada um dos seus cinco pacientes que estão morrendo. Será que o utilitarismo exige que você doe o seu próprio coração, pulmões e rins, mesmo à custa da sua vida? Suponha que você *seja* o filho do terrorista. Será que o utilitarismo o obriga a voluntariar-se a ser torturado? Suponha que você esteja sozinho ao lado dos trilhos quando o bonde precipita-se em sua direção. Será que o utilitarismo o exige jogar-se na frente do carrinho para salvar dez vidas? Em todos estes casos, embora possamos *admirar* alguém que tenha feito este sacrifício, poucos de nós o consideramos obrigatório.

Explicando a inadequação do utilitarismo

Os oponentes do utilitarismo oferecem várias explicações relacionadas para o seu fracasso. A primeira é que o utilitarismo ignora a distinção moral crucial entre *fazer* e *permitir*; especialmente a distinção entre *matar* alguém e *permitir-lhe morrer*. Como os utilitaristas estão apenas interessados nas consequências, eles não podem fazer essas distinções. Um xerife utilitarista não vê uma escolha entre matar uma pessoa inocente e permitir um motim. Ele vê apenas os resultados: ou uma pessoa morre ou várias pessoas morrem. Um utilitarista não pode ver que o xerife é *responsável* pela morte de Bob, mas não pelo motim. Por outro lado, porquanto eles pensam que não doar para salvar a vida de alguém é tão mau quanto matá-lo, os utilitaristas devem doar constantemente.

> A característica marcante da visão utilitarista da justiça consiste em que não importa, senão indiretamente, como essa soma de satisfações é distribuída entre os indivíduos, assim como não importa, senão indiretamente, como um homem distribui as suas satisfações ao longo do tempo. A distribuição correta em ambos os casos é aquela que produz a máxima realização [...] O utilitarismo não leva a sério a distinção entre as pessoas (Rawls. *Uma Teoria da Justiça*, 26-27).

A crítica de Rawls provê tanto um *exemplo* marcante das exigências injustas e absurdas do utilitarismo quanto uma explicação dessas mesmas exigências. Os utilitaristas ignoram o fato de que cada vida é individual. Eles são, portanto, incapazes de ver por que é errado sacrificar uma pessoa por outras, ou porque é absurdo esperar que cada agente se sacrifique pelos outros. Carecendo de uma teoria adequada da natureza humana, o utilitarismo não pode sequer ver porque os seus resultados são injustos e as suas exigências absurdas. O utilitarismo impõe exigências absurdas aos agentes morais simplesmente por não entender em que consiste um agente moral.

> Qualquer ética que exija que as pessoas sejam agentes [...] deve, sob o ônus de ser reputada absurda, permitir alguma parcialidade relativamente aos agentes (Cottingham. "Partiality, Favoritism and Morality", 365).

Alguns filósofos objetam que, por ignorar a individualidade das pessoas, o utilitarismo fracassa completamente como teoria moral. Teorias morais adequadas devem proceder a partir de uma imagem da ação humana incompatível com o utilitarismo. Se o utilitarismo proíbe qualquer parcialidade, então ele não pode ser levado a sério como teoria moral.

> Como pode um homem, como um agente utilitarista, vir a considerar como uma satisfação entre outras, e uma que seja dispensável, um projeto ou atitude em torno do qual ele tenha construído a sua vida? (Bernard Williams, apud Smart & Williams. *Utilitarism: For and Against*, 116).

A crítica de Williams é frequentemente chamada de "objeção quanto à integridade". O termo "integridade" pode induzir em erro. Ele não se refere a um componente valioso separável de uma boa vida, ou à retidão moral. Ao contrário, a integridade de uma vida consiste na sua inteireza, unidade ou forma. Williams fala da integridade de uma vida humana da mesma forma que podemos falar da integridade de uma obra de arte. Ao exigir que cada agente não confira ao seu próprio bem-estar mais peso do que ao bem-estar dos outros, o utilitarismo mina a *integridade* da vida do agente. O agente utilitarista deve ver cada vida de uma maneira distanciada, vendo apenas a sua contribuição para o valor global do universo. Portanto, cada um de nós deve ver a sua própria vida exclusivamente a partir desta perspectiva impessoal. Mas nenhum agente que veja a sua própria vida desta maneira pode florescer.

As objeções quanto à integridade e à individualidade estão claramente relacionadas. Parte do que faz com que se possa ver a vida de alguém como um todo integrado consiste precisamente em vê-la como distinta das vidas dos outros. As duas noções são os dois lados da mesma moeda. Se o utilitarismo ignora um, não é surpreendente que veja apenas o outro. Peter Railton expressa uma objeção similar em termos de *alienação* – "uma espécie de estranhamento que resulta em algum tipo de perda" (Railton. "Alienation, Utilitarianism and Morality", 93). Ao exigir-nos que sempre adotemos a perspectiva impessoal, o utilitarismo aliena-nos de nossas próprias vidas. Nenhum agente utilitarista pode viver uma vida significativa, uma vez que não podem se identificar com os seus próprios projetos.

A violação da integridade e o risco de alienação também são exemplos marcantes de exigências absurdas do utilitarismo. Utilitaristas ingênuos podem argumentar que a sua teoria exige apenas que você abdique de dinheiro, o qual não se trata de um componente vital do florescimento humano. Eles podem até mesmo sugerir que você estaria melhor sem as distrações da sociedade de consumo. Os opositores responderão que o utilitarismo não exige apenas que você sacrifique recursos que poderia ter dedicado aos seus próprios projetos, mas exige ainda que esteja preparado para abandonar tais projetos imediatamente se eles deixarem de ser a sua maneira mais eficaz de maximizar o bem impessoal. Contudo, se você estiver constantemente preparado para abandonar os seus projetos sempre que o cálculo utilitarista o exigir, então você não pode absolutamente comprometer-se realmente com esses projetos.

Este é um ponto bastante significativo. A força de qualquer objeção quanto à exigência dá-se em função, não apenas do número de exigências que uma dada teoria faz, mas também da significância moral de cada exigência para o agente individual. Alguns componentes ou aspectos de bem-estar podem ser mais significativos do que outros. Por exemplo, podemos julgar a exigência de que eu abdique da minha liberdade mais duramente do que a exigência de que eu abandone a maioria dos meus bens terrenos, mesmo embora a última me deixe pior do que a anterior.

Extremismo

Cada uma das nossas objeções tem uma estrutura simples. O utilitarismo é inaceitável porque (a) ele diz x e (b) nenhuma teoria moral aceitável diria x. (Onde x consiste em algumas afirmações como "Xerifes deveriam assassinar para evitar tumultos", "Todas as pessoas deveriam doar todo o seu dinheiro à caridade", e assim por diante.) Os utilitaristas têm três respostas possíveis. Eles podem defender x (p. 142-148), negar que o utilitarismo diga x (p. 148-161), ou concordar que o utilitarismo obtenha o resultado errado neste caso particular, mas negar que um único contraexemplo seja suficiente para descartar uma teoria moral que, de outra maneira, seria promissora (p. 147-149).

Começamos com a primeira opção. A mais simples, e mais extrema, resposta utilitarista a todas as nossas objeções consiste em rejeitar o uso de intuições *particulares* para testar uma teoria moral. Por mais contraintuitiva ou exigente que seja a moralidade, não podemos rejeitar as suas exigências simplesmente porque as consideramos intragáveis. Se definirmos a noção de uma "exigência razoável" em termos utilitaristas, então uma exigência é absurda apenas se o sacrifício envolvido (para o agente ou para os outros) for maior do que o aumento no bem-estar total. Por definição, as exigências do utilitarismo não são absurdas. Nenhum xerife é obrigado a enforcar uma pessoa inocente se nenhum bem advier disso, e nenhuma pessoa abastada é obrigada a jogar a sua felicidade fora, a não ser que possa fazer mais bem aos outros.

Seguindo Shelly Kagan, chamaremos um utilitarista que aprove estas exigências extremas de um *extremista*. Os extremistas geralmente começam com um princípio moral (supostamente) incontroverso, tal como um daqueles discutidos no capítulo 3: a razão para promover o bem, o princípio da prevenção de danos, ou o princípio da ajuda aos inocentes. Os extremistas rejeitam, pois, todos os distanciamentos do seu ponto de partida utilitarista. O ponto de partida, portanto, deve agora representar o todo da moralidade, por mais contraintuitivo ou exigente que possa parecer.

> A maneira como as pessoas de fato efetivamente julgam nada tem a ver com a validade da minha conclusão (Singer. "Famine, Affluence and Morality", 236).

Alguns extremistas simplesmente rejeitam completamente intuições morais especiais. Em *The Limits of Morality*, Kagan argumenta que as intuições necessitam de uma justificativa racional. Kagan apresenta a moralidade de senso comum como uma posição moderada, situada entre o extremismo (utilitarismo) e o minimalismo (egoísmo). A moralidade de senso comum concorda que por vezes somos compelidos a sacrificar os nossos próprios interesses em prol de um bem maior. Ela então deve explicar por que nem sempre somos compelidos a promover o bem. A moralidade de senso comum deve incluir *opções*, permitindo que os agentes persigam os seus próprios projetos em detrimento do bem geral. Kagan então argumenta que, se a moralidade de senso comum inclui opções, então ela também deve incluir *restrições* que proíbam certas ações, como matar ou mentir. Kagan considera duas possíveis justificativas racionais para as restrições: a distinção entre fazer e permitir, e a distinção entre a intentar e prever. Ele argumenta que a primeira só pode ser defendida se a última for pressuposta. Ele então rejeita a última. Longe de ser autoevidente, a intuição de que a moralidade não deve ser muito exigente está baseada em um fundamento extremamente instável.

A rejeição das intuições é frequentemente apoiada por uma explicação deflacionária das suas origens. Se nossas intuições morais forem os produtos da evolução, da cultura ou do autointeresse, então os extremistas afirmam que elas não são confiáveis. Em particular, muitos extremistas argumentam que a intuição contrautilitarista de que a moralidade não deve ser demasiadamente exigente serve meramente aos nossos próprios interesses, e não reflete uma visão equilibrada do mundo. Singer argumenta que, se as pessoas (a) estivessem mais bem informadas; (b) raciocinassem de maneira mais clara; e (c) fossem mais capazes de imaginar como é a vida para aqueles que estão desamparados, então elas não mais considerariam as exigências do utilitarismo descabidas. (Singer também emprega uma estratégia análoga para demonstrar que a moralidade convencional ignora injustamente os interesses dos animais não humanos.) A conscientização promovida por Singer não consiste apenas em uma estratégia prática. Ela também possui uma dimensão teórica. As nossas intuições particulares devem ser levadas ao equilíbrio reflexivo com intuições gerais acerca de quando intuições particulares são (e não são) confiáveis. Algumas intuições não sobrevivem a um exame cuidadoso da sua procedência.

Um processo similar de reflexão, embora mais complexo, poderia minar a intuição de que o utilitarismo é injusto. Essa intuição presume que obrigações para com indivíduos particulares podem prevalecer sobre o bem geral. Um utilitarista poderia objetar que essa ideia geral, conquanto nos pareça razoável, beneficia aqueles que estão em melhor situação. Mesmo se obrigações especiais aplicarem-se a todos, o seu impacto global claramente beneficia os privilegiados, cujas obrigações especiais mútuas asseguram que a sua própria partilha desproporcional de recursos seja destinada ainda mais desproporcionalmente a eles mesmos. Em um cenário de distribuição desigual de recursos, o reconhecimento de obrigações especiais serve para exacerbar a desigualdade. Thomas Nagel demonstra este ponto de uma maneira vívida. Imagine que pessoas ricas, nos países desenvolvidos, e pessoas pobres, nos países em desenvolvimento, unam-se para encontrar princípios morais que governem as suas interações. Nagel argumenta que, dado o presente estado do mundo, o pobre razoavelmente rejeitaria qualquer conjunto de princípios que permitisse ao rico proteger os seus direitos de propriedade existentes e obrigações de apoio mútuo, evitando assim doações significativas para o alívio da fome.

Os não utilitaristas raramente são convencidos pelo extremismo. Extremistas estabelecem um padrão de prova excessivamente elevado para distanciamentos do seu ponto de partida utilitarista. Poderia esse mesmo ponto de partida atender a tal padrão? As intuições por trás da objeção ao utilitarismo são pelo menos tão fortes quanto o são aquelas por trás do ponto de partida utilitarista do extremista.

> Para a maioria das pessoas, é tão óbvio que existe uma diferença moral entre as nossas relações com uma criança afogando-se à nossa frente e uma morrendo de fome em outro país quanto o é que deixar de salvar uma criança afogando-se é errado (Cullity. "International Aid and the Scope of kindness", 5).

Muitos teóricos morais moderados também rejeitam a afirmação de Kagan segundo a qual todos aceitam a razão utilitarista para se promover o bem. Eles substituem uma razão geral para se promover o bem por um número de princípios mais específicos decorrentes de razões para a ação a partir de aspectos de resultados possíveis. Poucos teóricos morais (se houver algum) negam que frequentemente tenhamos razão em promover bens particulares em situações particulares. Todavia, alguns *realmente* rejeitam uma razão geral para se promover o bem, frequentemente porque rejeitam a ideia utilitarista de que a bondade seja uma propriedade geral de possíveis estados de coisas, em oposição a uma propriedade particular de coisas individuais. Eu posso tornar a vida dessa pessoa melhor, mas não posso fazer com que "as coisas em geral" melhorem. (É claro que, mesmo entre aqueles que de fato aceitam a ideia de uma razão geral para se promover o bem, muitos objetarão aos detalhes de qualquer explicação utilitarista específica daquilo em que a bondade consiste – conforme veremos nas p. 153-161.) Se algumas teorias moderadas plausíveis rejeitam o ponto de partida do extremista, então o argumento em defesa do extremismo é somente tão forte quanto o argumento em defesa daquele mesmo ponto de partida.

Uma questão crucial aqui é a relação entre os argumentos particulares e os princípios gerais. Assim como muitos filósofos morais, os extremistas frequentemente começam com um julgamento moral relativo a uma história simples, e então produzem um princípio geral – do qual se diz que o julgamento inicial é uma instância particular. Infelizmente, em ética como em ciência, os dados minam a teoria. Mesmo se estivermos de acordo com os julgamentos particulares dos extremistas, podemos discordar do seu princípio geral. Extremistas frequentemente lançam mão de uma explicação *utilitarista* muito controversa da generalização ética. Por exemplo, o exemplo de Singer da criança se afogando pode gerar um dever muito limitado de salvar pessoas em extrema necessidade na sua vizinhança imediata, e não um dever geral de evitar danos. Será que os extremistas poderiam vender as suas razões para promover o bem a alguém que fosse tão cético acerca do utilitarismo quanto o extremista o é acerca de afastamentos do utilitarismo? A história recente da filosofia moral sugere que não.

Um segundo estilo de argumento em defesa do extremismo baseia-se menos em intuições morais e mais em considerações extraídas da metafísica. Lembre-se da acusação de Rawls, de que os utilitaristas ignoram a individualidade das pessoas. Uma resposta óbvia afirma que a individualidade das pessoas *deveria* ser ignorada porque não é metafisicamente significativa. Seguindo o filósofo contemporâneo de Oxford Derek Parfit, alguns utilitaristas defendem uma explicação *reducionista* da identidade pessoal. As pessoas são feitas de experiências estabelecidas nas várias relações de umas com as outras. Nada existe para uma pessoa além dessas experiências. Os limites entre uma vida e outra não são tão moralmente significativos quanto pensamos. Se o limite entre as pessoas não é metafisicamente significativo, então não há qualquer razão pela qual eu deveria estar mais preocupado com as minhas próprias experiências futuras do que com as de qualquer outra pessoa. Se eu valorizo experiências futuras, então deveria valorizá-las todas igualmente. Isso conduz-nos ao utilitarismo.

David Brink ataca Rawls a partir da direção oposta. Parfit sugere que vemos as pessoas como todos compostos de partes (experiências). Brink considera cada pessoa como uma parte de um todo maior. Os interesses de diferentes agentes estão inter-relacionados, não separados e conflitantes. Brink identifica esse ponto de vista tanto com os antigos filósofos gregos quanto com os idealistas britânicos do século XIX, especialmente o amigo de Sidgwick, T.H. Green. Com efeito, Brink observa que "Green chega ao ponto de afirmar que, quando cada um está comprometido de maneira apropriada como a sua autorrealização, não pode haver qualquer conflito ou competição de interesses" (Brink. "Self-love and altruism", 135). Mais uma vez, a individualidade das pessoas não é fundamental.

Estes argumentos metafísicos são controvertidos. Não utilitaristas podem simplesmente rejeitar o reducionismo de Parfit ou a metafísica hegeliana de Green. Ou podem negar que estas afirmações metafísicas apoiem o utilitarismo. (Com efeito, o próprio Green utilizou a metafísica hegeliana para atacar a forma de utilitarismo particular de Mill.) Ou não utilitaristas podem argumentar que a filosofia moral deveria ser independente da metafísica. Por exemplo, a filósofa kantiana contemporânea Christine Korsgaard sugere que os argumentos metafísicos de Parfit apenas estabelecem, na melhor das hipóteses, que podemos fazer metafísica sem um conceito independente de "pessoa". Mas não podemos fazer filosofia moral sem pessoas, porque os filósofos morais devem pensar acerca de si mesmos (e dos outros) como agentes perdurando no tempo – fazendo escolhas e realizando planos.

O utilitarismo não está sozinho

Outra maneira de defender o utilitarismo consiste em argumentar que, embora produza resultados extremos, assim também o fazem todos os seus concorrentes. Resultados contraintuitivos são inevitáveis em nosso mundo. Naturalmente pensamos tanto que haja limites para as exigências da moralidade quanto que essas exigências dependam do estado do mundo. Em um mundo com tantas necessidades não satisfeitas, estes dois ideais atraentes inevitavelmente conflitam. Mesmo a noção não utilitarista ordinária de um dever de benevolência pode ameaçar a ser extremamente exigente se ele me obriga a salvar a vida de alguém *sempre que* eu possa fazê-lo a um custo insignificante para mim mesmo. (Depois de um tempo, toda uma série de custos insignificantes tem um impacto significativo sobre a minha vida.)

Os utilitaristas também apresentam contos nos quais as perspectivas não utilitaristas fornecem resultados contraintuitivos. Lembre-se do seguinte conto do capítulo 3.

> **As rochas**
> Seis nadadores inocentes ficaram presos em duas rochas com o aumento da maré. Cinco dos nadadores estão em uma rocha, enquanto o último nadador está na segunda rocha. Cada um dos nadadores vai se afogar a menos que sejam resgatados. Você é o único salva-vidas de plantão. Você tem tempo para chegar a uma rocha no seu barco-patrulha e salvar a todos os que estiverem nela. Por causa da distância entre as rochas, e a velocidade da maré, você não pode chegar às duas rochas a tempo. O que você deveria fazer?

É claro que você deve ir para a primeira rocha – salvando cinco vidas ao invés de uma. O utilitarismo oferece uma explicação simples – salvar cinco produz mais felicidade. Alguns não utilitaristas concentram-se, ao contrário, nas suas obrigações para com indivíduos particulares. Entretanto, você parece ter exatamente a mesma obrigação para com a pessoa presa sozinha quanto para com as outras cinco. Por conseguinte, você não tem qualquer razão para salvar as cinco.

O utilitarismo, portanto, enfatiza problemas enfrentados por todos os teóricos da moral. Tensões similares existem alhures. Será que a tortura e o assassinato estão realmente incondicionalmente além do limite? Como deveria o governo equilibrar as necessidades concorrentes de tecnologia médica, segurança rodoviária e prevenção ao crime? Se o utilitarismo não for a maneira correta de se responder a estas perguntas, então qual será?

Retornamos a abordagens não utilitaristas da moralidade no capítulo 7. Enquanto isso, nós examinamos as tentativas de se rever o utilitarismo de modo a torná-lo mais intuitivamente atraente. O restante deste capítulo explora explicações utilitaristas revistas do valor, enquanto os capítulos 6 e 7 examinam explicações alternativas da relação entre valor e ação correta. Começamos com uma última tentativa para evitar a revisão.

Estratégias de negação

Outra estratégia utilitarista comum consiste em negar que a teoria produza tais resultados contraintuitivos. A despeito das primeiras aparências, o utilitarismo não requer xerifes para assassinar o inocente, ou para obrigá-lo a doar tudo para a caridade. Os utilitaristas seguem uma de duas estratégias amplas. Ou defendem o utilitarismo tradicional ou desenvolvem um utilitarismo revisto com implicações mais intuitivas. Esta seção examina a primeira opção. Concentramo-nos em dois fatores citados por defensores do utilitarismo tradicional: a nossa ignorância das consequências e a nossa ignorância das necessidades de estranhos distantes.

Devido à complexidade dos processos causais envolvidos, não podemos nunca estar certos acerca de quais resultados as nossas ações terão em longo prazo, ou em algum lugar muito distante. A injustiça não é uma boa estratégia nestas circunstâncias. O xerife sabe que enforcar Bob tem um impacto negativo definitivo no bem-estar (Bob morre). O resultado positivo alegado é muito menos certo. O xerife não pode saber que o motim definitivamente *vai* acontecer se Bob não for enforcado, nem que ele definitivamente *não vai* acontecer se ele o for. Enforcar Bob também pode produzir consequências negativas adicionais. Se mais tarde for provada a inocência de Bob, então a confiança pública na aplicação da lei será prejudicada, o xerife perderá o seu emprego e a sua família passará fome. Mesmo se pessoa alguma jamais descobrir o que fez, o próprio xerife pode sofrer de trauma psicológico ou culpa por vários anos, levando-o talvez a um colapso ou a um grave lapso de julgamento no futuro. Um xerife utilitarista, portanto, deveria evitar riscos e não enforcar Bob.

Argumentos similares aplicam-se aos nossos outros contos. O policial também não sabe se o terrorista não vai confessar sem a tortura, ou que vai confessar com ela. Você não sabe se o bonde não vai parar por conta própria, e você não pode ter certeza de que Albert vai pará-lo. Se empurrar Albert nos trilhos, você pode estar simplesmente adicionando um horror extra aos momentos fatais das dez pessoas no bonde. As multidões do Coliseu são notoriamente instáveis – talvez a última coisa que elas realmente queiram seja mais um ataque de leões contra cristãos. A economia da escravidão é extremamente incerta – talvez a necessidade de aumentar a produtividade para pagar salários de mercado a ex-escravos alimente um *boom* econômico. A nova tecnologia não é confiável – como sei que as réplicas serão felizes? Há também uma resposta análoga às objeções de exigência. Se eu gastar meu dinheiro comigo mesmo ou com meus amigos, então posso estar bastante certo de que as minhas ações terão um impacto positivo sobre o bem-estar humano. Eu não posso estar sequer quase tão confiante de que a minha doação para uma instituição de caridade que opera em um país distante vai fazer o bem. Como um utilitarista, eu deveria me concentrar na maximização da felicidade mais perto de casa.

Os seus oponentes argumentam que a aversão do utilitarismo à tortura não é suficientemente robusta. Mesmo se o utilitarismo fornecesse os resultados corretos nos nossos contos particulares (ou na vida real), isso não é suficiente. Uma teoria moral adequada deveria fornecer as respostas certas *pelas razões certas*. Os seus julgamentos deveriam ser confiáveis e robustos. Mesmo que seja extremamente improvável que um xerife esteja certo de que matar uma pessoa inocente impediria um motim, esta situação não é impossível. E o utilitarismo deve dizer que, se você *tiver* certeza de que faria mais bem, então você *deve* matar a pessoa inocente. Isto é suficiente, de acordo com os seus opositores, para desacreditar o utilitarismo.

Além disso, muitos estão desconfiados se realmente o utilitarismo pode fornecer as respostas certas, mesmo em nossos contos originais. Não é verdade que os utilitaristas devam *sempre* se concentrar nas consequências imediatas ou mais certas. Tendo o xerife sopesado os valores e as probabilidades envolvidos, ele pode muito bem concluir que, embora não seja *certo* que enforcar Bob produza bons resultados, isso de fato tem um *valor esperado* mais alto. (O valor esperado de uma ação é a soma do valor de cada resultado possível multiplicado pela sua probabilidade. Para uma discussão mais aprofundada, confira o capítulo 8.) Parece muito improvável que nenhum xerife jamais tenha estado *nesta* posição.

Em relação às objeções de exigência, o argumento utilitarista com base na ignorância poderia ter sido muito mais crível no século XIX do que hoje, uma vez que o valor esperado de se tentar enviar dinheiro para ajudar os pobres distantes era então muito baixo. (Por outro lado, a Grã-Bretanha do século XIX ofereceu às pessoas ricas muitas oportunidades de ajudarem pessoas extremamente pobres muito mais perto de casa – de modo que as exigências gerais do utilitarismo ainda teriam sido muito graves.) Hoje, no entanto, extremistas como Singer argumentam que podemos colocar o nosso dinheiro nas mãos de agências humanitárias muito mais confiáveis, que podem geralmente fornecer estimativas relativamente precisas do valor esperado de uma determinada doação.

Neste ponto, os utilitaristas poderiam ser tentados por um argumento diferente, baseado no nosso *conhecimento* de probabilidades, e não em nossa ignorância – o argumento malthusiano, nomeado a partir do economista britânico do século XIX Robert Malthus. Este argumento muito comum concorda que sejamos capazes de melhorar e salvaguardar as vidas daqueles que estão atualmente morrendo de fome. Ele então conclui que este seria um resultado indesejável. Se ajudarmos as pessoas que estiverem morrendo de fome, então mais delas viverão até a maturidade. Uma vez que a taxa de natalidade nos países pobres é frequentemente muito elevada, isso levará a uma explosão demográfica insustentável. Por mais desagradável que isso possa parecer, uma alta taxa de mortalidade infantil é necessária em longo prazo.

A mais simples resposta a este argumento consiste em que todas as evidências empíricas até hoje sugerem que Malthus estava completamente errado. Aumentos no padrão de vida tendem a ser seguidos por *reduções* na taxa de natalidade, com o resultado geral de que o crescimento populacional é reduzido. Além disso, mesmo onde a população tenha se expandido rapidamente, tanto a expectativa de vida quanto o padrão material de vida médio tenderam a subir ao invés de cair. A lição para os utilitaristas é a que devem ser cuidadosos quanto ao modo como gastam em doações, e não a de que podem se justificar por não doarem coisa alguma.

Finalmente, um defensor do utilitarismo poderia recorrer à nossa ignorância acerca dos valores de resultados possíveis. Sabemos o que é bom para nós mesmos e para os nossos amigos, mas não sabemos o que será bom para estranhos distantes. Mesmo se soubéssemos tudo sobre a situação prática dos estrangeiros, não podíamos saber o que contaria como um benefício para eles, uma vez que a sua noção de uma vida humana digna pode ser radicalmente diferente da nossa. Portanto, o utilitarismo não é muito exigente, uma vez que não lhe exigirá prestar assistência a pessoas em terras distantes.

A maioria dos opositores do utilitarismo (juntamente com a maioria dos utilitaristas) considera esse argumento pouco convincente. Embora não possamos conhecer os interesses mais sofisticados ou os valores de estranhos distantes, certamente sabemos que precisam de água limpa, remédios para doenças curáveis, alimento e abrigo adequados, e algum elemento de paz e estabilidade. Negar que necessidades tão básicas quanto estas sejam universais implica abraçar um relativismo cultural do tipo mais absurdo. Além disso, embora não possamos saber com precisão o que estranhos distantes necessitam, sempre podemos doar nosso dinheiro a organizações de caridade que o saibam. Argumentar que a nossa própria ignorância impede-nos de efetivamente prestar assistência equivale a dizer que é inútil que cidadãos medicamente ignorantes fundem hospitais.

Repensando o valor

Algumas das objeções levantadas neste capítulo baseiam-se em uma explicação particular de como os utilitaristas calculam a felicidade humana. Os utilitaristas podem evitar essas objeções rejeitando essa imagem. Há três estratégias gerais disponíveis: repensar o que é o bem-estar; questionar se o bem-estar é a única coisa que realmente importa para os utilitaristas, e repensar como o bem-estar é agregado.

Repensando o bem-estar

Os utilitaristas podem negar que um grande sofrimento para uma única pessoa pode ser compensado por um pequeno prazer para cada uma de uma quantidade suficiente de pessoas. Eles têm duas opções: negar que a opção moralmente duvidosa em contos tais como o do jogo, o dos cristãos e dos leões, ou o da escravidão eficiente, realmente maximize o bem-estar humano total; ou negar que os utilitaristas estejam comprometidos em maximizar o bem-estar total *incondicionalmente*. Começamos com a primeira opção. Uma razão pela qual consideramos esses contos tão preocupantes é que não acreditamos que pequenos prazeres sejam o tipo de coisa que possa superar moralmente um grande sofrimento, uma morte agonizante ou uma vida degradante como escravo. Alguns componentes do bem-estar humano são não simplesmente mais importantes do que outros, mas *lexicalmente* mais importantes.

A lexicalidade é um conceito-chave na filosofia moral contemporânea. Pense na maneira como as palavras são ordenadas em um dicionário. Embora cada letra em uma palavra desempenhe um papel na determinação do seu lugar no dicionário, a primeira letra supera as outras. "Azure" vem antes de "Baal". A primeira letra é *lexicalmente mais importante* do que a segunda.

Muitos filósofos contemporâneos pensam que valores são lexicalmente ordenados. Embora pequenos prazeres sejam valiosos, o seu valor não é medido na mesma escala que os valores mais elevados, tais como o de desfrutar de uma vida livre de agonia, morte prematura ou escravidão. Nenhuma quantidade de pequenos prazeres compensa a perda desses valores mais elevados. Suponha que você goste de comer chocolate. Existe alguma quantidade do prazer de comer chocolate que o tentaria a aceitar uma morte agonizante ou a concordar em ser um escravo? Se não, então uma vida livre e sem agonia é lexicalmente mais valiosa para você do que o prazer de comer chocolate. Se você é um utilitarista, então nenhuma quantidade do prazer de comer chocolate para algumas pessoas poderia justificar a morte agonizante de qualquer pessoa.

Em alguns dos nossos contos há ainda outras razões para os utilitaristas resistirem ao curso de ação proposto. Por exemplo, os utilitaristas que não são hedonistas têm uma resposta para o conto das réplicas. Substituir uma pessoa por uma réplica um pouco mais feliz pode aumentar o *prazer* total, mas não maximiza *o bem-estar humano*. A unidade básica do bem-estar humano é uma vida humana. Suponha que você morra aos quarenta anos, tendo passado a vida preparando-se para provar um grande teorema matemático. Você é então substituído por uma réplica um pouco mais feliz, que continua tentando provar o teorema. Para um hedonista, isso é tão bom quanto se você mesmo tivesse provado o teorema. Mas um teórico da preferência ou um da lista objetiva pensará de outra maneira. *Ninguém* desfruta a realização de preparar-se-para-a-prova-e-então prová-la. Você morre com o seu projeto incompleto, ao passo que a realização da sua réplica é vã – ele ou ela nada fez para merecê-lo. (Você de fato obteve a realização de estabelecer-a-necessária-fundamentação-para-a-prova, mas isso não é o mesmo.)

Considerações semelhantes aplicam-se a outros componentes-chave do bem-estar. Suponha que nem mesmo os seus amigos mais íntimos e familiares possam distinguir Bobby de sua réplica. Todos pensam que ele chegou do trabalho hoje ligeiramente mais feliz do que o habitual. (A réplica também é enganada – ela pensa que é Bobby.) Quando foi substituído, Bobby havia sido casado com Maria por vinte anos. A sua réplica vive por mais vinte anos. Maria pensa que desfrutou de um casamento de quarenta anos com Bobby. Mas ela na verdade desfrutou de um casamento de vinte anos com Bobby, seguido por vinte (um pouco mais felizes) anos com um completo estranho. Um hedonista não reconhece qualquer diferença. Mas nem um teórico da preferência, nem um teórico da lista objetiva podem concluir que as coisas vão pior para Maria (e para Bobby/réplica), do que se ele não houvesse sido substituído.

Finalmente, conforme vimos no capítulo 4, alguns utilitaristas negam que prazeres sádicos contribuam para o bem-estar de uma pessoa. Se eu me regozijo em ver alguém sofrer, então isso não torna a minha vida melhor. Se o espetáculo no Coliseu não contribuiria absolutamente para a felicidade humana, então você não tem qualquer obrigação de promover esse espetáculo. Obviamente, esta solução não funcionará em outras situações, tais como no conto do jogo, no qual o prazer do espectador não é sádico. No jogo, o prazer envolvido consiste no desfrute de um jogo de futebol. Embora o tormento de Hapless Harry seja necessário para os espectadores desfrutarem deste prazer, isto é acidental. Eles não sabem que Harry está sofrendo, e não obtêm prazer em seu sofrimento. (Na verdade, se soubessem que ele estava sofrendo, isso poderia arruinar a sua apreciação do jogo.) No conto dos cristãos e dos leões a ligação entre sofrimento e prazer é muito mais direta. O que confere prazer aos espectadores é o próprio fato de os cristãos estarem sendo comidos vivos. Parece especialmente repugnante se considerar esse tipo de prazer sádico como uma razão para se promover o espetáculo.

Utilitarismo e bem-estar

Algumas explicações do bem-estar (especialmente o hedonismo) acreditam que o prazer sádico melhore a vida da pessoa – pelo menos se tudo o mais permanecer igual. Se quisermos que a nossa teoria utilitarista seja consistente com essas explicações do bem-estar, então podemos admitir que os prazeres sádicos de uma pessoa contribuam para a sua felicidade. Poderíamos então negar que os utilitaristas devessem levar tais prazeres em consideração. Talvez apenas prazeres ou preferências moralmente aceitáveis, aqueles que não sejam diretamente sádicos, deveriam ser levados em consideração.

Poderíamos então ir mais longe, e argumentam que os utilitaristas só deveriam responder às necessidades básicas, e ignorar preferências mais esotéricas. Como T.M. Scanlon sugere, eu poderia sentir-me obrigado a fornecer-lhe alimentos, mas não a ajudá-lo a construir um templo ao seu deus – mesmo embora eu saiba que você preferiria concluir o templo a permanecer vivo.

Um movimento mais extremo na mesma direção é o *utilitarismo negativo*. Vários dos nossos contos envolvem a troca da dor ou do sofrimento de uma pessoa pelo prazer de outra. Os utilitaristas negativos concentram-se na eliminação do sofrimento ao invés de na produção de prazer. Ainda que o prazer contribua para o bem-estar humano, essa não é a nossa preocupação. Como agentes morais utilitaristas, deveríamos procurar meramente minimizar a dor. O utilitarismo negativo não é obviamente um guia plausível para a sua própria vida. Se você só pensasse em evitar a dor nunca correria nenhum risco, conseguiria coisa alguma ou desfrutaria de qualquer prazer significativo. No entanto, quando se tratar do seu impacto sobre outras pessoas, você poderia pensar que a sua responsabilidade de não prejudicá-las é fundamental. Esta visão pode ser particularmente atrativa se o nosso utilitarismo for aplicado a instituições. Talvez as pessoas sejam responsáveis pelo seu próprio prazer, enquanto o papel do governo seja o de minimizar a dor e o sofrimento.

Infelizmente, embora o utilitarismo negativo possa resolver alguns dos nossos contos, ele torna outros pior. A queixa da exigência reclama que o utilitarismo me obriga a renunciar a benefícios em favor de mim mesmo para aliviar os sofrimentos de pessoas completamente estranhas. O utilitarismo negativo é muito mais grave. Devo desistir de *todo prazer* para mim mesmo para evitar a menor dor para um completo estranho, mesmo que esse estranho, ao contrário, goze de uma vida maravilhosa. Em outros contos, o utilitarismo negativo não faz qualquer diferença. No conto do bonde, no qual devemos escolher entre uma morte agonizante para Albert e um destino semelhante para dez outros, o utilitarismo negativo nada oferece de novo.

O utilitarismo negativo tem outras implicações estranhas. Se a nossa única meta for minimizar o sofrimento, então a extinção indolor dos seres humanos (e de todas as outras criaturas capazes de sentir dor) seria o melhor resultado possível. No conto das réplicas, um utilitarista negativo destruirá a todos, e então não irá substituí-los por ninguém. Um utilitarista negativo também faria escolhas para outras pessoas que elas nunca teriam feito por elas mesmas. Você pode estar disposto a sofrer certa dor para obter um prazer significativo – ou para evitar uma morte indolor. Como um utilitarista negativo, tentarei impedi-lo de exercer essa escolha.

Repensando a distribuição

O utilitarismo frequentemente favorece benefícios para os privilegiados em detrimento dos desprivilegiados. Na escravidão eficiente o enriquecimento contínuo dos cidadãos livres é comprado com o sofrimento contínuo dos escravos. Os utilitaristas visam o máximo de bem-estar total, independentemente de como ele é distribuído. Os *igualitaristas* preferem uma distribuição mais igualitária, mesmo se o bem-estar total for menor. Um *igualitarista puro* se preocuparia *apenas* com a distribuição. O igualitarismo puro está aberto a uma objeção aparentemente decisiva.

A objeção de nivelamento por baixo ao igualitarismo puro
Você é o rei de um grande país próspero. Um número muito pequeno de súditos sofre de uma doença incurável. Eles vivem em incessante agonia e morrem jovens. Como um igualitarista puro, o seu único objetivo é igualar o bem-estar durante o tempo de vida de todos os seus cidadãos. Você não pode melhorar o bem-estar durante o tempo de vida dos portadores da doença. Então você equaliza o bem-estar durante o tempo de vida torturando todos os demais até a morte na infância.

Para um igualitarista puro não importa como o bem-estar é equalizado. Tornar pessoas felizes miseráveis é tão bom quanto tornar miseráveis pessoas felizes. Na prática, amiúde é muito mais fácil *nivelar por baixo* do que elevar o nível. Algumas doenças não podem ser curadas, mas qualquer um pode ser torturado até a morte.

O nivelamento por baixo obtém a igualdade, mas não fornece qualquer benefício a ninguém. Torturar a todos os demais não beneficia em nada os portadores da doença. A maioria dos filósofos conclui que realmente importante não é a igualdade de bem-estar *per se*, mas o nível de bem-estar daqueles que estão em pior situação. Nivelar por baixo não é desejável. Por outro lado, suponha que equalizássemos o bem-estar libertando os escravos. Embora os produtores e os consumidores estejam em pior situação do que antes, os seus ex-escravos estão em melhor situação. Essa mudança, portanto, melhora o bem-estar dos que estão em pior situação.

Se você acha que nivelar por baixo é errado – ao passo que libertar os escravos não o é –, então você deveria rejeitar o igualitarismo puro. Equalizar o bem-estar não é o único fim valioso. Se você acha que nivelar por baixo é não apenas errado, mas também *absurdo* – se não há absolutamente nenhuma razão para equalizar o bem-estar nestes casos –, então você deveria rejeitar o igualitarismo completamente. Mas você ainda pode ser atraído pelo que normalmente pensamos como um "igualitarismo de ideais". Uma alternativa popular é o prioritarismo. Um prioritarista puro interessa-se *apenas* pelo bem-estar daqueles que estão desfavorecidos, e não se interessa por absolutamente mais ninguém. Por esta visão, nivelar por baixo não é nem bom nem mau. Eu não sei de nenhum prioritarista puro. Um ponto de vista um pouco mais modesto é o *prioritarismo lexical*. O bem-estar de todas as pessoas conta, mas o bem-estar daqueles que estão em pior situação supera *qualquer* melhoria no bem-estar de qualquer um dos demais. Imagine uma série de cenários possíveis para dois grupos. (Onde os números representam os níveis de bem-estar.)

	Grupo 1	Grupo 2
Mundo 1	10	10
Mundo 2	10	20
Mundo 3	11	11

Ao contrário do prioritarismo puro, o prioritarismo lexical sustenta que o mundo 2 é melhor do que o mundo 1. Uma vez que o desprivilegiado permanece igualmente bem nos dois mundos, conferimos o que acontece com o privilegiado. Entretanto, o mundo 3 é melhor do que o mundo 2, uma vez que a pequena melhoria para o grupo 1 supera a perda para o grupo 2. E isso é verdadeiro, mesmo se o grupo 1 for muito pequeno e o grupo 2 for muito grande. Sob o prioritarismo lexical, o menor benefício para uma única pessoa desprivilegiada pode exigir enormes sacrifícios de todos os demais. Se este resultado nos perturba, então podemos tornar-nos *prioritaristas moderados*. Ao invés de conferir prioridade lexical ao desprivilegiado, nós meramente conferimos aos seus interesses um peso adicional. (Uma alternativa é o *prioritarismo de limiar*, pelo qual conferimos prioridade a garantir que ninguém decaia abaixo de um nível mínimo aceitável de bem-estar. Esta nova preocupação poderia ser tanto lexical quanto moderada).

Opositores de todos esses pontos de vista argumentam que, porquanto lidam apenas com níveis de bem-estar, nem os prioritaristas nem os igualitaristas podem evitar o que é realmente objetável acerca do utilitarismo. Em muitos dos nossos contos, o prioritarismo ou não tem nenhum efeito ou torna as coisas piores. Embora a tortura seja incondicionalmente muito má, a pessoa que é torturada pode desfrutar de um nível razoável de bem-estar geral durante a vida. Mesmo que seja torturada, não será a pessoa mais desfavorecida. Se a bomba mataria as pessoas desfavorecidas, então uma mudança do utilitarismo para o prioritarismo, portanto, *reduz* o mal da tortura. De modo semelhante, suponha que Albert já tenha vivido uma vida longa e próspera. Mesmo se você o empurrar na frente do bonde, ele não será uma das pessoas mais desfavorecidas. Suponha que as pessoas no bonde sejam as crianças mais necessitadas, aproveitando um raro dia de folga. O prioritarismo agora *reforça* a sua obrigação de empurrar Albert! Uma mudança para o prioritarismo também aumenta definitivamente as exigências do utilitarismo. Se você for relativamente rico, então deve conferir aos seus próprios interesses *ainda menos* peso do que aos interesses dos desfavorecidos. Nada disso prova que o prioritarismo não seja a explicação correta do valor. Mas sugere que, mesmo se for plausível em seu próprio direito, a mudança para o prioritarismo não pode resolver todos os nossos problemas. Precisamos procurar em outro lugar.

Pontos-chave

• As duas objeções-chave ao utilitarismo afirmam que ele diz-lhe para fazer coisas injustas aos outros (a objeção de injustiça), e diz-lhe para não fazer coisas aceitáveis por você mesmo (a objeção de exigência).

• Os extremistas respondem que a moralidade é muito exigente, e que as nossas intuições não são confiáveis.

• Alguns utilitaristas procuram evitar essas objeções argumentando que, dados fatos sobre o mundo, o utilitarismo não permite injustiças ou faz exigências extremas.

• Outros utilitaristas negam que os utilitaristas devam maximizar o bem-estar. Eles oferecem explicações alternativas do valor, tais como o igualitarismo ou o prioritarismo.

6

Atos, regras e instituições

O utilitarismo de atos

Suponha que você seja um utilitarista, comprometido em maximizar o bem-estar humano. Você tem um ponto de vista acerca do bem-estar. O que você deve fazer? A tradição utilitarista oferece quatro opções amplas: o utilitarismo de atos, o utilitarismo indireto, o utilitarismo de regras e o utilitarismo institucional. Este capítulo examina estas alternativas.

A forma mais simples de utilitarismo é o *utilitarismo de atos*. O ato correto é aquele que produz mais bem-estar. Isto sugere que você deve almejar, em cada ocasião, maximizar o bem-estar. Esse quadro dos utilitaristas como constantes calculadores maximizadores enfrenta dois tipos de objeção: uma intuitiva e outra utilitária. O capítulo anterior expôs a primeira: o utilitarismo de atos é injusto, imoral e desarrazoadamente exigente. Conforme veremos, uma razão primária para se abandonar o utilitarismo de atos é evitar as objeções de injustiça e de exigência. No entanto, o utilitarismo de atos tem outros problemas. Em particular, ele enfrenta uma oposição em bases utilitárias – a de que é *autodestrutivo*, porquanto calculadores constantes não maximizam o bem-estar. Se a nossa meta for o bem-estar máximo, às vezes faremos melhor se não a almejarmos diretamente. Por que é desaconselhável almejar diretamente a felicidade? Porque alguns resultados valiosos são *calculadoramente elu-*

sivos – eles não estão disponíveis para aqueles que deliberadamente os almejam. Eis aqui alguns exemplos comuns.

1) *Espontaneidade* – Se você calcular muito precisamente, ou enfocar muito diretamente um resultado desejado, não o alcançará. Por exemplo, suponha que você esteja empenhado em um empreendimento artístico que é mais valioso se realizado espontaneamente. Você quer se comportar de maneira espontânea. Este resultado não pode ser alcançado se você deliberadamente se concentrar em ser espontâneo.

2) *Perigo* – Se estiver executando alguma tarefa perigosa, então você corre o risco de perder a calma se pensar demais sobre o perigo.

3) *O tempo é essencial* – Algumas decisões devem ser tomadas muito rapidamente. Se você está prestes a ser atropelado por um caminhão, você não deve esperar para executar cálculos utilitários precisos.

4) *Amizade* – Um bom amigo busca diretamente os interesses dos seus amigos, ao invés de procurar maximizar o bem. Alguém que só despende tempo com você porque isso maximiza a felicidade geral – e o abandonaria imediatamente se pudesse produzir mais felicidade de outra maneira – não é um verdadeiro amigo. Maximizadores conscientes não podem experimentar, eles próprios, a amizade, nem tampouco prover aos outros os benefícios da verdadeira amizade.

5) *Problemas de coordenação* – Cada um deve decidir de que lado da estrada conduzir. Se cada indivíduo calcular a melhor estratégia, então alguns conduzirão à esquerda e alguns à direita. O resultado permanece aquém do ótimo.

Muitos utilitaristas distinguem entre um *critério de avaliação* e um *procedimento decisório*. Os utilitaristas estão comprometidos com a maximização do bem-estar como o seu critério. A maximização do bem-estar é, em última instância, aquilo que torna os resultados bons e as ações corretas. Pode parecer óbvio que o procedimento decisório do utilitarismo seja: "Sempre busque maximizar a felicidade". Todavia, a existência de benefícios calculadamente elusivos leva muitos utilitaristas a negar isso. Os utilitaristas devem avaliar os procedimentos decisórios da mesma maneira que avaliam qualquer outra coisa. O melhor procedimento decisório é qualquer *procedimento* que maximize a felicidade. Este pode ser o simples procedimento de buscar maximizar a felicidade, mas pode não sê-lo. Se algum outro procedimento produziria mais felicidade, então você deve segui-lo em seu lugar.

> Não há lugar distintivo para o utilitarismo direto a menos que seja [...] uma doutrina sobre como alguém deve decidir o que fazer (Williams, apud Smart e Williams. *Utilitarianism: For and Against*, 128).

Seguindo Williams, alguns filósofos argumentam que o critério e o procedimento decisório não podem vir separados. James Griffin (um filósofo que geralmente é muito mais simpático ao utilitarismo do que Williams) também critica a relevância de um critério de correição que, devido às limitações do nosso conhecimento e psicologia, nunca poderia ser aplicado por seres humanos. Ele pergunta se "um critério que não pode ser aplicado [é] realmente um critério" (Griffin. "The distinction between Criterion and Decision Procedure", 180-181). Defensores da distinção respondem que o critério utilitarista pode gerar um conselho ético útil mesmo que nós próprios nunca o pudéssemos aplicar perfeitamente.

O utilitarismo indireto

O *utilitarismo indireto* diz tanto (a) que o ato correto é qualquer um que decorra do melhor procedimento decisório utilitarista, e (b) que o melhor procedimento decisório diverge do critério utilitarista de correção. A maioria dos utilitaristas indiretos retém o utilitarismo de atos como o seu critério de correção. Portanto, a sua alegação distintiva é a de que o utilitarismo de atos *não é* o melhor procedimento decisório utilitarista.

Qual é o melhor procedimento decisório utilitarista? Como diferirá do utilitarismo de atos? Aqui estão algumas diferenças, sugeridas pelos nossos exemplos anteriores.

1) *Limpe a sua mente* – Para atividades que exigem espontaneidade ou ação reflexa, absolutamente não delibere durante a realização da atividade.

2) *Regras práticas* – Muitas situações refletem padrões comuns. Siga uma regra prática – um princípio moral *prima facie*. Não calcule aonde conduzir – apenas conduza pelo lado esquerdo. Não calcule quanto a assassinar um estranho aleatoriamente – apenas não assassine.

3) *Oportunidade* – Nunca delibere por muito tempo. Se o tempo for curto, então ou escolha a primeira opção suficientemente boa que lhe ocorra (*satisfatória*), ou escolha a melhor opção dentre aquelas que você teve tempo de considerar (*maximização limitada*), ou siga regras práticas.

4) *Amizade* – Quando os interesses dos seus amigos estiverem em jogo, não calcule. Faça o que quer que a amizade exija, contanto que isso não tenha consequências desastrosas.

5) *Conserve os seus recursos* – Como um ato isolado, doar todo o seu dinheiro para a caridade parece maximizar o bem-estar. No entanto, você fará mais bem ao longo da sua vida se economizar dinheiro suficiente para manter a sua saúde, conservar o seu emprego, e assim por diante. Doar uma porcentagem razoável é, portanto, a melhor estratégia.

Os utilitaristas indiretos usam essas diferenças do utilitarismo de atos para derrotar as objeções de injustiça e de exigência. Uma vez que mudemos da avaliação isolada de atos particulares para a avaliação de procedimentos decisórios ou padrões de comportamento ao longo de toda a vida do agente, obtemos resultados diferentes em nossos vários contos. Um xerife ou outro oficial incumbido de zelar pelo cumprimento da lei que adote a política de nunca enforcar ou torturar o inocente irá produzir mais felicidade ao longo de sua vida do que um xerife que esteja disposto a enforcar uma pessoa inocente. No curso de uma vida, é provável que o xerife enforcador calcule mal, seja descoberto (levando à desgraça pública e à perda da fé no sistema judicial), ou sofra de um trauma psicológico. Estas desvantagens são suficientes para pesarem mais do que os benefícios que um enforcamento ocasional possa produzir.

Um utilitarista também fará mais bem ao longo de uma vida se adotar o princípio de não prejudicar ou trair os seus amigos. Esta política permite-lhe construir amizades genuínas, aumentando assim tanto a sua própria felicidade quanto a dos seus amigos. Esses benefícios superam qualquer bem extra que ele poderia fazer em alguma ocasião isolada traindo um amigo. Você também vai fazer mais bem ao longo da sua vida seguindo um percurso de carreira e um estilo de vida que você considere independentemente realizador. Doar todo o seu dinheiro hoje, ou relutantemente comprometer-se com uma carreira de banqueiro, pode produzir mais bem em curto prazo, mas é pouco provável que seja uma estratégia de longo prazo genuinamente bem-sucedida. Alguns utilitaristas indiretos até mesmo argumentam que o melhor procedimento decisório global consiste em simplesmente seguir uma moralidade de senso comum. Isto fornece um conjunto claro de regras práticas bem testadas e facilmente resolve muitos problemas de coordenação moral, porque a maioria das outras pessoas já está seguindo a moralidade de senso comum.

Estas respostas certamente suavizam as objeções de injustiça e de exigência. No entanto, os adversários do utilitarismo permanecerão desconvencidos. Esta defesa do utilitarismo parece demasiadamente contingente. No mundo real é fácil imaginar casos em que um determinado indivíduo possa saber que produziria mais felicidade (ao longo de sua vida) seguindo uma política de engano ou de assassinato ou de tortura. Pode ser necessário que a *maioria* das autoridades policiais não torture, mas pode haver um nicho no sistema para algum torturador disponível. (O recurso aos custos psicológicos para o próprio torturador é especialmente problemático. Sugere que, se acontecer de você ser alguém que gostaria de torturar, então a tortura será o curso de ação correto para você.) Do mesmo modo, embora a felicidade, sua e dos seus amigos, seja certamente importante, é perfeitamente possível que você produza maior felicidade geral seguindo uma política de extremo autossacrifício – dada a grande quantidade de sofrimento e necessidade não satisfeita no mundo.

Além desses problemas intuitivos, o utilitarismo indireto também tem sido acusado de falhar em termos utilitaristas. Ele enfrenta dois problemas particulares: o parasitismo e a autodestruição. Para ilustrar o primeiro, considere um mundo no qual a maioria das pessoas não seja utilitaristas individuais.

O utilitarista parasitário
O gramado proporciona prazer a todos. Se todos andassem sobre a grama ele seria arruinado. Uma placa diz a todos para não pisarem na grama. Perry Parasita calcula que, se apenas uma pessoa caminhar sobre a grama, não haverá danos. Então ele anda na grama todos os dias, e sempre chega à sua aula mais cedo.

Muitas pessoas consideram o comportamento de Perry inaceitável, mesmo não tendo qualquer consequência negativa. Por que ele deveria ser o único a obter o caminho mais curto? Mais geralmente, um utilitarista indireto sempre evitará pagar impostos (talvez para doar o dinheiro à caridade), e de outra maneira explorar as contribuições dos outros. O utilitarismo indireto é, portanto, inaceitável se eu o sigo em um mundo no qual os outros não o façam. Infelizmente, a teoria se sai ainda pior em um mundo no qual todos os demais *de fato* o sigam. Suponha que todos subitamente tornem-se utilitaristas indiretos e sigam o procedimento decisório de Perry. Todos andam na grama e ela é completamente destruída. Mesmo que todos se deem conta do que está acontecendo, cada um vai continuar andando na grama, uma vez que as suas caminhadas individuais não causam qualquer prejuízo. O utilitarismo indireto é *coletivamente autodestrutivo*. Se todos seguirem a teoria, o resultado será pior – de acordo com o critério de avaliação dessa própria teoria – do que se todos tivessem seguido outra teoria. Qualquer teoria utilitarista é coletivamente autodestrutiva se um mundo no qual todos a seguirem contiver menos felicidade do que um mundo no qual a maioria das pessoas não o faça.

Muitos filósofos, incluindo muitos utilitaristas, sentem que nenhuma teoria moral adequada pode ser coletivamente autodestrutiva. Se uma teoria tem um objetivo (tal como o de maximizar o bem-estar), então ela deve ser projetada para promover de maneira eficaz e coletiva esse objetivo. Devemos sempre testar a nossa teoria moral perguntando: "O que aconteceria se todos o fizessem?" (Ou, como Brad Hooker sugere: "E se todos se sentissem livres para fazê-lo?" A diferença entre as duas questões surge porque, por exemplo, uma regra moral permitindo que todos usem um parque público pode ser perfeitamente aceitável, mesmo embora fosse desastroso se todos realmente usassem o parque ao mesmo tempo.) Este pensamento leva ao utilitarismo de regras.

O utilitarismo de regras

A ideia básica do utilitarista de regras é simples. Ao invés dos procedimentos decisórios individuais, avaliamos os códigos de regras morais. O *código ideal* é o conjunto de regras cuja observância por parte de todos causaria melhores consequências do que aquelas causadas pela observância por parte de todos de qualquer outro conjunto de regras. Nós, portanto, avaliamos os atos *indiretamente*. O ato correto é aquele exigido pelo código ideal.

O utilitarismo de regras tem um apelo intuitivo considerável. Um problema sério para o utilitarismo é que um único indivíduo pode muitas vezes fazer mais bem violando regras morais de senso comum do que as seguindo: andando sobre a grama para chegar a uma palestra, assassinando para evitar mais assassinatos, torturando a avó inocente do terrorista para evitar uma catástrofe, e assim por diante. O utilitarismo de regras evita esses contraexemplos: as coisas vão melhor se todos seguirmos regras morais de senso comum do que se *todos* nos sentíssemos livres para violá-las. Nas últimas décadas, tendo os filósofos morais se tornado mais interessados na plausibilidade intuitiva, o utilitarismo de regras tem atraído mais atenção.

O principal utilitarista de regras contemporâneo é Brad Hooker, que formula a teoria da seguinte maneira.

> **O utilitarismo de regras de Hooker**
> Um ato é errado se e somente se for proibido pelo código de regras cuja internalização pela esmagadora maioria de todas as pessoas, em todos os lugares, em cada nova geração, tiver o máximo valor esperado em termos de bem-estar (com alguma prioridade para os desfavorecidos). O cálculo do valor esperado de um código inclui todos os custos de se obter o código internalizado. Se quanto ao valor esperado dois ou mais códigos forem melhores do que os demais, mas iguais uns aos outros, aquele mais próximo da moralidade convencional determina quais atos são errados (Brad Hooker. *Ideal Code, Real World*, 32).

O utilitarismo de regras foi rejeitado ao longo da maior parte do século XX. Os ataques mais fortes vieram de outros utilitaristas – argumentando que o utilitarismo de regras não pode ser uma teoria utilitarista distintiva útil. Ou ela é inútil, ou é indistinguível do utilitarismo de atos (ou do utilitarismo indireto), ou é incoerente. Essas controvérsias estabeleceram o cenário para o utilitarismo de regras contemporâneo.

A objeção mais básica ao utilitarismo de regras é a *objeção da adoração à regra*. O utilitarismo de regras começa com o compromisso padrão utilitarista de maximizar a felicidade. No entanto, ele então diz-nos para seguirmos certas regras, mesmo onde isso obviamente não produzirá as melhores consequências possíveis. Argumenta-se que verdadeiros utilitaristas devem usar regras apenas como estratégias, procedimentos decisórios ou regras práticas. "Que tipo de utilitarista é você?", os utilitaristas de atos perguntam aos utilitaristas de regras, acusando-os de uma irracional "adoração à regra". (Isso é também às vezes conhecido como a *objeção de incoerência* – qual seja o pensamento de que é incoerente escolher regras com base em consequências e então recusar-se a afastar-se dessas regras quando isso promete melhores consequências.)

Essa objeção tem sido muito influente. Muitos utilitaristas de regras negam que estejam comprometidos com a maximização da felicidade, e buscam defesas alternativas para a sua teoria. O utilitarismo de regras é agora frequentemente defendido principalmente por referência ao apelo intuitivo dos seus julgamentos particulares e regras morais, ou por referência a ideais morais gerais diversos de um mero compromisso com a maximização do bem-estar. Uma defesa muito comum do utilitarismo de regras o vê como a maneira mais natural de se desenvolver as ideias morais subjacentes à acusação comum: "E se todos fizessem isso?" Estas incluem universalizabilidade e equidade. Este argumento é comparativo. Outras teorias morais proveem explicações concorrentes para esses ideais morais. Os utilitaristas de regras afirmam que a sua é a mais plausível. Esta ideia de equidade do utilitarismo de regras relaciona-se a uma distribuição equitativa das exigências da moralidade, não a uma distribuição equitativa de bens ou oportunidades. O pensamento é o de que é injusto para uma teoria moral exigir que alguns façam mais *porque* outros estão fazendo menos – como tanto o utilitarismo de atos quanto o indireto fazem. Estas teorias depositam exigências excessivas sobre você porque os outros não se comportam como deveriam.

Defesas teóricas de qualquer teoria são frequentemente acompanhadas com argumentos práticos. Um teste da explicação de um ideal moral geral de uma teoria é se ela permite-nos fazer julgamentos plausíveis em casos particulares. É pouco provável que uma teoria moral que gere resultados particulares absurdos tenha capturado com precisão a essência dos nossos ideais morais gerais. O melhor teste da explicação da justiça do utilitarismo de regras é se a teoria lida eficazmente com as objeções de injustiça e de exigência. Mas, antes de perguntarmos isso, devemos primeiro lidar com duas outras objeções comuns ao utilitarismo de regras. A primeira é de certa maneira o reverso da objeção de autodestrutividade coletiva ao utilitarismo indireto, enquanto a segunda é uma dificuldade que os utilitaristas de regras enfrentam ao tentar lidar com a primeira.

1) *A objeção de adesão parcial* – Porquanto apenas pergunta o que aconteceria se todos seguissem uma regra, o utilitarismo de regras não pode lidar com situações de adesão parcial da vida real, nas quais nem todos seguem a regra correta. Eis aqui dois exemplos comuns.

2) *Coordenação subótima* – No seu país as pessoas conduzem pelo lado esquerdo. Você decide que seria melhor se todos conduzissem pelo lado direito. Como um utilitarista de regras, você começa a conduzir pelo lado direito, mesmo embora todos os demais continuem conduzindo pelo lado esquerdo. Os resultados não são agradáveis.

3) *Lidando com os malfeitores* – Os utilitaristas de regras querem que o seu código ideal inclua proibições familiares quanto ao roubo, ao assassinato, à quebra de promessas, à mentira, à tortura, e assim por diante. (Esta é a principal razão pela qual o utilitarismo de regras é mais intuitivamente atraente do que o

indireto.) No entanto, se todos obedecessem a essas proibições, não haveria necessidade de regras dizendo-nos como lidar com ladrões, assassinos, mentirosos ou torturadores. Em um mundo de plena adesão, todos seriam sempre perfeitamente honestos, nunca trancariam as suas portas, nunca verificariam os seus trocos, sempre emprestariam dinheiro a qualquer um que os pedissem, e assim por diante. Qualquer um que siga *este* código ideal de regras no mundo real em breve parecerá bastante estúpido.

4) *A objeção de colapso* – Alguns oponentes argumentam que o utilitarismo de regras colapsa no utilitarismo de atos. As coisas irão melhor em geral se todos seguirem a única regra: "Sempre maximize a felicidade". Assim, o código ideal consiste nessa única regra. Uma acusação mais moderada é a de que o utilitarismo de regras colapsa no *indireto*. Mesmo se o código ideal não for a regra simples de "sempre maximizar a felicidade", ele será idêntico ao melhor procedimento decisório utilitarista para um indivíduo isolado. A maioria dos proponentes dessa objeção são defensores do utilitarismo de atos ou indireto. A sua objeção não consiste em que o utilitarismo de regras seja falso, mas que seja redundante. O utilitarismo de regras é uma versão desnecessariamente complicada do utilitarismo de atos ou indireto.

O verdadeiro desafio para os utilitaristas de regras é evitar ambas as objeções simultaneamente, uma vez que réplicas a uma objeção frequentemente tornam a outra pior. Contra a objeção de adesão parcial, os utilitaristas de regras têm duas estratégias: introduzir cláusulas de prevenção de desastre ou restringir o âmbito do utilitarismo de regra. Ambas as estratégias ameaçam colapsar no utilitarismo indireto.

Os utilitaristas de regras frequentemente lidam com a coordenação subótima acrescentando *cláusulas de prevenção de desastre* ao código ideal: "Faça x, a não ser que fazer x ocasione um grande desastre; neste caso faça y (no qual y evita um desastre)". A sua regra de condução ideal seria: "Conduza à direita, a não ser que todos os demais conduzam à esquerda; neste caso, conduza à esquerda".

Mas agora suponha que adicionemos uma nova cláusula, não apenas para evitar desastres terríveis, mas a cada vez que uma regra produzir um resultado subótimo. Cada nova cláusula melhora o código ideal. Mas eventualmente acabamos com um conjunto muito complexo de regras idêntico na prática ao utilitarismo de atos. ("Faça x, a não ser que fazer x ocasione um resultado pior, caso contrário, faça y.") Nós então substituímos essas regras complicadas por uma regra simples exatamente idêntica ao utilitarismo de atos. O utilitarismo de regras colapsou no de atos.

Para lidar com malfeitores (nosso segundo problema de adesão parcial), os utilitaristas de regras restringem o âmbito da sua teoria em uma de duas maneiras.

• *Adesão imperfeita global* – Ao invés de perguntar o que aconteceria se *todos sempre* seguissem um código, perguntamos o que aconteceria se a *maioria* das pessoas *geralmente* o seguisse. Se algumas pessoas às vezes roubam ou mentem, um código com regras sensatas para lidar com ladrões e mentirosos vai rechaçar alguém.

• *Caso a caso de não adesão* – Avaliamos cada regra isoladamente. Para lidar com o roubo, presumimos que haja alguns ladrões (ou, pelo menos, alguns ladrões em potencial) e buscamos a resposta ótima do resto de nós.

Ambas as soluções enfrentam problemas. A opção global é arbitrária. Quantos constituem "a maioria"? A opção caso a caso está ameaçada pelo fato de que muitos dos problemas éticos atuais são devidos, não às más ações dos poucos, mas à inércia dos muitos. Considere um simples caso hipotético. Não por culpa própria, algumas pessoas em um país pobre enfrentam a miséria e a fome. Um dólar de cada pessoa abastada no mundo removeria o problema. O código ideal diz que todos devem doar um dólar. Se todos fizessem como deveriam, você só precisaria dar um dólar. Infelizmente, quase ninguém o faz. Você quer saber o que deveria fazer. Sob o caso a caso de não adesão, você pergunta qual regra produziria a maior felicidade se fosse seguida por todos – *exceto* aqueles cuja não adesão cria o problema. Então você pergunta qual regra seria melhor se seguida por você e por quase ninguém mais. O seu utilitarismo de regras agora colapsou no utilitarismo indireto.

Para evitar essas duas objeções, os utilitaristas de regras procuram um meio-termo entre as regras excessivamente simplistas e as infinitamente complexas. Muitas formulações contemporâneas do utilitarismo de regras são movidas pela necessidade de se diferenciar a teoria do utilitarismo indireto. Por que os utilitaristas de regras não quererão o mesmo código que os utilitaristas indiretos? Exploramos esta questão utilizando as objeções de injustiça e de exigência.

O utilitarismo de regras reflete uma imagem da moralidade como uma tarefa confiada, não a agentes racionais individuais isolados (como no utilitarismo de atos ou no indireto), mas a uma determinada *comunidade de seres humanos*. As questões às quais responde são: "E se *nós* fizéssemos isso?", e "Como *nós* devemos viver?" Nós estamos escolhendo um código moral para governar a nossa comunidade, e perguntando qual código deveríamos ensinar à próxima geração.

Uma característica marcante dos seres humanos é a nossa falibilidade. Talvez o utilitarismo de atos fosse o código ideal para os calculadores utilitaristas perfeitos. Mas os seres humanos não são calculadores utilitaristas perfeitos, nem devem tentar sê-lo. Regras morais específicas corrigem falhas humanas específicas. Porque tendemos a pensar que sabemos o que é melhor para as outras pessoas, precisamos que nos digam para respeitarmos a autonomia dos outros. Porque naturalmente favorecemos os nossos próprios interesses e aqueles dos nossos entes mais próximos e queridos, precisamos que nos digam para sermos mais imparciais. Mas porque não podemos ser absolutamente imparciais, também nos deve ser permitida alguma parcialidade.

Este foco na comunidade e na falibilidade subjaz à resposta do utilitarista de regras às objeções de injustiça e de exigência. As consequências de todos seguirem uma política de tortura ou assassinato seriam desastrosas. Se todos se sentissem livres para assassinar, torturar ou trair os seus amigos sempre que os cálculos utilitaristas o considerassem desejável, pessoa alguma gozaria absolutamente de qualquer segurança. Um único médico que assassine pacientes para fornecer órgãos para transplante pode criar um escândalo isolado. Mas se todos os médicos seguissem essa política, então ninguém jamais visitaria um médico ou entraria em um hospital. Esta é a resposta do utilitarista de regras às objeções de injustiça.

A resposta às objeções de exigência é similar. Sidgwick observou que os seres humanos não podem sentir uma forte preocupação para com todos. Se todos tentassem ser perfeitamente imparciais, então ninguém sentiria uma forte preocupação para com pessoa alguma. As coisas vão melhor no geral se as pessoas dão prioridade a elas próprias e aos seus amigos e familiares, ao invés de tentarem maximizar imparcialmente a felicidade de todos. Um mundo onde todos só pensassem uns nos outros seria caótico e improdutivo. Uma pequena contribuição de cada pessoa abastada seria mais do que suficiente para aliviar a fome e a pobreza, e atende a todas as necessidades de todas as pessoas no mundo. Um mundo onde todos dedicassem considerável atenção a si mesmos, mas também fizessem uma contribuição razoável à caridade seria um mundo mais feliz e mais rico do que aquele no qual todos tentassem obsessivamente melhorar as vidas dos outros. Em geral, as vidas das pessoas vão melhor se elas devotam-se a projetos com os quais se preocupem.

A resposta do utilitarista de regras à objeção de injustiça e de exigência é similar à solução do utilitarista indireto. Ambos estão focados nas consequências negativas de se adotar uma política de tortura ou assassinato ou o autossacrifício, e afirmam que os benefícios dessas políticas não superam os custos. No entanto, a argumentação do utilitarista de regras é mais forte por várias razões.

1) *Efeitos negativos compostos* – Muitas instituições sociais requerem um alto nível de confiança e cooperação, mas não a fé absoluta no comportamento dos outros. Tais instituições podem sobreviver à deserção ou à não adesão de um único indivíduo isolado, mas entrariam em colapso se as pessoas geralmente não aderissem. Por exemplo, a fé pública no sistema judicial ou médico pode sobreviver a uma ou duas maçãs podres, mas não poderia sobreviver se funcionários corruptos ou médicos assassinos fossem a norma.

2) *Efeitos de publicidade* – Um único indivíduo utilitarista pode ser capaz de prosseguir uma política de assassinato ou tortura em segredo, mas é difícil imaginar um mundo no qual *todos* persigam tal política sem que esta seja de conhecimento comum. Além disso, embora um único utilitarista fanático possa não ter qualquer impacto sobre a confiança pública, a confiança pública é impossível em um mundo cheio de fanáticos utilitaristas.

3) *Os benefícios do parasitismo* – Muitos dos benefícios produzidos quando um único utilitarista segue uma política de assassinato ou tortura, ou quando devota todo o seu tempo, energia e dinheiro à caridade, só são possíveis porque esse indivíduo vive em uma sociedade onde todos os demais seguem as regras da moralidade de senso comum. No mundo real, no qual a maioria das pessoas é, provavelmente, *demasiadamente* parcial, um indivíduo solitário pode praticar uma grande dose de bem. Em contrapartida, o código ideal deixaria muito menos necessidade não atendida. Os benefícios por pessoa de se seguir políticas muito exigentes são, portanto, reduzidos se todos estiverem seguindo tais políticas.

4) *Os custos de inculcação* – Alguns utilitaristas de regras modernos – de maneira mais proeminente Hooker – argumentam que o teste apropriado para as regras é não o que aconteceria se todos as *seguissem*, mas, ao contrário, o que aconteceria se todos as *aceitassem*. Queremos que o nosso código de regras capture um conjunto ideal de atitudes para com a moralidade, não apenas um padrão de comportamento. Regras que não podem ser aceitas, não podem realmente ser seguidas – no sentido moralmente importante. E, antes de poder ser aceito por uma sociedade de seres humanos, um código de regras deve primeiro lhes ser *ensinado* com sucesso. Regras que não possam ser ensinadas não podem ser nem aceitas nem seguidas. Hooker então argumenta que o utilitarismo indireto é difícil demais de se seguir e psicologicamente alienante demais para os seres humanos o aceitarem. Tentar ensinar aquele código não maximizaria a felicidade. Uma regra muito parcial ou exigente pode ser possível para um indivíduo isolado, mas não poderia ser facilmente ensinada a toda uma geração. O utilitarismo de regras equilibra o desejo de maximizar a felicidade contra a necessidade de um código ensinável. Quanto mais complexo, exigente ou contraintuitivo for um código, maior é a taxa de (a) fracasso absoluto em se aprender o código, (b) fracasso em se aprender regras particulares, ou (c) fracasso em se seguir o código.

5) *Autodestrutividade* – Por definição, o código ideal faz o melhor trabalho de promover a felicidade se todos o seguem. O utilitarismo de regras, malgrado as suas outras falhas, não pode ser coletivamente autodestrutivo. Se o utilitarismo indireto *é* coletivamente autodestrutivo, então não pode ser idêntico ao utilitarismo de regras.

No contexto do utilitarismo de regras, as políticas de assassinato, tortura, traição, ou extremo autossacrifício, portanto, envolvem maiores custos e menores benefícios do que no contexto do utilitarismo indireto. Isto sugere que o utilitarismo de regras é mais capaz de justificar proibições de senso comum ao assassinato e à tortura, ou permissões de senso comum a favorecer a um amigo ou a si mesmo. Os utilitaristas das regras escolherão um procedimento decisório menos imparcial e menos exigente do que os utilitaristas indiretos.

O utilitarismo de regras é, portanto, distinto do utilitarismo indireto. Mas será que é suficientemente distinto? Será que é intuitivamente plausível? Mesmo se soubermos que o código ideal não coincide com o utilitarismo indireto, será que sabemos em que consiste esse código? Será que o utilitarismo de regras é a resposta certa ao valor da comunidade?

Suponha que concordemos que os utilitaristas não sairão por aí torturando o inocente, assassinando os seus pacientes, traindo os seus amigos ou falindo-se a si mesmos por caridade. Isso não é suficiente para provar que os utilitaristas se comportam corretamente. Nós também precisamos saber exatamente como um xerife ou um médico utilitarista de regras iria se comportar. Quão amigo de verdade um utilitarista de regras pode ser? Mesmo se a teoria não for tão exigente quanto o utilitarismo indireto, ela ainda pode ser extremamente exigente. Para termos uma noção das complexidades aqui, consideramos brevemente a resposta do utilitarismo de regras à fome. Qual das seguintes regras você acha que o código ideal deve incluir?

Regra A – Doe 1% da sua renda à caridade.

Regra B – Doe x% da sua renda à caridade, em que x esteja entre 0 e 100.

Regra C – Doe todos os seus rendimentos à caridade.

Suponha que, juntamente com muitos utilitaristas de regras contemporâneos, nós concordemos que as coisas vão melhor se todos derem algo como 10%. Infelizmente, a nossa tarefa não está sequer aproximadamente concluída. O utilitarismo de regras deve guiar-nos no mundo real. Precisamos saber, não só como as pessoas se comportam na sociedade ideal, mas também quais regras estão seguindo. Muitas diferentes regras podem produzir os mesmos padrões de comportamento sob adesão plena, mas resultados muito diferentes sob adesão parcial. Aqui estão alguns exemplos.

Regra B1 – Doe 10% da sua renda à caridade, independentemente do que as outras pessoas façam.

Regra B2 – Doe 10% à caridade se a maioria das pessoas o fizer; caso contrário não doe nada, porque você não pode remover a pobreza.

Regra B3 – Doe 10% à caridade se uma quantidade suficiente de outras pessoas o fizer; caso contrário doe mais porquanto há mais sofrimento. (Há muitas versões possíveis desta regra, dependendo de quanto mais você deveria dar.)

Regra B4. Doe 10% à caridade se uma quantidade suficiente de outras pessoas o fizer; caso contrário maximize a utilidade.

Se os utilitaristas de regra não podem dizer-nos exatamente qual regra seguir, então a sua teoria não tem qualquer uso prático. Voltaremos a essas questões no capítulo 8.

O utilitarismo institucional

> A força do utilitarismo, o problema para o qual é uma solução verdadeiramente convincente, é como um guia para a conduta pública e não para a conduta privada. Aí, praticamente todos os seus vícios – todas as coisas que nos fazem hesitar em recomendá-lo como um código pessoal de moralidade – afiguram-se, ao contrário, virtudes consideráveis (Goodin. *Utilitarianism as a Public Philosophy*, 8).

As discussões acerca do utilitarismo durante o século XX concentraram-se no utilitarismo de atos. As objeções padrão ao utilitarismo (como as objeções de injustiça e de exigência) são realmente destinadas ao utilitarismo de atos. Isto sugere que alguns utilitaristas clássicos não se teriam incomodado com tais objeções, uma vez que divergem do utilitarismo de atos de duas maneiras principais: eles rejeitam o consequencialismo e concentram-se nas instituições. A primeira dessas divergências é examinada no próximo capítulo. Esta seção examina o segundo.

O *utilitarismo institucional* é a visão de que as melhores instituições políticas, legislativas ou sociais são aquelas que produzem o maior bem-estar total. Esta visão é proeminente nos escritos dos utilitaristas clássicos. Bentham enfoca principalmente as instituições. Mill, embora tenha escrito o seu *Utilitarismo* a partir da perspectiva do agente individual, também estava muito interessado nas instituições. Estes utilitaristas clássicos procuraram conceber instituições públicas que maximizariam a felicidade humana. Na filosofia moral contemporânea o utilitarismo institucional é geralmente tratado como um subtópico dentro do utilitarismo de regras – e isso quando é discutido. A razão não é filosófica ou utilitarista, mas, ao contrário, reflete divisões administrativas dentro das universidades. O utilitarismo de regras é *filosofia moral*, ensinada em departamentos de filosofia; enquanto o utilitarismo institucional é *filosofia política*, muitas vezes ensinado em departamentos da política, governo, economia ou direito. Na filosofia política o utilitarismo caiu em desgraça em grande medida devido aos ataques de Rawls e Robert Nozick. (O ataque de Rawls foi examinado no capítulo 5. O de Nozick começa com a sua máquina de experiência (capítulo 4), e também está associado ao seu libertarismo.) Além disso, o *ethos* prevalecente na filosofia política contemporânea o considera em grande medida independente da filosofia moral. A filosofia política lida com questões que surgem precisamente porque, nas sociedades liberais modernas, os cidadãos devem encontrar maneiras de viverem juntos, apesar do fato de não poderem concordar com questões morais controvertidas. Isto imediatamente coloca o utilitarismo em desvantagem, porquanto rejeita qualquer divisão nítida entre a filosofia moral e a filosofia política. Nenhuma linha mágica separa as regras morais das instituições políticas, ou os princípios de moralidade dos princípios de justiça. Qualquer divisão deve ser justificada com base na sua contribuição para o bem-estar humano.

Como utilitaristas, devemos incluir o utilitarismo institucional sob o utilitarismo de regras. Considerar regras e instituições juntas pode ajudar a resolver algumas objeções ao utilitarismo. Tanto o utilitarismo de atos quanto o indireto pressupõem as instituições políticas, e perguntam como devo responder a elas. Os utilitaristas de regras devem reavaliar todas as instituições, porquanto um código moral completo nos diria quais instituições criar, assim como de que maneira responder às instituições existentes. Às vezes as falhas do utilitarismo na moralidade individual são os seus pontos fortes quando se tratam de instituições. Por exemplo, os utilitaristas institucionais têm respostas simples para as objeções de injustiça e de exigência. Se estivermos projetando instituições para uma sociedade humana, então queremos que essas instituições sejam públicas e responsáveis, pelas razões identificadas por Bentham. Portanto, as melhores instituições judiciais desencorajarão os xerifes de enforcar ou torturar o inocente, e o melhor sistema hospitalar desencorajará os médicos de assassinar os seus pacientes. Da mesma forma, enquanto a parcialidade para consigo mesmo e para com os seus amigos é uma virtude na vida privada, é um sinal de corrupção no funcionalismo público. Quando estamos projetando instituições, a imparcialidade do utilitarismo é um ativo. Outra vantagem significativa do utilitarismo institucional é a sua capacidade de lidar com a incerteza, conforme veremos no capítulo 8.

Pontos-chave
- O utilitarismo pode incidir sobre atos, procedimentos decisórios, regras ou instituições.

- O utilitarismo de atos diz que a ação correta maximiza o bem-estar.
- Os utilitaristas indiretos defendem outros procedimentos decisórios diversos do utilitarismo de atos.
- O utilitarismo de regras diz que a ação correta decorre das regras que maximizariam o bem-estar se todos as seguissem.
- Os utilitaristas de regra devem demonstrar que a sua teoria não colapsa no utilitarismo de atos.
- Os utilitaristas de regras argumentam que a sua teoria está mais próxima da moralidade de senso comum do que o utilitarismo de atos.
- O utilitarismo institucional diz que as melhores instituições maximizam o total de bem-estar.

7

Consequencialismo

Este capítulo enfoca uma característica do utilitarismo que está atraindo considerável atenção na teoria moral hodierna: o fato de que o utilitarismo presume que a única resposta racional para o valor consiste em promovê-lo. Nas discussões em curso este princípio *consequencialista* é muitas vezes considerado a característica definidora de toda a tradição utilitarista, na medida em que o utilitarismo é apresentado como uma forma de consequencialismo. O utilitarismo *é* consequencialismo (a moralidade promove o valor) *mais* ética do bem-estar (valor é bem-estar humano agregado).

Os opositores do consequencialismo argumentam que, a menos que abandonem a ideia consequencialista básica, os utilitaristas não podem esperar evitar nem a objeção de exigência nem a de injustiça. Qualquer teoria que nos diga para maximizar o valor fará exigências descabidas e permitirá terríveis injustiças – não importando qual seja a teoria do valor que incorpore, ou se busca maximizar o valor individualmente (como o fazem o utilitarismo de atos e o indireto) ou coletivamente (como o fazem o utilitarismo de regras e o institucional). A mudança de ênfase do utilitarismo para o consequencialismo suscita, portanto, várias questões. Em que consiste a resposta consequencialista ao valor? Será que é excessivamente exigente, ou até mesmo contraintuitiva? Quais são as respostas alternativas ao valor? Como o consequencialismo relaciona-se com o utilitarismo?

O que é consequencialismo?

O ponto básico do consequencialismo consiste em que a resposta apropriada ao valor é promovê-lo. Se você acha que x é bom, então você deve tentar aumentar a quantidade de x no mundo. Se a felicidade é boa, você deve maximizar a felicidade. Se comer chocolate é o único valor, você deve promover a ingestão de chocolate. O consequencialismo, portanto, baseia-se no simples pensamento de que a moralidade consiste exclusivamente em fazer do mundo um lugar melhor. Os seus mais estridentes defensores consideram que o consequencialismo seja verdadeiro por definição. Esta opinião foi aventada por G.E. Moore, um aluno de Sidgwick que argumentou que "x está certo" *significa* simplesmente que "x promove melhor o bem". (Moore rejeitou explicitamente a abordagem utilitarista do valor. Ele foi, assim, o primeiro consequencialista não utilitarista proeminente.) Conforme vimos no capítulo 3, esta também é a opinião de Hare, que oferece uma análise definitivamente utilitarista – "x está certo" significa "x maximiza a satisfação de preferência". Qualquer pessoa que não seja um consequencialista simplesmente não entende a linguagem moral! Em uma formulação mais modesta deste ponto de vista, embora as teorias morais não consequencialistas não sejam realmente contraditórias, a única maneira *racional* de se responder a qualquer valor é promovê-lo. Se a felicidade é valiosa, então o único curso de ação racional consiste em maximizar a felicidade. O consequencialismo é, portanto, a teoria moral mais racional, sempre dizendo-nos para promover o valor.

Alguns consequencialistas estabelecem uma analogia entre a racionalidade moral e a racionalidade (autointeressada) individual. Do mesmo modo que um agente racional busca maximizar a sua própria utilidade esperada, assim também um agente moral deveria buscar maximizar o bem-estar de todos os agentes. O consequencialismo é, portanto, racional e imparcial. A derivação de Hare é um exemplo clássico deste estilo de argumento. Outros veem o consequencialismo como uma explicação natural para os valores morais centrais da imparcialidade e da igualdade, uma vez que trata a todos os agentes de maneira perfeitamente igual, sendo, portanto, perfeitamente imparcial. Outros consequencialistas recorrem à virtude teórica da simplicidade. A promoção é às vezes uma resposta racional ao valor. (Se a saúde é valiosa, então é obviamente bom promover a saúde das pessoas.) Portanto, a mais simples teoria moral recomendará a promoção como uma resposta universal ao valor.

Esses argumentos são todos altamente controvertidos. As abordagens consequencialistas da racionalidade, da imparcialidade, da igualdade e da simplicidade foram todas desafiadas, e têm a suposição subjacente de que uma teoria moral aceitável deve ser racional, ou igualitária, ou imparcial, ou simples. As principais objeções intuitivas ao consequencialismo são as objeções de exigência e de injustiça. Nós já lidamos com estas objeções em detalhe quanto ao utilitarismo. Devemos agora perguntar se os consequencialistas que *não* são utilitaristas se saem melhor.

O consequencialismo não utilitarista

Separar o utilitarismo do consequencialismo enseja duas novas opções: o utilitarismo sem o consequencialismo e o consequencialismo sem o utilitarismo. Nós exploramos um de cada vez. Será que os consequencialistas podem evitar as objeções de injustiça e de exigência rejeitando valores utilitaristas? Nós já vimos algumas versões excepcionais do utilitarismo, tais como o prioritarismo e o igualitarismo. Poderíamos considerá-las como teorias consequencialistas não utilitaristas, uma vez que elas maximizam algo diverso do bem-estar humano total. Vimos no capítulo 5 que essas teorias não evitam os nossos dois conjuntos de objeções. No capítulo 4 examinamos brevemente outras divergências (ou extensões) dos valores utilitaristas, acomodando o bem-estar animal e o valor intrínseco da beleza natural. Independentemente dos seus demais méritos, uma teoria consequencialista baseada nesses valores ainda não conseguirá evitar as nossas duas objeções. A introdução destes novos valores claramente torna o consequencialismo ainda mais exigente, uma vez que eu agora serei obrigado a fazer enormes sacrifícios, não só para proporcionar benefícios aos outros seres humanos, mas também para salvar árvores, baleias ou zonas úmidas. A objeção de injustiça também é agravada pela mesma razão. Por exemplo, poderia agora um xerife consequencialista encontrar-se tendo que executar uma pessoa inocente para impedir uma multidão de antiambientalistas de caçarem raposas? (inocentes).

Uma alternativa mais promissora consiste em vincular desvalor intrínseco diretamente a injustiça. Isto fornece aos consequencialistas uma resposta clara à objeção de injustiça – o xerife faz a coisa errada porque fracassa em minimizar a injustiça. Esta estratégia enfrenta dois problemas. A menos que a injustiça seja o nosso único valor, ela será frequentemente compensada por outras considerações, tais como o bem-estar. O xerife pode ainda maximizar o valor *total* executando a pessoa inocente. Por outro lado, uma teoria moral na qual a justiça seja o *único* valor produzirá resultados estranhos em outros lugares. Quando a felicidade está em jogo e a justiça não está, tal teoria será completamente silente. Poderíamos buscar uma teoria do valor mais complexa, onde tanto a felicidade quanto justiça sejam valiosas, mas onde (a menor quantidade de) justiça sempre tenha prioridade em relação a (qualquer quantidade de) felicidade. A justiça tem *prioridade lexical* sobre a felicidade. Não importa quantas vidas estejam em jogo, o xerife sempre maximiza o valor, recusando-se a enforcar uma pessoa inocente. Entretanto, esta perspectiva lexical parecerá implausível a qualquer pessoa simpática à tradição utilitarista. Será que realmente queremos dizer que um mundo no qual milhões de pessoas vivam vidas florescentes e existam algumas injustiças isoladas seja pior, *considerado como um todo*, do que um mundo no qual milhões de pessoas sejam terrivelmente miseráveis, mas não haja injustiça?

Um problema mais amplo para qualquer tentativa de se utilizar o valor da justiça para derrotar a objeção de injustiça é que, se o nosso objetivo for maximizar a justiça (ou minimizar a injustiça), então podemos encontrar-nos frequentemente cometendo uma injustiça para evitar um erro maior. Se o próprio motim é uma injustiça, então o xerife deve mesmo assim enforcar Bob. E você ainda deve torturar o filhinho do terrorista, uma vez que um ataque terrorista é uma injustiça imensa.

Parece que só podemos evitar as nossas objeções revisando o consequencialismo. Suponha que comecemos com uma teoria que chamarei de *consequencialismo simples*. Esta teoria diz a cada agente, em cada ocasião, para escolher o ato que maximize o valor imparcial. O consequencialismo simples tem cinco características principais: o *individualismo*, o *imediatismo*, o *enfoque do ato*, a *maximização* e a *imparcialidade*. Podemos divergir do consequencialismo simples variando uma ou mais dessas cinco características básicas. Capítulos anteriores exploraram variações aos três primeiros fatores. Será que o valor deve ser promovido individual ou coletivamente? Será que os agentes devem visar promover o valor direta ou indiretamente? Deve ser o nosso foco incidir sobre os atos, ou sobre os procedimentos decisórios, ou as regras, ou as instituições?

Vamos agora abordar brevemente as outras duas variações – divergências da maximização ou da imparcialidade. A razão pela qual não lidamos com essas objeções anteriormente é amplamente histórica. Enquanto as três primeiras divergências do consequencialismo estão todas bem representadas na literatura clássica sobre o próprio utilitarismo, estas duas novas variações só vieram a ter proeminência mais recentemente, e em relação ao consequencialismo em geral. Infelizmente, embora essas duas novas variantes possam enfraquecer a objeção de exigência, ambas tornam o consequencialismo ainda mais injusto. Isto nos levará a considerarmos respostas não consequencialistas ao valor.

O consequencialismo de satisfação

O consequencialismo é tão exigente porque sempre exige o melhor resultado possível. Não é suficiente produzir boas consequências; é preciso maximizar. Não é suficiente salvar algumas vidas; é necessário salvar tantas quantas for possível. Portanto, a maneira mais fácil de tornar o consequencialismo menos exigente é abandonando-se a maximização. Talvez devêssemos *promover* o valor sem maximizá-lo. O exemplo mais conhecido na filosofia moral contemporânea é o *consequencialismo de satisfação* de Michael Slote. Slote argumenta que a moralidade consequencialista deve ser análoga à racionalidade econômica. O consequencialismo de satisfação é o análogo moral de uma noção econômica familiar. Uma empresa *satisfatória* aceita a primeira oferta suficientemente boa que surja, ao invés de esperar indefinidamente por uma oferta perfeita. De modo semelhante, os agentes morais devem produzir um resultado suficientemente bom, mas não precisam produzir o melhor.

Muitos consequencialistas consideram a satisfação como um *procedimento decisório* plausível: a melhor maneira de se maximizar o valor em longo prazo consiste em visar atingir resultados suficientemente bons ao invés de sempre se esforçar em produzir o melhor resultado possível. No entanto, a nossa discussão no capítulo 6 sugere que esta satisfação indireta sozinha não consegue derrotar a objeção de exigência, porquanto qualquer teoria em última análise comprometida em maximizar o valor ainda será muito exigente. A resposta de Slote consiste em ir além. Ele apresenta a satisfação como um *critério de correção*. Você está sempre autorizado a produzir um resultado suficientemente bom, mesmo se você souber exatamente como produzir muito mais valor. Podemos dizer que a satisfação de Slote é *flagrante*, não meramente *estratégica*. Se estabelecermos um limiar suficientemente baixo para que um resultado conte como "suficientemente bom", então parece que podemos facilmente usar a satisfação moral flagrante para evitar exigências absurdas. Infelizmente, o consequencialismo de satisfação está aberto a uma série de objeções. Ele não resolve realmente a objeção de exigência, e torna a objeção de injustiça muito pior. Cada uma das objeções é encetada a partir de um simples conto.

> **O guerreiro morto**
> Eric, um grande guerreiro, morre e chega a Valhala. Os deuses o recompensam, oferecendo-lhe conceder qualquer desejo que ele faça. Eric pede que a sua família e os seus descendentes sejam tornados "suficientemente prósperos" para o resto das suas vidas. Os deuses perguntam se ele quer dizer tão prósperos quanto for possível. "Não", Eric responde: "Eu acho que suficientemente próspero seria suficientemente bom". Será que Eric fez a coisa certa?

Este conto foi adaptado a partir de um apresentado por Slote, que aprova a escolha de Eric. Eric nada faz de errado em não pedir que a sua família seja tornada tão próspera quanto possível. É suficiente que ela seja suficientemente próspera. No entanto, Slote ignora outro, mais sério, modo que Eric satisfaz. Eric pede benefícios *apenas* para a sua família, quando poderia ter considerado todas as demais pessoas no mundo, especialmente aquelas que vivem na pobreza ou na miséria. Um resultado pode ser suficientemente bom de duas maneiras distintas. Segundo a *interpretação individual*, um resultado é suficientemente bom, considerado como um todo, somente se ele for suficientemente bom para *cada* pessoa que é afetada. Segundo a *interpretação coletiva*, um resultado pode ser suficientemente bom, considerado como um todo, mesmo embora haja alguns indivíduos em particular para os quais esse resultado *não é suficientemente bom*.

Infelizmente, nenhuma das interpretações é satisfatória. Uma teoria que exigisse resultados suficientemente bons sob a interpretação *individual* ainda seria muito exigente. Mesmo se você tiver salvado 100 pessoas da fome, você ainda deve continuar até que ninguém esteja morrendo de fome – não importa a que custo para si mesmo. Uma teoria que requeira apenas um resultado suficientemente bom sob a interpretação *coletiva* será ou muito exigente ou muito condescendente, dependendo da sua definição de "suficientemente bom". Se estivermos dispostos a evitar exigências extremas na vida cotidiana, temos que admitir que salvar 100 pessoas da fome é suficientemente bom. Mas agora suponha que eu escolha salvar apenas 100 pessoas da fome, mesmo que eu pudesse salvar 200 pessoas, sem nenhum custo extra para mim. Será que eu posso parar, tendo já salvado 100 pessoas, com o fundamento de que "fiz o bem suficientemente"? O problema com o consequencialismo de satisfação é que ele não leva em consideração o custo para o agente. Como resultado, qualquer que seja a interpretação que escolhermos, nós acabaremos com exigências que são excessivamente elevadas em alguns casos e excessivamente baixas em outros.

> **O caso do bondinho**
> Maria está parada em uma ponte sobre uma linha férrea. Um bondinho com dez pessoas passa sob a ponte. Se não for brecado, o bondinho vai mergulhar de um penhasco. Também na ponte há dois sacos de areia (um mais pesado do que o outro), e Bob (um inocente). Maria sabe que dez pessoas morrerão a menos que ela aja. Maria pode parar o bondinho fazendo com que qualquer um destes três objetos caia sobre os trilhos. Maria é uma engenheira brilhante, capaz de prever todas as consequências. Se Maria jogar o saco de areia mais pesado, o carro parará. Todas as dez pessoas serão salvas. Se Maria jogar o saco de areia mais leve, então o carrinho meneará na beira do penhasco. Duas pessoas cairão e morrerão. Se Maria jogar Bob, ele tentará evitar o bondinho. Ele ainda o matará, mas apenas parará a tempo. Uma pessoa cairá e morrerá. Finalmente, se Maria atirar em Bob, então o bondinho passará sobre o seu corpo e parará mais cedo. Todas as dez serão salvas. O que Maria deveria fazer? (Este conto é baseado em um exemplo que se tornou famoso (entre os filósofos) por Philippa Foot.)

Parece óbvio que Maria deve jogar o saco de areia mais pesado, poupando assim todas as dez pessoas sem pôr Bob em perigo. No entanto, suponha que jogar o saco mais leve produza um resultado suficientemente bom. Então o consequencialismo de satisfação deve autorizar Maria a jogá-lo em seu lugar. (Se Maria *não* for autorizada a jogar o saco mais leve – presumivelmente porque poupar oito vidas não é "suficientemente bom" – então o consequencialismo de satisfação será extremamente exigente em outras situações.) Ela também deve ser autorizada a executar qualquer outra ação que produza pelo menos um resultado tão bom. Portanto, empurrar Bob da ponte também é moralmente aceitável. Isto é suficientemente ruim, mas o pior ainda está por vir. Atirar em Bob produz um resultado ainda melhor. Portanto, se Maria está autorizada a jogar o saco mais leve, então ela também deve estar autorizada a atirar em Bob!

O consequencialismo parcial

Alguns oponentes argumentam que a austeridade do consequencialismo decorre do seu compromisso com a imparcialidade. Por conseguinte, devemos afastar-nos do simples consequencialismo, permitindo aos agentes conferirem particular importância aos seus próprios interesses ou valores. Exploraremos uma variação desenvolvida por Samuel Scheffler. Começamos com um contraste entre duas perspectivas diferentes: uma *perspectiva impessoal*, na qual ao bem-estar de todos os indivíduos é conferido exatamente o mesmo peso, e uma *perspectiva pessoal*, na qual você confere um peso extra aos seus próprios interesses e projetos, e ao bem-estar das pessoas que lhe são próximas. Uma questão central na filosofia moral é: Em que consiste a relação entre estas duas perspectivas? Aqui estão quatro simples respostas.

1) Apenas a perspectiva impessoal é moralmente significativa. (O consequencialismo simples assume esta visão.)

2) Apenas a perspectiva pessoal é moralmente significativa. (Isto nos forneceria uma moral egocêntrica.)

3) Ambas as perspectivas são moralmente importantes, mas cada uma tem o seu próprio domínio separado: uma área da vida na

qual deve dominar, à exclusão da outra perspectiva. (Poderíamos chamar isso de uma teoria moral *compartimentalista*.)

4) Ambas as perspectivas são moralmente importantes, não apenas dentro de uma esfera limitada, mas sobre a vida do agente como um todo. As duas perspectivas devem ser *equilibradas* uma contra a outra. (Podemos chamar esta teoria moral de *integracionista*.)

A *visão híbrida* de Scheffler é integracionista. Sob o consequencialismo simples, o peso que um agente está autorizado a dar aos seus próprios projetos pessoais é estritamente proporcional ao seu valor impessoal. Você só deve prosseguir no seu *hobby* de contagem de grama se o bem-estar que receber for maior do que o bem-estar total que você poderia gerar para os outros agindo de maneira diferente. Scheffler diverge do consequencialismo simples endossando *prerrogativas centradas no agente*. Estas permitem que "cada agente atribua determinado peso proporcionalmente maior aos seus próprios interesses do que aos interesses de outras pessoas" (Scheffler. *The Rejection of Consequencialism*, 20). Scheffler fornece a seguinte explicação.

> Suponha, em outras palavras, que cada agente estivesse autorizado a dar N vezes mais peso aos seus próprios interesses do que aos interesses de qualquer outra pessoa. Isto significaria que um agente estaria autorizado a executar o seu ato preferido (chame-o de P), contanto que não houvesse uma alternativa A aberta para ele, tal qual (1) A produzisse um melhor resultado, considerado como um todo, do que P, a julgar a partir de um ponto de vista impessoal que confira um peso igual aos interesses de todos, e (2) a perda líquida total para os outros do seu ato de fazer P ao invés de A fosse mais do que N vezes maior do que a perda líquida para ele de fazer A ao invés de P (Scheffler. "Prerrogativas sem restrições", 378).

Scheffler distingue duas características da moralidade de senso comum que *não* são encontradas no consequencialismo simples: *prerrogativas centradas no agente permitindo-nos* promover o bem, e *restrições centradas no agente impedindo-nos* de produzir o melhor resultado – por exemplo, "nunca mate um inocente" proíbe matar o inocente mesmo quando fazê-lo produzisse as melhores consequências possíveis. A visão híbrida incorpora prerrogativas centradas no agente, mas não restrições centradas nele. É um caminho médio entre o consequencialismo simples e a moralidade de senso comum. Ao situar N suficientemente alto, a visão híbrida facilmente evita a objeção de exigência. A visão híbrida também respeita um aspecto-chave da individualidade das pessoas – não exige que o agente trate o seu próprio bem-estar da mesma maneira que o de todos os demais.

Infelizmente, a visão híbrida torna as objeções de injustiça piores. Considere duas situações nas quais a busca da realização dos meus projetos exija uma grande soma de dinheiro. Na primeira, eu não tenho dinheiro suficiente, então eu mato meu tio para herdar a R$ 10.000,00. Na outra, eu já tenho R$ 10.000,00 e eu não o dou à caridade para salvar a vida de um estranho. Para a visão híbrida, estes dois casos são moralmente equivalentes. Uma prerrogativa centrada no agente pode permitir-me deixar estranhos distantes morrerem se e somente se também me permitir matar. Se as prerrogativas devem ser minimamente úteis, elas devem (pelo menos às vezes) me permitir gastar o meu dinheiro em mim mesmo e não em poupar a vida dos outros. "Permitir a morrer" deve, por vezes, ser permitido. Então eu devo, por vezes, estar autorizado a matar para desenvolver os meus próprios projetos pessoais – mesmo à custa do interesse geral. A visão híbrida também permite muitas outras injustiças, como demonstram os contos a seguir.

> **O dilema de Amy e Bob**
> Amy, Bob e Clara estão sentados em sua sala de estar. Um extraterrestre de ravina está prestes a devorar Clara. Amy pode cortar o seu próprio braço e jogá-lo ao extraterrestre – distraindo-o enquanto Clara escapa e Bob usa a sua arma de raio para vaporizar o extraterrestre. O que Amy e Bob deveriam fazer?

Vamos supor que Amy esteja autorizada a sacrificar o seu braço, mas ela não é obrigada a fazê-lo. (Se isso fosse exigido, então a visão híbrida seria muito exigente.) Mas *Bob* também está autorizado a maximizar o bem. Portanto, Bob pode sacrificar o braço de Amy sem o seu consentimento, se esta for a única maneira de ele poder salvar Clara. Será que isso é plausível?

> **A parceria**
> A formiga e a abelha são amigas. No tempo t a prerrogativa centrada no agente da formiga lhe permite embarcar em um empreendimento cooperativo com a abelha. Entre t e $t + 1$, ambas, a formiga e a abelha, investem uma grande quantidade de tempo e esforço em seu projeto, o qual será desperdiçado se uma delas o abandonar. O que será que a formiga deveria fazer?

Em $t + 1$, a formiga está autorizada a continuar com o projeto, presumindo-se que ela ainda o valorize. No entanto, a formiga está autorizada a abandonar o projeto conjunto para maximizar o valor impessoal. A formiga também está autorizada a abandonar o projeto de cooperação para perseguir algum novo projeto pessoal seu – até mesmo entrar em um novo projeto de cooperação com a aranha, uma inimiga declarada da abelha. Isso parece muito injusto para com a abelha.

Tanto o consequencialismo de satisfação quanto a visão híbrida reduzem as demandas do consequencialismo, limitando a nossa obrigação de promover o bem. No entanto, porquanto nenhuma das teorias incorpora quaisquer restrições além das suas prerrogativas, não há nada que o impeça de usar a sua liberdade de torturar, assassinar ou trair os seus amigos. Ambas as teorias tornam as objeções de *injustiça* ainda piores, mesmo que elas evitem as objeções de *exigência*. É claro que o consequencialismo simples também permite muitas ações moralmente duvidosas. Mas ele só o faz se você estiver visando maximizar o bem. Por outro lado, as nossas duas teorias consequencialistas moderadas lhe dão licença para assassinar, torturar ou trair na busca da realização dos seus próprios projetos pessoais, mesmo quando o resultado não maximize a felicidade humana considerada como um todo.

Outra opção que vale a pena explorar traria à baila o utilitarismo indireto – mantendo o utilitarismo tradicional como o nosso critério de correção, mas oferecendo o consequencialismo de satisfação ou a visão híbrida como o nosso processo decisório. Os consequencialistas costumam responder às objeções de injustiça e de exigência através de uma combinação de diferentes estratégias da seguinte maneira.

Honrando o valor

Os oponentes do consequencialismo juntam-se aos defensores do consequencialismo simples ao rejeitarem ambos o consequencialismo de satisfação e a visão híbrida como compromissos insatisfatórios. Opções sem restrições são insustentáveis. No entanto, uma lógica consequencialista para limitações ou restrições é difícil de encontrar. O único propósito de uma restrição é o de impedi-lo de fazer x mesmo que seu objetivo seja o de minimizar a quantidade de x que é feita. Você não pode cometer um assassinato para evitar vários outros assassinatos. Como podemos entender isso se a promoção é a única resposta racional ao valor?

Se os consequencialistas não podem justificar as restrições, então talvez nós devamos construir respostas não consequencialistas ao valor sobre os fundamentos da teoria moral. O nosso objetivo último é perguntar se estes fundamentos não consequencialistas podem ser combinados com o utilitarismo. No entanto, começamos com teorias explicitamente não utilitaristas, uma vez que a maioria dos não consequencialistas contemporâneos não é utilitarista.

Nos últimos duzentos anos de filosofia moral a promoção de valor tem sido frequentemente contrastada com uma resposta conhecida como *honrar* ou *respeitar* o valor. Às vezes a maneira apropriada de se responder ao fato de que algo é valioso não consiste em buscar produzir tanto dele quanto for possível, mas em respeitar as instâncias daquele valor que já existe, sempre que você o encontra. Honrar é especialmente pensado ser uma resposta apropriada ao tipo de valor encontrado nos seres humanos. Se você acha que a vida humana é valiosa, você deve respeitar a vida humana – por exemplo, nunca tirando uma vida humana, mesmo para salvar várias outras vidas. Se você empurra Albert na frente do bondinho, ou se você enforca uma pessoa inocente para evitar uma revolta, então você desonra a humanidade dessa pessoa.

A importância de se honrar o valor da humanidade foi o fundamento da teoria moral do grande filósofo alemão do século XVIII, Immanuel Kant. Ao longo dos últimos dois séculos a ética kantiana tem sido a principal opositora teórica ao utilitarismo, pelo menos nos círculos filosóficos acadêmicos. Kant deliberadamente apresenta a sua teoria em oposição às primeiras expressões britânicas do utilitarismo. O que é valioso acerca dos seres humanos não é que possamos sentir prazer ou dor, mas que tenhamos uma capacidade de autonomia racional – a habilidade de livremente viver as nossas próprias vidas em conformidade com a lei moral. Porque reconhece o valor da autonomia racional, a lei moral diz-me sempre para respeitar a liberdade humana e a racionalidade, tanto em mim mesmo quanto nas outras pessoas. Eu sempre deveria tratar cada pessoa como um fim em si mesmo, e não meramente como um meio para os meus próprios fins.

É importante notar que Kant não nega que você possa usar outra pessoa como um meio. Você simplesmente não pode tratá-los *apenas* como um meio. O exemplo clássico é o meu relacionamento com um lojista. A minha motivação para entrar nesta loja em particular provavelmente nada tem a ver com o respeito. Eu estou simplesmente buscando os meus próprios interesses. Se eu pudesse obter as mesmas mercadorias ao mesmo preço colocando dinheiro em uma máquina automática de venda ou comprando através da internet de um computador automatizado, então eu o faria. No entanto, tendo optado por usar os lojistas ao invés de máquinas automáticas de venda como o meio para os meus próprios fins, devo interagir com os lojistas de uma maneira que reconheça que, ao contrário de uma máquina, trata-se de agentes racionais. Eu deveria, portanto, negociar honestamente e com cortesia, e não de tentar furtar, ameaçar ou enganar. Se eu não puder usar os lojistas como meio sem violar o respeito, então eu não os devo usar absolutamente.

O homicídio obviamente não respeita uma pessoa como um fim em si mesmo, uma vez que a priva de qualquer capacidade futura de escolha racional ou liberdade. Menos obviamente, mentir é tão estritamente proibido quanto ele. Kant concentra-se nas minhas razões para mentir – na *máxima* que eu estaria seguindo se eu dissesse uma mentira. Se eu conto a alguém uma mentira, é provavelmente porque quero que essa pessoa faça alguma coisa que sei que ela não faria se soubesse a verdade. Por exemplo, suponha que Albert seja forte demais para que você possa empurrá-lo na frente do bondinho. Você sabe que se dissesse a verdade a Albert e pedisse-lhe que sacrificasse a sua vida, ele se recusaria. Então você engana Albert para que ele caminhe para a frente do bondinho, dizendo-lhe que há um tesouro enterrado sob a linha férrea e que nenhum bondinho está se aproximando. Eis aqui um exemplo mais plausível. Suponha que eu queira assistir a um concerto caro. Eu sei que você hesitaria em me emprestar o dinheiro se soubesse (como é de fato o caso) que eu não posso restituir-lhe. Então eu digo que quero investir o dinheiro, e prometo recompensá-lo na próxima semana. Ao reter uma informação crucial, eu o impeço de exercer adequadamente os seus próprios poderes de escolha. Eu o estou, portanto, tratando apenas como um meio para o meu fim. Na visão de Kant, devo fornecer a uma pessoa racional todas as informações relevantes e deixá-la tomar a sua própria decisão.

O compromisso de Kant em honrar o valor pode ser bastante extremo, como no seguinte exemplo notório – familiar a qualquer pessoa que tenha participado do primeiro ano de algum curso universitário de ética.

O assassino à porta

Os seus amigos estão se escondendo da polícia secreta no porão. Embora os seus amigos sejam completamente inocentes, você sabe que a polícia secreta os levará e os torturará até a morte. A polícia secreta bate a sua porta e perguntar se você sabe onde os fugitivos estão se escondendo. Esta é uma averiguação de rotina, e você é um cidadão respeitável, cuja ligação com os fugitivos é desconhecida. Se você mentir, a polícia secreta acreditará em você e irá embora. Você deve decidir se mente para a polícia secreta, ou diz-lhe a verdade e permite que os seus amigos sejam levados e assassinados. O que você deveria fazer?

Kant diz que você não deve mentir mesmo nestas circunstâncias. Os oficiais da polícia secreta são agentes autônomos racionais, e não máquinas ou ferramentas. Ao invés de usá-los como um meio para o seu fim (proteger os seus amigos), você deveria respeitá-los como fins em si mesmos. Você deveria contar à polícia secreta onde os seus amigos estão, e então tentar persuadi-los a não torturá-los. (Presumivelmente, você deveria fazer isso sem tentar persuadir a polícia secreta a mentir a pessoa alguma, inclusive aos seus superiores.)

A maioria das pessoas considera a visão de Kant louca. Certamente, considerando-se o que você sabe sobre as intenções da polícia secreta, a sua obrigação de não trair os seus amigos deveria triunfar sobre a sua obrigação geral de não contar mentiras. Se você disser a verdade, estará traindo os seus amigos. Isto dificilmente parece demonstrar muito respeito *por eles*. A resposta de Kant consiste em que você é responsável pelo que *você faz* (e pelas consequências imediatas das suas ações), mas você não é responsável pelas decisões de outros agentes racionais (ou pelas consequências dessas decisões). Parte da explicação para isso reside na Metafísica de Kant – que é notoriamente difícil de entender. Muito brevemente, Kant contrasta duas maneiras pelas quais você pode pensar acerca de um ser humano: como um objeto físico (sujeito às leis deterministas de causalidade e sujeito a manipulação e a utilização como meio como qualquer outro objeto físico), ou como um agente racional livre (cujas decisões não podem ser previstas e que não deveria ser manipulado). Se você mentir para os oficiais da polícia secreta, os tratará como ferramentas. Você é então responsável pelo resultado. (Suponha que você minta para os oficiais da polícia secreta. Eles passam imediatamente à casa seguinte, e então acontece de encontrarem os amigos na estrada fora da cidade. Porque você tratou a polícia secreta como um meio, você é agora responsável pelo fato de que os seus amigos são torturados.) Por outro lado, tratar alguém como um agente racional consiste em reconhecer que você não pode prever as suas ações. Então você não sabe como eles vão reagir à verdade. Em particular, você não pode saber de antemão que um agente racional deixará de fazer a coisa certa. Se você diz a verdade, então você não é responsável pelo resultado – não importa o que a polícia secreta escolha fazer.

Outros elementos do sistema filosófico de Kant tiram alguns dos ferrões dos seus intransigentes pontos de vista morais. Em particular, a crença de que a liberdade humana transcende o mundo determinista de causa e efeito é um dos três *postulados* da razão prática para Kant – três afirmações metafísicas que devemos adotar se quisermos entender as nossas obrigações morais. Os outros dois postulados são a existência de Deus e a imortalidade dos seres humanos. Já havíamos encontrado os postulados de Kant antes, em nossa discussão acerca do dualismo da razão prática de Sidgwick no capítulo 2. Embora o argumento de Kant seja altamente controvertido, as suas características básicas são as seguintes. As especulações teóricas são baseadas nos nossos conceitos, que são projetados exclusivamente para o mundo que experimentamos. Tal especulação não pode levar-nos além do mundo da experiência. Portanto, ela não pode nos dizer se Deus existe, ou se somos imortais. No entanto, a moral diz-me para almejar para a minha própria perfeição moral e um mundo justo. Essas demandas são incoerentes e irracionais a menos que haja uma vida após a morte presidida por uma divindade benevolente. A crença em Deus é moralmente necessária. Temos razões práticas para acreditarmos em Deus, e nenhuma razão teórica para não o fazer. Portanto, a crença em Deus é razoável. Se Deus estiver por detrás assegurando que a justiça vai prevalecer no final, então é razoável que eu me concentre no meu próprio dever e deixe as consequências cuidarem de si mesmas.

Como vimos no capítulo 2, Sidgwick rejeitou enfaticamente a solução de Kant ao dualismo da razão prática. A nossa necessidade de sistematizar a ética nos dá uma razão urgente para *esperar* que o universo seja amistoso e fornece uma motivação muito forte para se buscar evidências de simpatia, mas isso não é razão para acreditar que o universo *seja* realmente amigável. A maioria dos utilitaristas contemporâneos seguiu a Sidgwick aqui e não a Kant. Nós não podemos trazer Deus para tornar a ética coerente. Se não pudermos ter certeza de que Deus existe, então é simplesmente irresponsável deixar as consequências cuidarem de si mesmas.

A moderna "ética kantiana" também diverge de Kant quando se trata de Deus e da imortalidade – embora eles normalmente sigam Kant em sua ênfase na liberdade. O desafio para os kantianos modernos é tornar os pontos de vista de Kant sobre a mentira plausíveis fora do seu estranho sistema metafísico. Um lugar para se começar é o fato de que até mesmo o próprio Kant não adota consistentemente a visão extrema que é frequentemente atribuída a ele. Os seus escritos morais, como um todo, apresentam uma posição mais complexa e matizada. Às vezes a maneira apropriada de se respeitar a humanidade é promovendo o bem-estar dos outros, ou permitir-lhes perseguir os seus próprios projetos. Kant assim reconhece um dever de benevolência – o qual pode se tornar bastante exigente.

Como o consequencialismo, a ética de Kant é construída sobre um compromisso estrito com a imparcialidade. Isto claramente exclui qualquer papel fundamental para a parcialidade ou concessões ao autointeresse do agente. Kant inclui deveres positivos de ir ao auxílio dos outros. Ele distingue dois tipos de deveres: perfeitos e imperfeitos. A obrigação de não mentir é um dever perfeito, dizendo-lhe incondicionalmente exatamente o que fazer. Um dever perfeito exige certas ações específicas e exclui outras. Por outro lado, os deveres de benevolência são imperfeitos. Não há nenhuma ação específica que você deva executar para cumpri-los. O dever de ser benevolente exige que você execute *alguns* atos benevolentes, mas não lhe diz exatamente quais.

Estes deveres imperfeitos ameaçam proibir qualquer preocupação com a sua própria felicidade. Embora os deveres imperfeitos não superem os deveres perfeitos, eles presumivelmente buscam preencher o espaço que esses deveres deixam em aberto. Muitos padrões de comportamento são consistentes com a observância de todos os meus deveres perfeitos. Mas se eu for obrigado a dedicar toda a minha energia restante aos meus deveres imperfeitos, então a ética kantiana será extremamente exigente. Doar a maior parte dos meus rendimentos à caridade não se parece com uma falha de autorrespeito, ou uma violação de qualquer dever positivo. (A menos, claro, eu tenha feito uma promessa muito exigente. Por exemplo, se eu prometo dar todo o meu dinheiro a você, então eu tenho um dever positivo de *não* dá-lo a caridade. Mas isso dificilmente *reduziria* as exigências gerais da moralidade.) As exigências do kantismo são, portanto, muito semelhantes àquelas do consequencialismo.

Se decidirmos que uma teoria que apenas honra o valor é muito austera, podemos optar por uma teoria composta, na qual o valor seja por vezes honrado e por vezes promovido. Talvez alguns valores específicos (como a liberdade humana) sejam honrados, enquanto outros (como a felicidade humana) sejam promovidos. O desafio consistiria, então, em equilibrar os dois componentes. É possível que essa visão combinada possa resolver a objeção de injustiça encontrando um caminho intermediário entre o consequencialismo (que é demasiadamente complacente com a mentira ou o homicídio) e o kantismo puro (que é absolutamente restritivo). Mas, se o consequencialismo e o kantismo puro são ambos muito exigentes, é difícil ver como uma teoria que combine os dois possa ser menos exigente.

Outras respostas ao valor

Nos últimos anos alguns filósofos morais têm explorado uma série de outras respostas ao valor. Dois exemplos são a *expressão* e a *admiração*. Suponha que você acredite que a realização atlética seja valiosa. Em vez de *promover* a realização atlética (doando grandes somas de dinheiro ao programa atlético da sua universidade), ou *honrar* as realizações atléticas (beijando os pés de atletas de sucesso), você pode decidir *incorporar* ou *expressar* o valor da realização atlética tornando-se você mesmo um atleta bem-sucedido. Da mesma maneira, você pode responder ao valor do conhecimento adquirindo tanto conhecimento quanto possível. Ou suponha que certo tipo de beleza seja valioso. Você responde não produzindo beleza, nem respeitando a beleza, nem se tornando belo, mas *admirando* (ou talvez até mesmo adorando) a beleza que você encontra ao seu redor. Alguns valores demandam *apreciação* ao invés de *ação*.

Como vimos em nossa discussão acerca do utilitarismo indireto e do utilitarismo de regras no capítulo 6, os consequencialistas podem incorporar todas estas respostas alternativas como estratégias indiretas para promover o valor. Uma resposta não consequencialista a um valor pode até mesmo promover um valor diferente. Adorar a beleza e respeitar o atletismo pode ser a melhor maneira de maximizar a felicidade. Os consequencialistas defendem que, em uma teoria moral completa, devemos saber como equilibrar diferentes respostas uma contra a outra. Como é que decidimos entre promover um valor x, ou honrar um valor y, ou expressar um valor z? O consequencialismo indireto ou o de regras proveem maneiras simples de se equilibrar estas respostas, pelo menos na teoria. Por exemplo, um consequencialista de regras pode dizer que deveríamos imitar o padrão de respostas ao valor que, se adotado por todos, produziria as melhores consequências. Isso levaria a uma explicação consequencialista da virtude – na qual as virtudes são aqueles traços de caráter que produzem os resultados mais benéficos. Os não consequencialistas consideram este reconhecimento indireto como insuficiente. Honrar, expressar e admirar são respostas intrinsecamente adequadas ao valor cuja plena significância moral não pode ser capturada por paráfrases consequencialistas.

Será que os utilitaristas estão comprometidos com o consequencialismo?

Na filosofia moral contemporânea o utilitarismo é apresentado como uma versão do consequencialismo. O utilitarismo *é* consequencialismo (a moralidade promove valor) *mais* uma teoria do bem-estar (o valor é bem-estar humano agregado). Mas isso nem sempre foi verdade. Alguns dos primeiros utilitaristas (tais como William Godwin) claramente foram consequencialistas, mas a situação é muito menos clara com os outros. A característica que define o utilitarismo é a ideia de que a moralidade está preocupada com o bem-estar humano. Disso não se segue necessariamente que os utilitaristas estejam comprometidos com a promoção impessoal de bemestar agregado. Lembre-se (do capítulo 5) da objeção de Rawls de que o utilitarismo ignora a individualidade das pessoas. Esta queixa teria intrigado J.S. Mill, com a sua ênfase nos valores da individualidade e da liberdade, e o seu objetivo de proteger o indivíduo da tirania da maioria. A visão de Mill muitas vezes parece ser a de que o papel dos códigos morais e das instituições sociais é o de garantir que *cada pessoa* desfrute de uma vida plena, com uma liberdade pessoal adequada, inserido da tomada de decisão política e com conforto material. É, portanto, injusto criticar Mill (ou Bentham) por não provarem o *consequencialismo* (ou por não demolirem as objeções modernas ao consequencialismo), uma vez que essa nunca foi a sua intenção.

Suponha que definamos o *utilitarismo não maximizador* como a visão de que a ação correta (ou o código correto de regras, ou o conjunto correto de instituições) seja aquele que promove a felicidade humana para cada indivíduo, sem buscar maximizar o bem-estar total. O utilitarismo não maximizador parece evitar tanto a objeção de injustiça quanto a de exigência. Infelizmente os indivíduos não mais terão os seus direitos e interesses básicos sacrificados para fornecer pequenos benefícios para muitos outros, e ninguém é obrigado a sacrificar as suas próprias necessidades básicas para beneficiar os outros. No entanto, as coisas não são tão simples. E se não pudermos prover uma vida que valha a pena para todos? E se tivermos que escolher entre as injustiças? Mesmo que já não tenhamos que matar uma pessoa para salvar muitas outras da inconveniência (como no conto do jogo de futebol), nós ainda podemos ter que matar uma para evitar um motim no qual muitos seriam mortos (como no conto do xerife). Enquanto algumas necessidades básicas das pessoas não são satisfeitas, esta nova teoria também ameaça colocar exigências extremas sobre aqueles cujas necessidades básicas estão relativamente seguras. Precisamos de mais orientação sobre como equilibrar necessidades ou interesses conflitantes. O utilitarismo não maximizador não nos diz como resolver todos os conflitos complexos descobertos pelos nossos contos. Mas talvez ele forneça um princípio orientador para a reforma social – um que respeite a individualidade das pessoas. O utilitarismo não maximizador poderia, assim, ser uma maneira frutífera de avançar para aqueles utilitaristas modernos que queiram evitar os quebra-cabeças e as exigências do consequencialismo moderno. Outra vantagem consiste em que, porque rejeita a agregação e a maximização, o utilitarismo não maximizador pode ser mais fácil de aplicar ao mundo real do que o tradicional consequencialismo maximizador. Conforme veremos agora, isso pode ser uma vantagem bastante significativa.

Pontos-chave

- O consequencialismo diz que a ação correta é aquela que produza o maior valor – qualquer que seja a definição de valor que utilizemos.

- Os utilitaristas tanto podem ser consequencialistas quanto não consequencialistas.

- Os consequencialistas tanto podem ser utilitaristas quanto não utilitaristas.

- O consequencialismo de satisfação diz que apenas somos obrigados a produzir um resultado suficientemente bom.

- A visão híbrida suplementa o consequencialismo com prerrogativas centradas no agente, permitindo-nos conferir um peso desproporcional aos nossos próprios interesses.

- Tanto o consequencialismo de satisfação quanto as visões híbridas têm dificuldade em acomodar a distinção entre fazer e permitir.

- A ética kantiana concentra-se em honrar o valor (especialmente o valor dos agentes racionais), ao invés de promovê-lo.

8

Praticidade

Uma crítica permanente ao utilitarismo tem sempre sido a de que, porquanto se baseia em cálculos precisos de utilidade, é impraticável. Este capítulo explora essa objeção, com um enfoque nas seguintes questões. Como será que o utilitarismo lida com a incerteza? Será que a utilidade pode ser medida? Será que o utilitarismo pressupõe que a utilidade possa ser medida? Se a utilidade não puder ser medida precisamente, que orientação o utilitarismo pode oferecer?

A objeção prática ao utilitarismo é simples.

1) O utilitarismo diz-nos para maximizar a felicidade humana.

2) Portanto, se não soubermos o que maximizaria a felicidade humana, então não podemos saber o que o utilitarismo nos diz para fazer.

3) Mas não temos a menor ideia de como maximizar a felicidade humana.

4) Portanto, não temos a menor ideia do que o utilitarismo nos diz para fazer.

Exploramos várias respostas utilitaristas a esta objeção, e o seu impacto sobre a forma do utilitarismo. Dois tipos de incerteza atormentam o utilitarismo, uma vez que não sabemos o que *vai* acontecer (incerteza prática), e não sabemos como *avaliar* o que vai acontecer (incerteza acerca dos valores). Começamos com a incerteza prática.

Atualismo *versus* probabilismo

> **Dois botões I**
> O gênio maligno o trancou em uma sala com dois botões (X e Y). Para fugir você deve pressionar um dos botões. O seu amigo inocente, Bertoldo, está amarrado a uma cadeira elétrica em outra sala. Independentemente, um computador gera um número aleatório de 1 a 100. Se você pressionar o botão X e o número for 100, então Bertoldo é eletrocutado. Se você pressionar X e o número não for 100, então Bertoldo é liberado ileso. Se você pressionar Y e o número for 100, então Bertoldo é liberado ileso. Mas, se você pressionar Y e o número não for 100, então Bertoldo é eletrocutado. Suponha que você pressione o botão X e o número selecionado seja 100. Bertoldo é eletrocutado. Será que você fez a coisa errada?

Este conto simples ilustra uma objeção comum ao utilitarismo. O utilitarismo diz que você deveria ter pressionado o botão Y, uma vez que isso teria salvado Bertoldo e, assim, produzido o melhor resultado. Mas você não poderia ter sabido disso com antecedência, uma vez que a máquina é completamente aleatória. Com efeito, *ninguém* poderia ter sabido o que você deveria fazer. O utilitarismo é, portanto, tanto injusto quanto totalmente inútil. Este problema surge constantemente na vida real, uma vez que nunca conhecemos todas as consequências antecipadamente.

A resposta utilitarista mais comum consiste em distinguir entre os *resultados reais* e os *resultados prováveis*. O utilitarismo *atualista* diz que você agiu erradamente, uma vez que as coisas teriam sido melhores se você tivesse pressionado o outro botão. Por outro lado, o utilitarismo *probabilista* diz que você agiu corretamente, uma vez que pressionar o botão X conduziria muito mais provavelmente a bons resultados do que pressionar o botão Y. A maioria dos utilitaristas baseia os seus juízos de certo e errado em probabilidades e não nos resultados reais. Infelizmente, isso leva a muitas novas dificuldades. Os utilitaristas atualistas avaliam as ações simplesmente comparando os valores das consequências delas resultantes. Utilitaristas probabilistas enfrentam uma tarefa mais complexa, uma vez que devem considerar tanto o valor de cada resultado quanto a sua probabilidade. Há muitas maneiras diferentes de se avaliar as ações usando tanto valores quanto probabilidades. Aqui estão as três mais simples.

1) *Maximin* – O valor de uma ação é o valor do pior resultado que ela possa produzir. Se eu ficar em casa, o pior resultado possível é o tédio. Se eu sair, o pior resultado possível é a morte em um acidente de trânsito. Ficar em casa é a melhor opção.

2) *Valor esperado* – Multiplicarmos o valor de cada resultado possível pela sua probabilidade, e então adicionamos ambos os resultados. A maneira mais simples de ilustrar esta ideia é com o dinheiro. Suponha que a opção A ofereça uma chance de 50% de R$ 100,00 e uma chance de 50% de R$ 200,00, enquanto a opção B oferece uma chance de 99% de R$ 0,00 e 1% de chance de R$ 1.000.000,00. O valor esperado da opção A é (0,5 × 100) + (0,5 × 200) = 150. O valor esperado da opção B é (0,99 × 0) + (0,01 × 1.000.000) = 10.000. Então B é a melhor opção.

3) *Maximax* – O valor de uma ação é o valor do melhor resultado que ela possa produzir. Se eu assistir televisão, o melhor resultado possível é uma diversão leve. Se eu jogar todas as minhas economias e todo o meu crédito disponível na internet, o melhor resultado possível é que eu ganho uma fortuna. Um jogo de alto risco é a melhor opção. (Eu deveria também responder a todos os e-mails anônimos oferecendo-me R$ 50.000.000,00 em troca de detalhes da minha conta bancária – porque podem ser verdadeiros).

Maximin e maximax são ambos duvidosos. Se eu seguir essas estratégias, ou vou assumir tão poucos riscos que simplesmente não viverei, ou tantos riscos que a minha vida quase certamente será destruída. A maioria dos utilitaristas prefere o valor esperado. A ação correta é aquela com o mais alto valor esperado. Em nosso exemplo anterior, o método do valor esperado pode parecer fornecer a resposta errada. Imagine que você não tenha absolutamente nenhum dinheiro, exceto aquele que você vai receber da opção que você escolher. Na vida real, a maioria das pessoas escolheria a opção A (que lhe garante pelo menos R$ 100,00) em vez da opção B (que quase certamente o deixará com nada). Se o método do valor esperado diz-lhe para optar por B, será que isso não prova tratar-se de um procedimento decisório ruim?

Os utilitaristas responderão que, embora tenhamos *ilustrado* o método do valor esperado usando dinheiro, deveríamos *aplicá-lo* utilizando o bem-estar em vez de dinheiro. A maioria das pessoas experimenta *retornos marginais decrescentes* do dinheiro. Se você começa com nada, então os primeiros R$ 100,00 produzirão uma grande melhoria no seu bem-estar; ao passo que um aumento de R$ 100,00 poderia ter quase nenhum impacto sobre o bem-estar de alguém que já tem R$ 1.000.000,00. Para dar um exemplo numérico artificialmente exato, suponha que você atribua os seguintes valores de bem-estar aos vários resultados possíveis.

R$	Bem-estar
0,00	0
100,00	10
200,00	15
1.000.000,00	25

Se calcular o valor esperado das duas opções usando esses valores de bem-estar, você obtém um resultado muito diferente. O valor esperado da opção A é $(10 \times 0,5) + (15 \times 0,5) = 12,5$, enquanto o valor esperado da opção B é $(0 \times 0,99) + (25 \times 0,01) = 0,25$. Portanto, a opção A é muito melhor.

Mas agora considere uma loteria diferente, com os mesmos valores de bem-estar associados a cada soma de dinheiro. A opção C oferece 70% de chance de R$ 200,00 e uma chance de 30% de R$ 0,00 enquanto a opção D oferece 100% de chance de R$ 100,00. Em termos de bem-estar, o valor esperado da opção C é (0,7 x 15) + (0,3 × 0) = 10,5. O valor esperado da opção D é (1,00 × 10) = 10. Assim, de acordo com o método do valor esperado, C é a melhor opção. Algumas pessoas ainda prefeririam D, uma vez que garante que você vai ter um bem-estar de 10, enquanto C não o terá. Se esta for sua reação, então você pode querer um procedimento decisório mais *avesso a riscos* do que o método do valor esperado – talvez alguma fórmula complicada combinando elementos tanto do valor esperado quanto do maximin.

Probabilidades objetivas *versus* subjetivas

> **Dois botões II**
> O gênio maligno o enganou. O botão X confere a Bertoldo uma chance de 1% de sobrevivência e o botão Y uma chance de 99%. Mas você equivocadamente acredita que o botão X confere a Bertoldo uma chance de 99% de sobrevivência e o Y botão apenas uma chance de 1%. Então você pressiona o botão X. A máquina seleciona um número diferente de 100, e Bertoldo é eletrocutado. Será que você fez a coisa errada?

Uma vez que tenhamos decidido como utilizaremos as probabilidades, devemos em seguida decidir *quais* probabilidades. Este novo conto ilustra uma nova objeção que agora surge. O botão Y conferiu a maior probabilidade de sucesso. Assim, o utilitarismo diz que você deveria pressionar o botão Y. Mas você não poderia ter sabido disso com antecedência, uma vez que o gênio maligno é a sua única fonte de informação. Portanto, o utilitarismo é ainda injusto e inútil. Em resposta, os utilitaristas distinguem entre probabilidades *objetivas* e *subjetivas*. O utilitarismo *objetivo* diz que você agiu errado, uma vez que Y tinha de fato uma probabilidade de 99% de conduzir a eletrocussão. Por outro lado, o utilitarismo *subjetivo* diz que você agiu certo, uma vez que Y tinha a menor probabilidade de dano *segundo a medida do que você sabia*. Alguns utilitaristas confiam inteiramente em probabilidades subjetivas. Afinal, qual poderia ser a relevância de probabilidades acerca das quais nada se sabe? Outros usam ambas as probabilidades objetivas e subjetivas para diferentes propósitos. Por exemplo, alguns utilitaristas usam probabilidades objetivas para identificar a *correção* de uma ação, mas usam probabilidades subjetivas para *elogiar* e *acusar* as pessoas. A ação correta confere a maior probabilidade *objetiva* de felicidade humana. Mas você deveria não ser acusado se escolhesse a ação que você *acreditava* conferir a mais alta probabilidade objetiva de felicidade humana. Se você tenta fazer a coisa certa, então deve ser elogiado, não acusado – mesmo se, devido à sua ignorância das probabilidades, você não tiver conseguido fazer a coisa certa.

Dois botões III

Você está no quarto com dois botões. Existe um manual de instruções sobre a mesa. Você não leu o manual de instruções. Portanto, você não tem a menor ideia de qual botão pressionar. Você raciocina da seguinte maneira. "Dada a minha ignorância, cada botão tem uma chance de 50% de ser o correto. Portanto, a probabilidade subjetiva de se obter o resultado correto é a mesma para cada opção, e produzem a mesma felicidade humana subjetiva esperada. Portanto, não importa qual opção que eu escolho." Será que você fez a coisa errada?

Este conto ilustra uma questão intrigante suscitada pela distinção entre as probabilidades subjetivas e objetivas: a *ignorância culpável*. O seu comportamento neste conto é claramente errado. Se você seleciona um botão de forma aleatória sem se preocupar em ler o manual de instruções, então é claro que você deve ser responsabilizado por imprudentemente pôr em perigo o seu amigo na cadeira elétrica. Será que isso significa que você não deva absolutamente confiar em probabilidades subjetivas?

Um utilitarista responderá que você descreveu equivocadamente a sua situação. Você está pensando que tem duas opções: pressionar o botão X ou o Y. Mas isso é muito simples. Você obviamente tem uma terceira opção: ler o manual de instruções e *então* escolher qual botão apertar. Porquanto você não tem conhecimento do funcionamento da máquina, você sabe que a leitura do manual de instruções melhorará as suas chances de fazer a coisa certa. Por conseguinte, esta nova opção oferece melhores probabilidades subjetivas do que qualquer alternativa. Portanto, você deve ser responsabilizado. (Em contrapartida, se estivesse certo de que o livro não era um manual de instruções, então você não seria responsabilizado por não lê-lo.)

Comparações intrapessoais

Suponha que aceitemos que os utilitaristas podem evitar muitas objeções deslocando o seu foco dos resultados reais para as probabilidades subjetivas. Voltamo-nos agora para uma série de objeções ao utilitarismo que incidem sobre a medição do bem-estar humano. Essas objeções surgem mesmo se soubermos exatamente quais resultados cada ação possível produziria. Começamos com o caso mais simples, no qual as suas ações impactam sobre apenas uma pessoa. Se o utilitarismo não conseguir lidar com este caso, então não poderá esperar ser uma teoria plausível.

> **A câmara de isolamento**
> Jane sofre de uma deficiência do sistema imunológico que exige que ela viva em uma câmara de isolamento. Você é o seu único elo com o mundo exterior. A sua decisão não tem qualquer impacto sobre o seu próprio bem-estar. Como uma utilitarista, você almeja basear a sua decisão apenas no bem-estar de Jane. O que você deveria fazer?

Às vezes o impacto sobre o bem-estar de Jane é relativamente fácil de estimar. Você deve abster-se de dar-lhe choques elétricos, alimentá-la com cápsulas de cianeto ou atacá-la com um facão. Como um filósofo familiarizado com bizarras experiências de pensamento de ficção científica, você sabe que é *concebível* que Jane tenha um metabolismo tão estranho que choques elétricos lhe dão prazer, cianeto é bom para a sua digestão, ou um ataque de facão faria com que seus membros voltassem a crescer saudáveis e fortes. No entanto, você sabe o suficiente sobre os seres humanos em geral para saber que eletrocussão, cianeto ou amputação quase certamente não melhorará o bem-estar ou a saúde de Jane. Uma vez que o seu utilitarismo usa probabilidades subjetivas ao invés de resultados reais, você pode desconsiderar essas possibilidades bizarras.

Outros casos são mais difíceis. Suponha que você tenha um quilo de chocolate e um quilo de morangos. O robô usado para transferir itens para a câmara de isolamento é muito delicado, e só pode entregar um quilo de comida por dia. Você deve decidir entre dar a Jane o chocolate ou o morango. Ou suponha que Jane tenha conseguido se inscrever em dois cursos profissionais a distância, mas só tenha tempo para estudar em um deles. Você deve decidir entre oferecer-lhe uma carreira como filósofa ou como um dentista.

Informações gerais sobre os seres humanos não parecem tão úteis aqui. Suponha que você descubra que 60% das pessoas preferem chocolate, enquanto 40% preferem morangos, e que 70% das pessoas preferem a odontologia à filosofia, enquanto 30 preferem a filosofia à odontologia. Isso não lhe confere informações suficientes. (Suponha que você estivesse decidindo não apenas para Jane, mas para todos no mundo. Será que você ofereceria chocolate a todos no mundo e os tornaria em dentistas? Este dificilmente parece o resultado correto.)

A melhor resposta utilitarista é a seguinte. Se você não puder obter *nenhuma* informação individual sobre Jane, então você *deve* usar a informação estatística geral e oferecer-lhe o chocolate e a odontologia. (Isso tem o bônus adicional de, quando o chocolate destruir os seus dentes, ela ser capaz de consertá-los.) De que outra maneira você poderia decidir? Por outro lado, o seu conhecimento acerca da natureza humana diz-lhe que informações sobre Jane iriam aumentar consideravelmente as suas chances de tomar a decisão certa para ela. Portanto, você deve se esforçar em adquirir essas informações. Você pode estudar a fisiologia de Jane (para prever o impacto do chocolate ou dos morangos sobre a sua saúde geral ou prazer), ou administrar vários questionários, ou estudar as escolhas de consumo e de carreira dos parentes de Jane (para ver se ela tem alguma predisposição genética para morangos ou filosofia). Mesmo se nenhuma dessas informações estiver disponível, você ainda pode evitar depender de informações estatísticas gerais. Isto se dá porque uma fonte de informação está sempre disponível para você. Você poderia oferecer à própria Jane uma *escolha* entre chocolate e morangos, ou entre a filosofia e a odontologia, e deixá-la decidir o que escolher. Se ela escolher o chocolate em detrimento dos morangos, então o chocolate aumenta o seu bem-estar mais do que os morangos.

É óbvio que um utilitarista que adote uma teoria do bem-estar baseada na preferência vai querer oferecer a Jane aquilo que ela quer. No entanto, a grande beleza desta estratégia é que ela funciona, qualquer que seja a sua teoria do bem-estar. Os hedonistas não são diretamente interessados nas preferências ou nas escolhas de Jane. Eles querem maximizar o prazer de Jane. Entretanto, se Jane está mais bem situada do que você para julgar o que lhe dará prazer, então o fato de preferir morangos é a melhor prova que você poderia ter de que os morangos são melhores para ela. Como você poderia esperar, as coisas são potencialmente mais complicadas para os teóricos da lista objetiva. Ainda que a escolha esteja em nossa lista, outros itens da lista podem ser mais bem servidos por uma opção que Jane não prefere. Em teoria, é possível que a odontologia constitua uma realização mais genuinamente interessante do que a filosofia, e que essa vantagem supere as próprias preferências de Jane. Se Jane prefere filosofia, então ela pode simplesmente estar enganada. No entanto, como vimos no capítulo 4, é extremamente improvável que qualquer teoria plausível da lista objetiva substitua as opções de Jane. A maioria das listas confere importância tanto ao prazer quanto à preferência. Portanto, a teoria da lista objetiva geralmente coincidirá com o hedonismo e com a teoria da preferência, especialmente quando as duas últimas teorias concordarem. Se Jane prefere chocolate e tem mais prazer com ele, então é quase certamente melhor para ela. Além disso, a maioria dos modernos teóricos da lista confere um peso especial à autonomia e à escolha. Alguns vão tão longe ao ponto de dizer que uma vida não pode ser valiosa a menos que a pessoa a escolha. Nesta visão, mesmo se odontologia fosse geralmente muito melhor do que filosofia, a filosofia escolhida deve prevalecer sobre a odontologia forçada.

Até agora temos retratado os utilitaristas como aqueles que tentam maximizar o bem-estar entendido em termos de uma teoria definitiva. Na prática, a maioria dos utilitaristas contemporâneos não tem certeza de exatamente qual explicação do bem-estar está correta. Ao permitirmos que as pessoas tomem as suas próprias decisões podemos maximizar o bem-estar humano, mesmo que não tenhamos certeza daquilo *em que* o bem-estar humano *consiste*.

Isso vale para o caso mais simples. Outras dificuldades surgem quando mais de uma pessoa está envolvida. A maioria das objeções comuns ao utilitarismo surge quando só podemos fornecer um benefício para uma pessoa impondo um custo sobre outras (sejam terceiros ou nós mesmos). Na verdade, problemas surgem mesmo quando não há custos envolvidos, e precisamos decidir a quem beneficiar.

As duas câmaras de isolamento
Você tem dois pacientes em câmaras de isolamento separadas: Jane e Jerry. Você te um quilo de chocolate e um de morangos. Por algumas razões técnicas que são entediantes demais para se explicar aqui, você deve dar todo o chocolate para uma pessoa e todos os morangos para a outra. O que você deveria fazer?

A sua escolha seria mais fácil se um paciente preferisse chocolate enquanto o outro morangos, ou chocolate fosse particularmente ruim para um paciente. Infelizmente, ambos preferem chocolate aos morangos – e nenhum dos pacientes tem alguma alergia a chocolate ou um problema de colesterol. Você também tem uma bolsa de estudos de odontologia e uma de filosofia. Jane e Jerry preferem a odontologia à filosofia. Como uma utilitarista, você quer maximizar o bem-estar humano. Então você deve perguntar: Quem vai obter *mais* bem-estar recebendo o chocolate ao invés dos morangos? Quem vai se beneficiar *mais* da oportunidade de se tornar um dentista ao invés de um filósofo?

Você precisa de mais informações e sabe quem prefere o quê. Você deve agora descobrir as vantagens comparativas das suas preferências e fazer uma comparação *inter*pessoal. Não é suficiente saber que Jane fica melhor com o chocolate do que com os morangos. Você deve saber *quão* melhor. Você deve comparar o resultado no qual Jane recebe o chocolate e Jerry recebe os morangos com o resultado no qual Jerry recebe o chocolate e Jane os morangos. Um problema óbvio consiste em que você não pode dizer, observando as escolhas das pessoas, se elas consideram uma escolha particular como sendo muito importante ou completamente trivial. Talvez Jane fosse quase tão feliz com a filosofia quanto com a odontologia, enquanto Jerry estará com o coração partido, a não ser que realize o seu sonho odontológico de infância.

Poderemos começar com duas comparações *intra*pessoais. Suponha que você coloque a cada um dos seus pacientes a seguinte pergunta. "Se você fosse capaz de escolher, seja o que vai comer ou a sua carreira (mas não ambos), o que você escolheria?" Isso nos dirá se comer chocolate (em oposição a morangos) é mais importante para Jane do que se tornar uma dentista (em vez de uma filósofa). Este teste pode ajudar, uma vez que pessoas diferentes valorizam coisas diferentes. Talvez a comida seja mais importante para

Jane, enquanto Jerry se preocupa mais com a opção de carreira. Mas suponha que ambos os pacientes se preocupem mais com o que comem do que com aquilo que estudam. Ambos preferem chocolate e filosofia a morangos e odontologia. Você precisa de informações mais detalhadas. Precisa saber quão mais importante cada decisão é para cada pessoa.

Outra solução consiste em medir as preferências de diferentes pessoas em uma moeda comum. Suponha que você dê a Jane e Jerry R$ 100,00 cada. Você então pergunta-lhes quanto dinheiro gastariam para comprar o direito de decidir quem come o quê, e quanto gastariam para decidir a sua carreira. Suponha que Jane aloque R$ 67,00 para a escolha da comida e R$ 33,00 para a escolha da carreira, enquanto aloca Jerry R$ 80,00 para comida e R$ 20,00 para a carreira. Você pode concluir que a escolha da comida é quatro vezes mais importante para Jerry, mas apenas duas vezes mais importante para a Jane. Portanto, Jerry deve escolher a comida e Jane deve escolher a carreira.

Esta solução pressupõe que a força da preferência total de uma pessoa seja a mesma que a de outra pessoa. Mas isso pode não ser verdade. Suponha que Jane tenha preferências muito fortes acerca de *tudo*, enquanto *todas* as preferências de Jerry sejam fracas. O bem-estar será maximizado se Jane tomar cada uma das decisões. (Isto parece um pouco injusto para com Jerry, mas pelo menos ele não vai se importar tanto.) Você poderia pensar que esse problema só surge em uma explicação do bem-estar baseada na preferência em conta do bem-estar. Mas deveríamos notar que o mesmo problema também pode surgir em uma visão hedonista. Atividades diárias podem dar a Jane grandes prazeres e dores, mas deixam Jerry relativamente inalterado.

Como podemos saber se Jane tem preferências mais fortes do que Jerry? Não podemos olhar para como ela aloca o seu dinheiro, porque conceder a ambos a mesma quantia de dinheiro presume que a sua força de preferência total seja igual. Uma solução comum é alocar bens com base no esforço. Suponha que você use um concurso para determinar carreiras. A pessoa com a preferência mais forte vai trabalhar mais, de modo que o bem-estar é maximizado se essa pessoa receber a carreira de dentista. Se Jane tiver preferências muito mais fortes acerca de tudo, então ela vai trabalhar mais e fazer melhor. Podemos, então, alocar outros bens, atribuindo uma renda maior à carreira mais desejável. Jane, porque tem trabalhado mais, merece o patrimônio de um dentista. O seu dinheiro então compra todas as outras coisas que ela quer.

Mesmo esta estratégia não é infalível. Dissemos anteriormente que Jane tem preferências muito fortes acerca de *tudo*. Suponha que ambos, Jane e Jerry, prefiram assistir televisão a estudar. A preferência de Jane pela televisão é muito forte. A preferência de Jerry pela odontologia em detrimento da filosofia é fraca, mas a sua preferência pela televisão em detrimento do estudo é ainda mais fraca. Jerry trabalha ainda mais – não porque ele se preocupe mais com a odontologia, mas porque não se incomoda muito em estudar. Portanto, o sistema de concurso não maximizará o bem-estar.

Isso leva-nos a outra objeção ao utilitarismo. Neste caso – no qual Jane realmente tem preferências fortes a respeito de tudo – o bem-estar seria maximizado se Jane assistisse televisão enquanto Jerry estudasse, e Jerry então fizesse o exame em nome de Jane, permitindo-lhe tornar-se uma dentista. Isso parece muito injusto para com Jerry, sugerindo que maximização do bem-estar não seja uma meta desejável. Como será que os utilitaristas deveriam reagir?

Uma alternativa para o utilitarista – no espírito da rejeição utilitarista clássica do ceticismo radical – consistiria simplesmente em dizer que, na prática, não vale a pena preocupar-se com possibilidades céticas extremas (Como podemos ter certeza de que as preferências de A não sejam *todas* duas vezes mais fortes do que as de B? Como podemos ter certeza de que A não obtém duas vezes mais prazer *em tudo* do que B?). Talvez os utilitaristas não tenham garantia contra esse ceticismo, mas quem tem? Uma alternativa consiste em considerar a presunção de igual força de preferência total como um *compromisso moral*, e não uma afirmação empírica. Nós damos a cada pessoa R$ 100,00, não porque acreditemos que as suas preferências sejam igualmente fortes, mas porque consideramos as suas vidas como igualmente importantes. Temos por objetivo a distribuição mais justa e melhor de bem-estar, não o máximo bem-estar humano total.

Isso pode parecer uma divergência do utilitarismo. Se definirmos o utilitarismo em termos da maximização do bem-estar agregado, então isso talvez esteja correto. No entanto, poderíamos adotar uma definição mais ampla, ligando o utilitarismo à promoção do bem-estar sem exigir maximização ou agregação. Vimos um exemplo no capítulo anterior, quando discutimos o utilitarismo não maximizador. Esta perspectiva combinaria muito bem com a nossa atual sugestão de que, especialmente ao escolher políticas públicas, os utilitaristas deveriam conferir a cada pessoa um peso igual. Isso certamente está em conformidade com o ditado que Mill atribui a Bentham como expressão da essência da tradição utilitarista: "Cada um conta como um, e nenhum como mais de um".

Os oponentes podem questionar se o utilitarismo não maximizador realmente pode evitar os compromissos do utilitarismo maximizador. Para exemplo, mesmo sob o utilitarismo não maximizador somos muitas vezes obrigados a alocar bens entre agentes concorrentes. Portanto, ainda precisamos de robustas comparações de bem-estar interpessoal.

O utilitarismo exige ainda outra dimensão de comparação interpessoal, decorrente do fato de que a maioria dos utilitaristas enfoca probabilidades ao invés de resultados reais. Podemos ilustrar esta nova dimensão usando outro novo conto.

> **As duas câmaras de isolamento II**
> Você tem chocolate para dar a Jane ou a Jerry, os quais gostam ambos de chocolate. Uma vez que Jane gosta mais de chocolate do que Jerry, você o quer dar a ela. Infelizmente, o robô que serve a câmara de isolamento de Jane é muito menos confiável do que o robô de Jerry. Há uma chance de 50% de o robô de Jane explodir, destruindo o chocolate. Portanto, você deve escolher entre uma chance de 50% de chocolate para Jane e uma chance de 100% de chocolate para Jerry. O que você deveria fazer?

Suponha que comer chocolate aumente o bem-estar de Jane em x, enquanto aumente o bem-estar de Jerry em y (onde $x > y$). Se você tentar enviar o chocolate a Jane, o valor esperado será $x/2$. Se você o enviar a Jerry, o valor esperado será y. Se você almejar maximizar o bem-estar esperado total, então você agora precisa saber se $x/2$ é maior do que y. Será que Jane obtém do chocolate mais do que o dobro de bem-estar do que Jerry? Se ela o fizer, então você deve assumir o risco. Se não, então você não deve arriscar, mas dar a Jerry todo o chocolate.

Em termos técnicos, você precisa de uma escala *cardinal* de bem-estar, não apenas de uma escala *ordinal*. Para ilustrar essas noções, suponha que você esteja medindo o peso de objetos. Você pode começar com um conjunto muito simples de escalas, no qual você coloca dois objetos em lados diferentes e observa qual deles cai no chão. Este dispositivo de medição provê uma escala *ordinal*. Se tiver tempo, você pode comparar cada objeto do par e colocá-los em ordem, do mais pesado para o mais leve. No entanto, esta é a única informação que você reunirá. Você não pode comparar diferenças entre objetos. Você tem informações ordinais, mas não informações cardinais. Em contrapartida, se você tiver um conjunto moderno de balanças de banheiro, então você pode medir diretamente o peso de cada objeto. Isso permite que você compare as diferenças entre os pesos.

De nada vale que o mesmo problema possa surgir até mesmo para um único indivíduo. Suponha que você esteja usando o robô para transportar a sua própria comida. Porque o chocolate interfere nos circuitos do robô, você deve escolher entre uma chance de 50% de chocolate e uma chance de 100% de morangos. Será que o chocolate é duas vezes mais importante do que os morangos? No caso de uma pessoa, podemos responder a esta pergunta simples oferecendo-lhe uma escolha entre uma chance de 50% de chocolate e uma chance de 100% de morangos. Se você aceitar o jogo, então o chocolate será pelo menos duas vezes mais valioso para você do que os morangos; caso contrário não será. Se tivermos que comparar as preferências de diferentes pessoas, então talvez possamos estender esta solução ao caso de muitas pessoas.

Mesmo uma escala cardeal pode não nos fornecer todas as informações de que precisamos. Podemos introduzir um problema restante, contrastando a medição de peso com a de temperatura. Tanto a escala Fahrenheit quanto a Celsius fornecem informações cardeais. Ambas as escalas podem dizer-lhe não só que a Flórida é mais quente do que o Canadá, mas também que a diferença de temperatura entre a Flórida e o Canadá é maior do que a diferença entre a Inglaterra e a Escócia. No entanto, nem a escala Fahrenheit nem a Celsius podem dizer-lhe se a Flórida é *duas vezes mais* quente do que o Canadá. Isto porque, em ambas as escalas, o ponto zero é escolhido arbitrariamente. (Por exemplo, 20 °Celsius parecem duas vezes mais quentes do que 10 °Celsius. Mas se convertermos essas temperaturas exatas para Fahrenheit, teremos 50 e 68, e esta última não mais parece duas vezes mais quente). As balanças do seu banheiro, por outro lado, fornecem essa informação extra porque, ao contrário das escalas de temperaturas, o seu ponto zero não é arbitrário. Você pode dizer que o seu gato seja duas vezes mais pesado do que o seu cão. O conto a seguir sugere que também precisamos de um nível zero não arbitrário quando estivermos lidando com o bem-estar humano.

> **As duas câmaras de isolamento III**
> Jane e Jerry estão presos em suas câmaras de isolamento. Devido a uma falha de energia, ambos estão ficando sem oxigênio. Você só tem um robô forte o suficiente para salvar um ser humano. Não há tempo para salvar ambas as pessoas. Jane é mais feliz do que Jerry. Ela vai desfrutar de mais felicidade por ano do que Jerry. No entanto, os trilhos para a câmara de isolamento de Jane estão danificados. Há uma chance de 50% de o robô funcionar mal no caminho, e ambos morrerão. Você deve escolher entre uma chance de 50% de salvar Jane e a certeza de salvar Jerry. Portanto, você deve descobrir se Jane desfrutaria pelo menos duas vezes mais felicidade (pelo resto de sua vida) do que Jerry. Como você poderia obter essa informação?

Será que o utilitarismo é capaz de lidar com o mundo real?

Até agora neste capítulo – e durante a maior parte deste livro – nós temos aplicado o utilitarismo de atos a contos muito simples. Isto se dá porque o nosso enfoque tem sido sobre questões teóricas, e temos estado preocupados em provar, pelo menos, que as medidas exigidas pelo utilitarismo não são teoricamente impossíveis. No entanto, muitos utilitaristas modernos aplicam o teste utilitarista não apenas a atos isolados ou procedimentos decisórios individuais, mas a avaliação de códigos de regras inteiros, ou as instituições sociais de toda uma sociedade. Os opositores argumentam que, no complexo mundo moderno, a incerteza deve paralisar o utilitarismo. Há duas razões para isso.

1) *Não podemos obter informações sobre o bem-estar de todos* – Ninguém pode obter informações confiáveis acerca do bem-estar de um grande número de pessoas, uma vez que não podemos realizar estudos detalhados das preferências individuais ou construir elaborados leilões artificiais em populações inteiras. Mesmo se soubéssemos exatamente o que aconteceria se promulgássemos um código de regras, não podemos esperar medir o bem-estar agregado.

2) *Não podemos prever o impacto de ações individuais, e muito menos de códigos de regras completos* – Esta objeção se aplica especialmente ao utilitarismo de regras ou ao institucional. Mesmo uma perfeita medição do bem-estar seria inútil, uma vez que não sabemos o que aconteceria se todos seguissem um conjunto de regras ao invés de outro. O impacto da adoção de novas regras morais ou instituições através de uma sociedade inteira não pode ser calculado.

Os utilitaristas têm duas respostas principais a este par de oposições: eles podem buscar suplentes para o bem-estar, ou defender uma teoria mais moderada tal como o utilitarismo fragmentado ou o conservador. Começamos com a primeira opção. Muitas vezes podemos saber que um resultado é melhor do que o outro, mesmo quando não podemos medir com precisão o bem-estar. Fazemos isso medindo *suplentes* para o bem-estar: informações normalmente correlacionadas com componentes-chave do bem-estar. Se uma política aumentaria os níveis médios de saúde, renda, taxa de alfabetização, direitos civis e liberdades políticas, então esta é uma evidência muito boa de que melhorará o bem-estar humano, mesmo se não pudermos calcular com precisão o ganho total em bem-estar agregado. Grande parte da economia do bem-estar contemporânea e da economia do desenvolvimento pode ser vista como a busca de substitutos fiáveis que sejam *ambos* intimamente ligados a importantes elementos do bem-estar humano *e* relativamente fácil de medir.

O segundo caminho consiste em se adotar uma abordagem mais modesta dos cálculos utilitaristas. O utilitarismo de regras parece implausível se exige que encontremos um completo código ideal de regras. Alguns utilitaristas de regras negam que de fato o exija. O utilitarismo de regras não precisa ser inteiro e radical. Ele pode ser fragmentado e conservador. Mesmo se não pudermos determinar o código ideal de regras em cada detalhe, ainda podemos saber que incluirá a regra x e não a regra y. Podemos saber que qualquer código que inclua uma robusta proibição da tortura produzirá melhores consequências do que um código que careça desta proibição. Portanto, nós sabemos que a tortura é errada, mesmo se o nosso conhecimento de outras questões morais for incompleto. Ou você pode calcular que o código ideal incluirá certas liberdades básicas, mesmo se você não puder ter certeza quanto aonde essas liberdades levarão. A maioria das defesas do utilitarismo de regras (e do utilitarismo indireto) é fragmentada desta forma.

Os conservadores frequentemente objetam que, ao invés de embarcarmos na reforma utilitarista, deveríamos usar códigos de regras morais experimentadas e testadas. Muitos utilitaristas abraçam essa objeção. Se um código de regras permitiu a nossa sociedade sobreviver e prosperar, então esta é uma boa evidência de que essas regras promovem o bem-estar humano. Isto estabelece um argumento *prima facie* em favor das regras existentes. Assim, só devemos adotar uma nova regra se estivermos razoavelmente certos de que fará melhor. É mais provável que se possam provar as divergências se for possível demonstrar que uma regra existente só promoveu o bem-estar devido a circunstâncias específicas que agora mudaram, ou se for possível encontrar alguma explicação para o fato de uma determinada regra ter persistido apesar de ser prejudicial ao bem-estar humano. Por exemplo, poderíamos descobrir uma conspiração entre indivíduos poderosos que se beneficiariam da regra – como Bentham alegou em suas críticas da profissão jurídica dos seus dias. Se encontrarmos evidências de que o *status quo* tem uma origem mal reputada, isto pode encorajar-nos a examinar as alternativas possíveis. Nós, então, rejeitaríamos o *status quo*, não por causa das suas origens em si, mas porque algumas alternativas específicas prometem melhores resultados.

Os utilitaristas também poderiam recorrer à disciplina emergente da *psicologia positiva* – o estudo empírico da felicidade. Medindo a felicidade pelo simples método de administrar questionários perguntando às pessoas quão felizes elas são, pesquisadores descobriram correlações entre a felicidade e outros fatores que são notavelmente estáveis entre diferentes populações – mesmo entre diferentes países. Estes vão desde o comparativamente óbvio (as pessoas serão mais felizes se forem mais saudáveis e tiverem relacionamentos pessoais estáveis) ao polêmico (as pessoas são mais felizes nas sociedades nas quais a tributação é usada para tornar a renda mais igualitária; além de um nível relativamente baixo, o dinheiro não torna as pessoas mais felizes). Embora os filósofos possam questionar a presunção de que esses questionários realmente medem o bem-estar, os resultados proveem, a um utilitarista prático, muitas sugestões úteis de políticas públicas.

Liberdade, igualdade e democracia

Para ilustrar como os utilitaristas podem lidar com a complexidade desconcertante do mundo moderno, nós concluímos considerando a atitude utilitarista em relação a três ideais morais contemporâneas principais: a liberdade, igualdade e a democracia. Conforme vimos no capítulo 2, J.S. Mill combinou o utilitarismo com um forte compromisso tanto com a liberdade quanto com a igualdade social. As nossas discussões neste capítulo reforçam a defesa utilitarista da liberdade feita por Mill. Quaisquer que sejam os detalhes da nossa teoria do bem-estar, as coisas geralmente irão melhores em geral se as pessoas forem livres para decidirem por si mesmas como viverão – desde questões relativamente triviais, tais como a escolha de uma refeição, a questões cruciais de carreira ou estilo de vida sexual. Se formos utilitaristas de regras, então devemos esperar que o código ideal de regras deixe as decisões mais importantes ao indivíduo. (Isto é especialmente verdadeiro sob o utilitarismo não maximizador. Se o nosso objetivo for dar a *cada pessoa* uma boa vida, então dificilmente estaremos justificados em restringir as liberdades pessoais.)

No entanto, para o utilitarista, a liberdade é principalmente de valor *instrumental*. O valor da liberdade pode ser muito grande, mas não é absoluto. Os utilitaristas sempre enfatizaram que a liberdade pode ter efeitos prejudiciais, especialmente em um nível social ou global. O próprio Mill é um bom exemplo. Mill é frequentemente apresentado hoje como um defensor do capitalismo de livre mercado – e ele certamente acreditou que a sociedade utilitarista deixaria a maioria das questões de produção e consumo para o mercado. No entanto, Mill também estava ciente do risco de o capitalismo desenfreado levar a uma grande concentração de riqueza nas mãos de poucas pessoas. Para um utilitarista, essa desigualdade não é intrinsecamente má. O problema é que, se o poder do povo for desigual, então não podemos estar confiantes de que a liberdade de escolha maximiza o bem-estar. Como vimos nos nossos exemplos simples anteriormente neste capítulo, um leilão idealizado só promove o bem-estar se todos tiverem a mesma quantidade de dinheiro para apostar. Se eu tenho R$ 100,00 e Bill tem R$ 1.000.000.000,00, então o capricho mais insignificante de Bill vai atolar o meu mais forte desejo.

Assim, o compromisso (instrumental) do utilitarismo com a liberdade é temperado por um compromisso (instrumental) com a igualdade. O ideal utilitarista consiste em um mundo no qual, partindo-se de uma posição de igualdade, todos façam as suas próprias escolhas. Conflitos entre a liberdade e a igualdade abundam nas políticas públicas. Embora o utilitarismo não ofereça uma resposta simples para estes conflitos, ele provê uma maneira útil de se pensar acerca deles. Ao invés de tratar a liberdade e a igualdade como ideais absolutos que não possam ser mediados ou negociados, o utilitarismo pede-nos para medi-los – e quaisquer outros ideais que possamos ter – usando a métrica comum do bem-estar humano.

Os argumentos utilitaristas pela liberdade e a igualdade reúnem-se no forte apoio utilitarista à democracia – que os utilitaristas veem como um sistema de governo no qual cada pessoa (igualmente) tem a liberdade de decidir como vai ser governada. Como vimos no capítulo 2, o argumento utilitarista para a democracia remonta pelo menos a J.S. Mill. O vencedor do Prêmio Nobel de Economia, Amartya Sen, publicou recentemente uma ilustração impressionante da alegação de que a democracia é a maneira mais confiável de se promoverem os interesses das pessoas, argumentando que só a democracia pode seguramente impedir a fome.

> Não é surpreendente que nenhuma fome tenha ocorrido na história do mundo em uma democracia funcional, seja ela economicamente rica (como na Europa Ocidental ou nos Estados Unidos contemporâneos) ou relativamente pobre (como na Índia da pós-independência, ou no Botsuana ou no Zimbábue). Fomes têm tendido a ocorrer em territórios coloniais governados por soberanos de outros países (como na Índia Britânica ou em uma Irlanda administrada por governantes ingleses indiferentes), ou em estados totalitários (como na Ucrânia da década de 1930, ou na China durante os anos de 1958 a 1961, ou no Camboja dos anos de 1970), ou em ditaduras militares (como na Etiópia ou na Somália, ou alguns dos países do Sahel no passado próximo) (Sen. *Desenvolvimento como liberdade*, 16).

É uma triste ironia que Sen liste o Zimbábue como uma democracia pobre sem fome. A atual transição do Zimbábue de democracia a estado totalitário – e a crise alimentar que a acompanha – reforça as conclusões de Sen. A explicação de Sen consiste em que a combinação de uma imprensa livre com a democracia fornece governantes com fortes incentivos para evitar a fome. Governantes despóticos não têm esse incentivo, razão pela qual eles permitem a fome. A fome é má para as pessoas, em qualquer remotamente plausível teoria do bem-estar. Se a democracia é o único sistema de governo que evita a fome de maneira confiável, então este é um argumento *prima facie* muito forte em favor da democracia. Outros estudos recentes estabeleceram correlações positivas entre a democracia e uma variedade de indicadores de bem-estar (incluindo a renda líquida real *per capta*, o crescimento econômico, as taxas de sobrevivência infantil e expectativa de vida ao nascimento). Partha Dasgupta conclui um recente resumo dessa literatura com a seguinte observação.

> O argumento de que a democracia é um luxo que os países pobres não podem pagar é soterrado pelos dados, tais como eles são (Dasgupta. *Human Well-being and the Natural Environment*, 75).

É claro que este simples argumento utilitarista não nos diz que forma de democracia é a melhor. Utilitaristas precisam de muito mais informação antes de escolher um determinado sistema democrático. Por exemplo, uma questão de interesse contemporâneo é se utilitaristas deveriam apoiar um sistema puramente majoritário de soberania parlamentar (como encontrado no Reino Unido) ou um sistema em que o Legislativo seja limitado por uma constituição entrincheirada interpretada por juízes não eleitos (como nos Estados Unidos). Aqui, a evidência empírica é muito mais difícil de avaliar.

O utilitarismo não pode fornecer todas as respostas. No entanto, seus defensores argumentam que isso acontece porque ele reconhece que as decisões políticas dependem, em parte, de questões empíricas extremamente complexas. Problemas de medição surgem da natureza do mundo, não de algum defeito no utilitarismo.

Pontos-chave

• A maioria dos utilitaristas concentra-se no valor esperado das ações, não nos resultados reais.

• Os utilitaristas podem usar probabilidades objetivas ou subjetivas. (Alguns usam probabilidades objetivas para o erro, e subjetivas para atribuir culpa.)

• Os utilitaristas precisam de comparações de bem-estar tanto intrapessoais quanto interpessoais.

• O utilitarismo pode oferecer conselhos úteis no mundo real, mesmo se não pudermos fazer cálculos exatos de bem-estar.

9

O futuro do utilitarismo

O utilitarismo diz-nos não só o que pensar acerca de questões particulares, mas também em quais questões pensar. Em particular, o utilitarismo diz-nos que as questões morais mais importantes são aquelas nas quais a maior quantidade de felicidade humana (ou de miséria humana) está em jogo. Embora a felicidade das pessoas atualmente existentes em nossa sociedade seja certamente significativa, o seu valor é ofuscado pelo bem-estar de bilhões de pessoas que já existem em outras terras, e de todas as pessoas que possam existir no futuro. Para o utilitarista as questões morais mais importantes são as relativas a esses dois grupos de pessoas. O utilitarismo tem sempre sido, e continua a ser, mais interessante e mais relevante quando aplicado a circunstâncias sociais transitivas, ou a questões que têm sido subestimadas por outras teorias morais. O foco deste capítulo está em delinear as questões suscitadas pelo utilitarismo, e não em qualquer exploração detalhada de respostas particulares.

Uma ética global

O utilitarismo surgiu na Grã-Bretanha nos séculos XVIII e XIX, em uma sociedade de democracia muito limitada, pobreza generalizada e considerável corrupção e ineficiência. As críticas e as atividades dos utilitaristas desempenharam um papel fundamental na melhoria desta situação. Em termos utilitaristas, as sociedades ocidentais modernas estão muito melhores hoje do que nos dias dos primeiros utilitaristas. Mas a nossa situação global é, em muitos aspectos cruciais, pelo menos tão ruim. O mundo das relações internacionais não é democrático, e o fosso entre as nações mais ricas e as mais pobres do mundo (em termos de riqueza, expectativa de vida, alfabetização, direitos civis e políticos, ou saúde) é de longe muito maior do que o fosso entre ricos e pobres mesmo no país com maior desigualdade. Os utilitaristas contemporâneos baseiam-se nos primórdios do utilitarismo para fornecer críticas, frequentemente muito radicais, ao direito e à política internacional.

Para os utilitaristas o fundamento de toda a moralidade – tanto individual quanto global – é a igual importância do bem-estar de cada indivíduo humano. O utilitarismo baseia a moralidade, não apenas no bem-estar dos neozelandeses ou dos americanos ou dos europeus, mas de todas as pessoas no mundo. A ética global convencional confere um peso significativo às fronteiras nacionais. A maioria de nós intuitivamente pensa que nossas obrigações para com as pessoas em nosso próprio país são muito maiores do que as nossas obrigações para com as pessoas em nações distantes. Recursos naturais, como o óleo ou o bom solo, são considerados propriedades de nações, e não da comunidade global como um todo. Na ética global convencional, e especialmente no direito internacional, o conceito de nacionalidade é *fundamental*. Os utilitaristas rejeitam esta abordagem. O utilitarismo é uma ética global, na qual todas as distinções entre as pessoas devem ser justificadas em termos utilitaristas. Se quisermos atribuir importância às nações devemos justificar essa decisão demonstrando como ela promove o bem-estar global.

Neste livro temos visto várias vezes que, dentro de qualquer determinada sociedade, os utilitaristas favorecem a democracia, a liberdade e a igualdade. Um bom ponto de partida para qualquer ética utilitarista global consiste em aplicar esses ideais a um nível global. Com o que se pareceria uma ordem internacional democrática, liberal e igualitária? Seria melhor do que o *status quo* global?

Conforme vimos nos capítulos 2 e 8, os utilitaristas favorecem a democracia por muitas razões. A maioria destas projeta-se na arena internacional. A participação individual na tomada de decisões globais é necessária se as decisões globais deverem refletir os valores de todos os indivíduos, e promover o bem-estar de todas as pessoas. Na verdade, *esse* argumento em defesa da democracia talvez seja ainda mais forte no caso global, uma vez que é ainda menos provável que os tomadores de decisão tenham a motivação e a informação necessárias para considerarem apropriadamente os interesses das pessoas em outras nações. Não é surpreendente que instituições, regras ou políticas internacionais não considerem adequadamente os interesses das pessoas mais vulneráveis do mundo, mesmo quando todos os envolvidos fazem uma tentativa honesta de promover tais interesses.

Por outro lado, alguns argumentos utilitaristas sugerem limites à democracia global. É improvável que a participação na tomada de decisões dentro de um grupo contendo os seis bilhões de habitantes do nosso planeta forneça a cada um de nós um senso real de participação na "minha comunidade". Baseando-se em um dos argumentos de Mill, poderíamos argumentar que, se os indivíduos devessem ser significativamente autônomos, então deveriam ser capazes de contribuir com aquelas decisões que mais os afetam. Assim, qualquer parlamento utilitarista global garantiria uma autonomia considerável aos grupos locais.

É, obviamente, impossível prever em detalhes com o que uma ordem democrática mundial pode parecer. Mas, como vimos no capítulo 8, isso não significa que o utilitarismo seja inútil. Poderíamos começar imaginando um modelo muito simples de democracia global. Suponha que elejamos um parlamento global para decidir acerca de um novo conjunto de regras internacionais que governe a guerra, o comércio, a ajuda, a imigração, a apropriação de recursos, a política ambiental, e assim em diante. Suponha que este parlamento tenha 100 membros, escolhidos para refletirem a população global atual. A repartição regional dos membros está dada abaixo. Os utilitaristas argumentarão que, embora não seja realista, essa simples experiência de pensamento ainda tem alguma força. Perguntando quais regras obteríamos se todos no mundo fossem representados na tomada global de decisões desta forma, podemos construir um ideal contra o qual comparar o atual sistema internacional.

Um parlamento utilitarista mundial	
Países em desenvolvimento da Ásia (inclui: 21 membros da China e 17 da Índia, respectivamente)	59 membros
África	13 membros
Europa	12 membros
América Latina e Caribe (inclui o México)	9 membros
América do Norte	5 membros
Outros países desenvolvidos (inclui a Austrália, a Nova Zelândia e o Japão)	2 membros
(Baseado nas estatísticas de 2001 da Divisão de População das Nações Unidas.)	

A possibilidade de estender o utilitarismo ao nível global também fornece um novo exemplo gritante tanto da objeção de exigência (do capítulo 5) quanto do problema do cumprimento parcial (do capítulo 6). Suponha que eu conclua que o parlamento utilitarista mundial quase certamente implantaria um programa de redistribuição radical, transferindo recursos de pessoas abastadas no mundo desenvolvido para aquelas em terras mais pobres. Dada a ausência de qualquer estratégia desse tipo no mundo real – e a ausência absoluta de qualquer parlamento mundial – até que ponto eu sou obrigado a aderir? Não é por acaso que muitos daqueles que defendem uma exigente versão individual do utilitarismo também defendem o utilitarismo global. (O exemplo clássico aqui é o filósofo australiano Peter Singer.)

O bem-estar das pessoas do futuro

A menos que algo de muito errado aconteça nos próximos séculos, a maioria das pessoas que hão de viver um dia ainda estão para nascer. As nossas ações têm pouco impacto sobre aqueles que estão mortos, um impacto considerável sobre os atualmente vivos, e potencialmente um enorme impacto sobre os que hão de viver no futuro. Talvez o impacto mais significativo consista no fato de que as nossas decisões afetam quem essas futuras gerações serão, e mesmo se de fato haverá alguma futura geração. A ameaça de uma crise ambiental dá-nos uma ideia da magnitude do nosso impacto sobre as gerações futuras. Somente nas últimas poucas décadas os utilitaristas realmente começaram a lidar com as complexidades da ética intergeracional. Subjacentes aos seus debates frequentemente técnicos estão algumas das mais profundas questões morais. O que faz com que valha a pena viver a vida? O que devemos aos nossos descendentes? Como equilibramos as suas necessidades com as nossas?

A discussão utilitarista sobre as pessoas do futuro normalmente começa com uma série de quebra-cabeças apresentados por Derek Parfit. Parfit distingue dois tipos de escolha moral. Em uma *escolha das mesmas pessoas* as nossas ações afetam o que acontecerá no futuro, mas não quem existirá. Se nossas ações afetarem quem existirá no futuro, então estaremos fazendo uma *escolha de diferentes pessoas*. O utilitarismo trata a escolha de diferentes pessoas da mesma maneira que a escolha das mesmas pessoas. Conforme logo veremos, isso lhe permite evitar as objeções que afligem as teorias não utilitaristas. Infelizmente, o utilitarismo enfrenta os seus próprios problemas em relação ao futuro. Especialmente difíceis são as escolhas de diferentes números – em que decidimos *quantas* pessoas hão de existir. (A distinção entre escolhas de diferentes números e de mesmos números – em que determinamos quais pessoas existirão, mas não quantas – também é de Parfit.)

Nas escolhas de diferentes números, duas interpretações comuns do utilitarismo se separam. Estas são o utilitarismo total (em que buscamos maximizar a quantidade total de bem-estar) e o utilitarismo médio (maximizando o nível médio de bem-estar). O argumento básico pelo utilitarismo total é simples. Para qualquer x, se x for valioso, então mais x é melhor do que menos. A intuição por trás do utilitarismo médio é igualmente convincente. Se estivermos interessados no bem-estar humano, então queremos que cada pessoa seja tão feliz quanto possível. Ambas as interpretações podem ser encontradas nos escritos dos utilitaristas clássicos, que nem sempre as distinguem claramente. Isto normalmente não é um problema, porque o utilitarismo médio e o utilitarismo total geralmente coincidem. Na verdade, nas escolhas de mesmo número, o resultado com maior bem-estar médio deve ter maior bem-estar total – uma vez que a média é simplesmente o total dividido pelo número de pessoas, e todos os resultados têm o mesmo número de pessoas. Nas escolhas de diferentes números, no entanto, às vezes podemos aumentar o total reduzindo a média. Suponha que a única maneira de aumentar o bem-estar total seja aumentar consideravelmente o número de pessoas e reduzindo a sua média bem-estar. Nestas circunstâncias, o utilitarismo total deve apoiar o crescimento da população. Parfit usa esse fato de gerar um problema para o utilitarismo total.

> A conclusão repugnante
> Para qualquer população possível de pelo menos dez bilhões de pessoas, todas com uma qualidade de vida muito elevada, deve haver alguma população supostamente muito maior cuja existência, se outras coisas forem iguais, seria melhor, mesmo embora os seus membros tenham vidas que mal valham a pena viver (Parfit. *Reasons and Persons*, 388).

Suponha que comecemos com um mundo no qual dez bilhões de pessoas tenham todas elas vidas extremamente boas. Chame-o de A. Imagine um segundo mundo (B), no qual duas vezes mais pessoas estejam mais da metade mais felizes do que as pessoas em A. B tem mais bem-estar total do que A. Agora repita este processo até atingirmos um mundo no qual haja uma vasta população em que cada um tenha uma vida que mal valha a pena viver. Chame esse mundo de Z. Como cada etapa aumenta o bem-estar total, Z deve ser melhor do que A. Parfit denomina essa conclusão de "intrinsecamente repugnante", e argumenta que os utilitaristas devem evitá-la.

A conclusão repugnante gerou uma vasta literatura filosófica. Em defesa da sua teoria, os utilitaristas geralmente adotam uma de duas estratégias amplas. Ou reestruturam a sua teoria do valor para tornar A melhor do que Z, ou buscam minar a intuição de Parfit de que Z é pior do que A. Começamos com a segunda resposta. Quando as intuições das pessoas divergem, uma explicação plausível é a de que elas realmente estão respondendo a questões diferentes. Utilitaristas totais argumentam que Parfit confunde uma comparação dos valores de A e Z com uma série de comparações mais práticas. Você preferiria viver em A ou em Z? Você escolheria A em detrimento de Z? Se você estivesse em A, você seria obrigado a transformar A em Z?

Muitos filósofos sentem que a intuição verdadeiramente decisiva por detrás da conclusão repugnante diga respeito às ações, e não aos valores. Se você enfrenta uma escolha entre A e Z, então o utilitarismo total diz que você deve optar por Z – mesmo se o resultado for uma vida Z, ao invés de uma vida A tanto para si mesmo quanto para todos os seus mais próximos e queridos. Se você puder criar uma nova espécie de criatura Z ao custo de reduzir enormemente o bem-estar de todos que já existem, então você deve fazê-lo. O utilitarismo total, portanto, sacrifica todas as pessoas existentes pelas pessoas que de outra maneira não teriam existido. A conclusão repugnante é, portanto, um exemplo especialmente marcante tanto da objeção de injustiças quanto da objeção de exigência. O utilitarismo total exige tanto que você sacrifique a si mesmo quanto que você sacrifique os outros. (Imagine uma versão repugnante do conto das réplicas dos capítulos 4 e 5, na qual você pode destruir cada pessoa e substituí-la por um grande número de clones muito *menos* felizes.)

Essas exigências são muito contraintuitivas. No entanto, elas oferecem aos utilitaristas uma solução simples. O utilitarismo total combina uma determinada teoria do valor (o melhor resultado contém o maior bem-estar total) com o consequencialismo simples (você deve produzir o melhor resultado). Se estivermos preocupados com as exigências do utilitarismo total, talvez devêssemos abandonar o consequencialismo simples. Mesmo se o melhor resultado for aquele com o máximo de bem-estar total, os indivíduos ainda são autorizados a favorecer os seus próprios interesses. Z é melhor do que A, mas você pode escolher A. (Esta é uma estratégia especialmente atraente se já tivermos rejeitado o consequencialismo simples por outras razões, tais como aquelas dadas nos capítulos 6 e 7.) Por exemplo, um utilitarista de regra poderia argumentar da seguinte maneira. Alguém que tenha aprendido o melhor código de regras para a próxima geração sentirá uma variedade de obrigações em relação a pessoas específicas, e estará envolvido em muitos projetos intergeracionais significativos. Em qualquer situação remotamente realista onde enfrentem uma verdadeira escolha entre um mundo como A e um mundo como Z, essas obrigações e compromissos levarão essa pessoa a manter o seu mundo A, ao invés de transformá-lo em Z.

Alguns utilitaristas não estão satisfeitos com esta solução conciliatória. Eles acham que a conclusão repugnante prejudica não apenas o consequencialismo simples, mas também a teoria utilitarista total do valor. Não é apenas que não devemos almejar Z – não deveríamos sequer admitir que Z seja melhor do que A. Se rejeitarmos o utilitarismo total, a alternativa mais simples é o utilitarismo médio. Ele claramente evita a conclusão repugnante, uma vez que A tem uma média muito maior de bem-estar do que Z.

Antes de avaliar o utilitarismo médio, temos que lidar com uma óbvia objeção. O utilitarismo médio parece dizer-me para matar a todos cujo bem-estar esteja abaixo da média. Isto elevaria o nível médio de bem-estar – e, então, seríamos obrigados a matar a todos abaixo da nova *média*. Finalmente teríamos um mundo com duas pessoas, no qual o utilitarismo médio diz para a pessoa mais feliz matar a outra. Para evitar este resultado absurdo podemos simplesmente obter uma média de todos aqueles que *um dia viverão*. Matar pessoas com vidas abaixo da média não faz com que as suas vidas se vão. Torna as suas vidas piores – *diminuindo* assim o nível médio de bem-estar.

Infelizmente, o utilitarismo médio enfrenta outras objeções, que são menos facilmente evitadas. Em particular, a teoria implica que a adição de vidas perfeitamente isoladas, extremamente válidas, pode tornar as coisas piores (se a média de bem-estar já estiver elevada), enquanto a adição de um conjunto de vidas perfeitamente isoladas muito abaixo do nível zero pode constituir uma melhoria (se a média de bem-estar for suficientemente baixa). Parfit ilustra estes problemas com dois contos.

Como apenas a França sobrevive
Em um possível futuro a vida de todas as pessoas vale muito a pena, mas o clima e as tradições culturais conferem a algumas nações uma melhor qualidade de vida. As pessoas em melhores condições são as francesas. Em outro futuro possível uma nova doença infecciosa torna quase todas as pessoas estéreis. Cientistas franceses produzem apenas o suficiente de um antídoto para todos na França. Todas as outras nações deixam de existir (Adaptado de Parfit. *Reasons and Persons*, 421).

Inferno
A maioria de nós tem vidas que são muito piores do que nenhuma. Nós nos mataríamos se pudéssemos, mas isso é impossível. As pessoas que nos estão torturando informam-nos de maneira confiável que, se tivermos filhos, eles farão com que essas crianças sofram um pouco menos do que nós – apesar de as suas vidas ainda serem muito piores do que absolutamente não viver (Adaptado de Parfit. *Reasons and Persons*, 422).

Em cada conto a média de bem-estar é mais elevada no segundo futuro possível. Portanto, de acordo com o utilitarismo médio, deveríamos escolher esse resultado. No entanto, Parfit argumenta que isso é um absurdo. A *mera adição* de vidas felizes não pode piorar as coisas, tampouco pode a mera adição de vidas horríveis melhorar as coisas.

Tal como acontece com o utilitarismo total, uma solução consiste em manter a história utilitarista média sobre o valor, mas rejeitar o consequencialismo simples. Por exemplo, uma utilitarista de regra poderia argumentar que o código de regras que maximizaria a média de bem-estar em longo prazo incluirá obrigações específicas para outras pessoas que nos impediriam de tomar a decisão errada na prática. (Por exemplo, uma obrigação de fazer o que é melhor para os próprios filhos nos ajudaria a evitar o resultado errado no conto do Inferno.)

Confrontado a todos esses quebra-cabeças, os utilitaristas têm outra opção – baseada em uma interpretação alternativa do ideal utilitarista básico. Temos presumido que o utilitarismo seja indiferente à identidade das pessoas. Os utilitaristas buscam maximizar níveis de bem-estar em toda a população, sem levar em conta quais sejam aqueles cujo bem-estar está em jogo. Em particular, o utilitarismo total é imparcial entre *pessoas reais* e *pessoas possíveis*. Ele não vê diferença entre aumentar o bem-estar aumentando-se o bem-estar das pessoas existentes e acrescentando-se novas pessoas felizes. (O utilitarismo médio evita este problema até certo ponto, mas ainda conta pessoas possíveis e reais quando compara a média de bem-estar dos diferentes futuros possíveis.) Muitos utilitaristas – juntamente com a maioria dos não utilitaristas – rejeitam este grau de imparcialidade. Para esses *utilitaristas focados na pessoa*, as pessoas reais são moralmente mais significativas do que as pessoas possíveis. Na verdade, as pessoas possíveis não importam absolutamente – a não ser que um dia se tornem reais. Como utilitaristas, o nosso objetivo deve ser o de tornar as pessoas felizes, não o de fazer pessoas felizes.

O utilitarismo focado na pessoa evita as piores versões da conclusão repugnante. Suponha que estejamos na situação A. O nosso mundo contém 10 bilhões de pessoas muito felizes. Podemos aumentar muito a população do nosso mundo através de múltiplas clonagens de cada pessoa. A qualidade média de vida será bastante reduzida pela superpopulação, mas o bem-estar total aumentará. (Suponha que possamos escapar do desastre ecológico total colonizando o espaço sideral de tal maneira que todas as pessoas em todos os planetas tenham uma vida que mal valha a pena viver.) Em outras palavras, podemos transformar o nosso mundo A em um mundo Z. De acordo com o utilitarismo focado na pessoa, *não* deveríamos transformar A em Z, uma vez que isso seria ruim para as pessoas que já existem. O fato de que as pessoas extras que *poderíamos* ter criado *teriam* sido felizes não é motivo para criá-las. (Ao contrário do utilitarismo médio, o utilitarismo focado na pessoa fornece-nos este resultado, mesmo se as pessoas extras tivessem sido muito mais felizes do que aquelas que realmente existem.)

Infelizmente, o utilitarismo focado na pessoa enfrenta os seus próprios problemas, como ilustrado por um conto tornado famoso por Parfit. (O objetivo original de Parfit não é o utilitarismo focado na pessoa *per se*, mas sim a ideia geral de uma abordagem da moralidade focada na pessoa – seja ela utilitarista ou não utilitarista.)

A política egoísta
A nossa comunidade precisa de energia para uma atividade de lazer indulgente. Nós escolhemos construir uma nova usina nuclear em uma área desabitada. Enterramos os resíduos nucleares resultantes, sabendo que permanecerão radioativos por milhares de anos. Três séculos depois um terremoto libera a radiação. Apesar de milhares de pessoas serem mortas por esta catástrofe, todas elas têm vidas que valem a pena viver. (A radiação confere às pessoas uma doença incurável que as mata com a idade de 40, mas não tem outros efeitos.) Se não tivéssemos construído a usina de energia, os padrões de migração teriam sido muito diferentes nos anos seguintes. Será que fizemos algo errado?

Sob o utilitarismo focado na pessoa, é difícil inculpar a nossa decisão neste conto, uma vez que não podemos localizar qualquer *pessoa em particular* que esteja em pior situação do que estaria se tivéssemos agido de maneira diferente. Considere um indivíduo particular (X) morto pela catástrofe. É quase certo que os pais de X jamais teriam sequer se conhecido se não tivéssemos construído a nossa usina. Portanto, o próprio X jamais teria existido. Nós, portanto, enfrentamos uma escolha de pessoas diferentes, mesmo embora a nossa decisão não esteja diretamente preocupada em trazer pessoas à existência.

É claro que, se tivéssemos escolhido uma política de energia mais segura, então um conjunto *diferente* de pessoas teria existido – e *essas pessoas* teriam sido mais felizes do que as pessoas reais de fato o são. Mas, como vimos anteriormente, a questão do utilitarismo focado na pessoa consiste em que o bem-estar de pessoas possível que nunca existem realmente para *nada* conta. Assim, parece que, na escolha de pessoas diferentes, nada podemos fazer de errado. (A única exceção é se criarmos uma nova pessoa cuja vida *não valha a pena viver* – talvez usando engenharia genética para criar uma pessoa com doenças terríveis, exclusivamente para fins de pesquisa médica. Podemos dizer que esta pessoa *está* em pior situação do que se ela nunca tivesse existido. No entanto, devemos notar que alguns filósofos acham que até mesmo esta afirmação mais modesta ainda é incoerente, uma vez que não faz sentido comparar os valores da existência e os da não existência.)

O desafio para os utilitaristas é evitar a conclusão repugnante sem concluir que nada podemos fazer de errado nas diferentes escolhas das pessoas. Uma resposta promissora é argumentar que o nosso comportamento deveria se conformar com regras e instituições escolhidas com base em seu impacto sobre as pessoas reais. Como vimos no capítulo 6, estas regras e instituições estabelecerão (assim espero) limites intuitivamente plausíveis ao tratamento de todos os seres humanos. Deixar gratuitamente material radioativo onde afetará as pessoas – ou deliberadamente passar uma doença a alguém – é errado por bons fundamentos utilitaristas se as pessoas em causa, de outro modo, teriam ou não existido.

O valor da humanidade

Vimos que, para os utilitaristas, o bem-estar das pessoas em nosso país é ofuscado pelos bilhões de pessoas que já existem no exterior, e o bem-estar das pessoas presentes é ofuscado pelo das pessoas do futuro. Nós agora reunimos estes dois temas. No capítulo final de *Reasons and Persons*, Parfit usa a possibilidade de a história humana poder estar apenas começando a destacar a importância moral de potenciais catástrofes que ameaçam a sobrevivência humana. Nós terminamos a nossa discussão sobre o futuro do utilitarismo citando as suas observações, que reúnem muitos dos temas centrais deste livro.

> Eu acredito que se destruíssemos a humanidade, como agora poderíamos, este resultado seria muito pior do que a maioria das pessoas pensa. Compare três resultados:
>
> (1) Paz.
>
> (2) Uma guerra nuclear que mata 99% das populações existentes no mundo.
>
> (3) Uma guerra nuclear que mata 100%.
>
> (2) seria pior do que (1), e (3) seria pior do que (2). Qual é a maior dessas duas diferenças? A maioria das pessoas acredita que a maior diferença é entre (1) e (2). Eu acredito que a diferença entre (2) e (3) é muitíssimo maior.
>
> A minha visão é a visão de dois grupos muito diferentes de pessoas. Ambos os grupos apelariam para o mesmo fato. A Terra permanecerá inabitável por pelo menos mais dois bilhões de anos. A civilização começou há apenas alguns milhares de anos atrás. Se não destruirmos a humanidade, estes poucos milhares de anos podem ser apenas uma pe-

quena fração de toda a história da humanidade civilizada. A diferença entre (2) e (3) pode, portanto, ser a diferença entre essa pequena fração e todo o resto desta história. Se compararmos esta possível história com um dia, o que tem ocorrido até agora é apenas uma fração de segundo.

Um dos grupos que aceitaria a minha opinião é o dos utilitaristas clássicos. Eles diriam, como o fez Sidgwick, que a destruição da humanidade seria de longe o maior de todos os crimes imagináveis. A maldade desse crime consistiria na vasta redução da possível soma de felicidade.

Outro grupo concordaria, mas por razões muito diferentes. Essas pessoas acreditam que há pouco valor na mera soma da felicidade. Para essas pessoas, o que importa é o que Sidgwick chamou de "bens ideais" – as Ciências, as Artes, e o progresso moral, ou o contínuo avanço em direção a uma comunidade mundial completamente justa. A destruição da humanidade impediria novas realizações desses três tipos. Isso seria extremamente ruim, porque o que mais importa seria as maiores realizações desses tipos, e estas mais altas conquistas viriam nos séculos futuros.

Obviamente poderia haver realizações superiores na luta por uma comunidade mundial completamente justa. E poderia haver maiores realizações em todas as Artes e Ciências. Mas o progresso poderia ser maior no que é hoje a menos avançada dessas artes ou nas ciências. Isto [...] é a ética não religiosa [...]. A ética não religiosa está em um estágio muito precoce. Ainda não podemos prever se, como na Matemática, todos nós chegaremos a um acordo. Como não podemos saber como a Ética vai se desenvolver, não é irracional ter grandes esperanças (Parfit. *Reasons and Persons*, 453-454).

Pontos-chave

• O utilitarismo diz que as questões morais mais importantes são aquelas nas quais a maior quantidade de bem-estar esteja em jogo.

- No mundo moderno estas questões são a ética global e a justiça intergeracional.
- Uma ética utilitarista global provê uma crítica radical das práticas internacionais existentes.
- A maioria das teorias da justiça intergeracional tem dificuldade em lidar com escolhas de pessoas diferentes, e especialmente com escolhas de diferentes números.
- As três principais abordagens utilitaristas da justiça intergeracional são o utilitarismo total, o utilitarismo médio e o utilitarismo focado na pessoa.
- Os principais desafios para estas três teorias são a conclusão repugnante (para o utilitarismo total), o problema da mera adição (para o utilitarismo médio), e o problema da não identidade (para o utilitarismo focado na pessoa).

Questões para discussão e revisão

2 O utilitarismo clássico

Bentham

1) O que é o hedonismo psicológico? Como é que difere do hedonismo ético? Qual papel os dois desempenham na filosofia de Bentham?

2) O que Bentham quer dizer com a afirmação de que "Preconceitos à parte, o jogo de varetas tem o mesmo valor que as artes e as ciências da música e da poesia"? Por que ele acha isso?

3) O que Bentham quer dizer com "a maior felicidade do maior número"? Por que o legislador deve adotar esse princípio? Por que Bentham acha que o sistema legal resultante será superior às leis dos seus próprios dias?

4) O que Bentham entende por "direitos naturais"? O que pensa deles? Será que o seu ponto de vista é razoável? Será que Bentham entende por "direitos" o mesmo que entendemos hoje?

5) "O castigo provoca dor. A dor é ruim. Portanto, os utilitaristas não podem justificar o castigo." Como é que Bentham escapa desse paradoxo?

6) O que é o panóptico de Bentham? O que nos diz sobre a sua abordagem filosófica?

Mill

1) O que é o empirismo? Qual papel desempenha no sistema filosófico de Mill? Como se relaciona com o seu apoio ao utilitarismo, ao liberalismo, ao mercado livre e à democracia?

2) O que "a prova do utilitarismo" de Mill pretende provar? Será que a prova contém alguma suposição oculta ou controversa? Trata-se de uma prova bem-sucedida?

3) Por que Mill precisa fazer uma distinção entre prazeres baixos e elevados? Qual papel o "juiz competente" desempenha em seu argumento? O argumento é bem-sucedido? Você é um juiz competente? Quem é?

4) Será que o utilitarismo de Mill conflita ou reforça a moralidade costumeira da sua época? E quanto à moralidade costumeira de hoje? (Considere essas questões com respeito a: a justiça, a liberdade, a democracia e o *status* das mulheres.)

5) Por que a liberdade é tão importante para Mill? Será que o seu compromisso geral com a liberdade é consistente com o seu utilitarismo? O seu compromisso com a liberdade de expressão é consistente com o seu utilitarismo?

6) O que Mill pensaria sobre a legalização das drogas em uma sociedade moderna?

Sidgwick

1) Quais são as principais diferenças filosóficas entre Bentham, Mill e Sidgwick? Até que ponto estas são causadas por diferenças em seus históricos ou situação filosófica?

2) O que Sidgwick entende por "intuicionismo"? Por que ele acredita que o utilitarismo seja superior ao intuicionismo? Será que existem métodos de ética outros que não o intuicionismo, o egoísmo e o utilitarismo?

3) O que é o "Dualismo da razão prática" de Sidgwick? Por que é um problema para o seu sistema? Qual é a melhor solução para este problema?

3 Provas do utilitarismo

1) Qual é a prova utilitarista teológica do utilitarismo? Será que convenceria alguém que não acreditasse em Deus? Será que convenceria alguém que acreditasse em Deus?

2) O que a prova do utilitarismo de Bentham pretende provar? Quais são os seus pressupostos filosóficos? Será que a prova contém alguma suposição oculta ou controversa? Será que há alguma alternativa saliente que Bentham não considere? Será que a sua prova é bem-sucedida? (Agora responda a essas mesmas questões em relação a Mill, Sidgwick e Hare.)

3) O que é o prescritivismo universal? Será que se trata de uma explicação plausível do significado dos termos morais? Será que implica o utilitarismo?

4) Por que se acredita que cada um dos seguintes personagens é uma ameaça à moralidade: o cético, o niilista, o amoralista, o egoísta psicológico, o egoísta ético? Será que estes personagens realmente existem? Será que as suas posições são compatíveis com a moralidade? Importa que elas não sejam?

5) Em que consiste o método do equilíbrio reflexivo? Se você estivesse praticando o equilíbrio reflexivo, onde você começaria? Como é que este método difere do intuicionismo que Mill e Sidgwick rejeitaram no século XIX? O equilíbrio reflexivo é compatível com o utilitarismo?

4 Bem-estar

1) O que os utilitaristas entendem por *bem-estar*? É o mesmo que *felicidade, assistência social* ou *utilidade*? Será que alguma dessas palavras significa para os utilitaristas o mesmo que

na vida real? Será que o bem-estar é um conceito do qual precisamos se quisermos pensar acerca da moralidade? (Tente se imaginar pensando sobre a moralidade sem nunca utilizar este conceito.)

2) O que é o *hedonismo*? O que é o *prazer*? Essas palavras significam para os utilitaristas o mesmo que significam na vida real? Será o prazer algo fisiológico, algo que se sente, ou algo que se gosta? (Ou tudo isso?) Será que a plausibilidade do hedonismo depende de como definimos o prazer?

3) Será que o prazer é sempre bom para uma pessoa? E quanto aos prazeres sádicos? Tente imaginar um prazer que seja *intrinsecamente* ruim para a pessoa.

4) Será que o prazer é o único componente do bem-estar? Ou alguns prazeres são melhores do que outros, *por outros motivos que não a intensidade do prazer*? É melhor ser um porco satisfeito ou um Sócrates decepcionado?

5) É sensato optar pela vida na máquina de experiência de Nozick? Será que essa vida é melhor ou pior do que a vida no mundo real? Qual você preferiria? Qual você recomendaria a um amigo? Se você tivesse que escolher para o seu amigo, qual você escolheria?

6) É sempre bom (para você) conseguir o que quer? Existe alguma referência cuja satisfação não melhore o bem-estar da pessoa? (Considere os seguintes casos: desejos inúteis, querer o que é ruim para si, autossacrifício, desejos por coisas além dos limites da vida.)

7) Qual é a restrição aos *desejos egoístas*? Ela pode salvar a teoria da preferência?

8) Qual é a distinção entre a *realização* de um desejo e a sua *satisfação*? Será que esta distinção pode salvar a teoria da preferência?

9) Pode a realização póstuma de um desejo melhorar o bem-estar de uma pessoa? Será que melhora a sua vida? O que a sua resposta lhe diz acerca da plausibilidade da teoria da preferência?

10) Suponha que você aceite que o bem-estar dependa inteiramente da satisfação do desejo. Como o valor de uma vida humana inteira se relaciona com a satisfação de desejos individuais? Será que eu melhoro a sua vida se lhe der um novo desejo e então satisfazê-lo? Será que a resposta dependerá do objeto do desejo? (Compare estender os desejos de uma pessoa através da educação com torná-la dependente de uma droga.)

11) Em que consiste a teoria do bem-estar da *lista objetiva*? Em que difere do hedonismo e da teoria da preferência? Será que evita os problemas enfrentados por aquelas duas teorias?

12) Quais itens você incluiria em uma lista de componentes do bem-estar? Como você justificaria cada item em sua lista para alguém que os rejeitasse? Será que cada item é bom para você mesmo que você não o queira? Será que cada item é bom para você mesmo que você não o aprecie? Será que a sua lista reflete os seus próprios valores culturais ou preconceitos? Como você pode justificá-la para alguém de uma cultura muito diferente?

13) Como passamos de uma lista de itens valiosos à avaliação de vidas humanas inteiras? Será que a melhor vida tem mais de cada item valioso? Será que uma boa vida deve incluir cada item da sua lista?

14) Qual é a melhor teoria do bem-estar? Por quê?

15) Será que a felicidade *humana* é o único valor? Será que a *felicidade* é o único valor? Há alguma diferença moralmente significativa entre os humanos e os outros animais? Se houver, será que as nossas três teorias do bem-estar capturam e respeitam essas diferenças?

5 Injustiça e exigências

1) Leia os 14 contos de injustiça e exigências descabidas das p. 133-138. Qual conto (ou contos) você acha que representa a mais séria ameaça ao utilitarismo? Por quê? Em geral, os contos de injustiça são mais ou menos problemáticos para o utilitarismo do que os contos de exigência?

2) (Para as questões 2 e 3, enfoque o(s) conto(s) que você selecionou na questão 1.) Por que você acha que o utilitarismo ofereça a resposta errada neste conto? Será que ignora uma crucial distinção moralmente relevante, ou uma característica crucial das pessoas humanas? Se assim o for, qual distinção (ou distinções) ou característica(s)?

3) Qual seria o desafio mais poderoso que um utilitarista poderia opor às suas intuições contrautilitaristas? Como você poderia defender a sua intuição? Quais são as origens da sua intuição? Uma reflexão sobre essas origens mina a sua confiança nessa intuição particular? Será que essa reflexão mina a sua confiança geral nas suas intuições morais?

4) O que é *extremismo*? Trata-se de uma resposta plausível às objeções de injustiça e exigência ao utilitarismo?

5) Qual é a sua abordagem não utilitarista favorita da moralidade? (Esta pode ser uma teoria moral completamente desenvolvida, mas não precisa sê-lo.) Será que evita as objeções de injustiça e exigência? (Teste isso aplicando a sua abordagem dos 14 contos das p. 133-138.) Será que a sua abordagem tem outras implicações contraintuitivas? Se assim o for, será que estas são mais ou menos preocupantes do que os problemas que o utilitarismo enfrenta?

6) Considere os 14 contos, um de cada vez. Em cada caso, quão plausível seria negar que o utilitarismo produza o resultado supostamente contraintuitivo? (Por exemplo, é plausível negar que

um xerife utilitarista enforcaria uma pessoa inocente no primeiro conto?) Pode esta estratégia de negação fornecer uma resposta completa às acusações de injustiça e exigência ao utilitarismo?

7) Encontre um conto no qual o utilitarismo possa evitar o suposto resultado contraintuitivo repensando o valor, e um no qual não possa fazê-lo. Agora realize a mesma tarefa para cada forma específica de repensar o valor: repensar o bem-estar, repensar a resposta utilitarista ao bem-estar e repensar a distribuição.

6 Atos, regras e instituições

1) O que é o *utilitarismo de atos*? Será que é autodestrutivo? Será que isso é uma objeção ao utilitarismo de atos?

2) Qual é a distinção entre um *critério de correção* e um *procedimento decisório*? Será que os utilitaristas podem usar esta distinção para evitar as objeções de injustiça e de exigência?

3) O que é o *utilitarismo indireto*? Como ele difere do utilitarismo de atos?

4) Será que um utilitarista indireto pisaria na grama se ninguém mais o fizesse? E se todos o fizessem? Será que o utilitarismo indireto é *individualmente* autodestrutivo? Será que é coletivamente autodestrutivo?

5) Será que o utilitarismo indireto pode evitar com êxito as objeções de injustiça e exigência?

6) O que é o *utilitarismo de regras*? Como ele difere do utilitarismo de atos, e do utilitarismo indireto?

7) Será que o utilitarismo de regras é culpado de adoração à regra? Será que isso é uma objeção à teoria?

8) Será que o utilitarismo de regras consegue lidar com situações de cumprimento parcial generalizado?

9) Será que o utilitarismo de regras colapsa no utilitarismo de atos ou no utilitarismo indireto?

10) Será que o utilitarismo de regras evita com sucesso as objeções de injustiça e de exigência? Quer as evite completamente ou não, o utilitarismo de regras lida melhor ou pior com essas objeções do que o utilitarismo indireto?

11) Será que o utilitarismo de regras poderia ajudá-lo a decidir quanto dinheiro doar à caridade? Mais genericamente, será que o utilitarismo de regras poderia ajudá-lo a dirigir a sua própria vida?

12) O que é o *utilitarismo institucional*? Como difere do utilitarismo de atos; do utilitarismo indireto, e do utilitarismo de regras?

13) Será que o utilitarismo institucional evitará eficazmente as objeções de injustiça e exigência? Quer as evite completamente ou não, o utilitarismo institucional lida melhor ou pior com essas objeções do que o utilitarismo indireto ou o de regras?

7 Consequencialismo

1) O que é o *consequencialismo*? Como se relaciona com o utilitarismo? Pode alguém ser um consequencialista sem ser um utilitarista, e vice-versa?

2) Será que há algum bom argumento em defesa do consequencialismo?

3) Com o que se pareceria uma forma não utilitarista de consequencialismo? Trata-se de uma teoria plausível? É mais plausível do que formas utilitaristas de consequencialismo?

4) O que é o *consequencialismo simples*? Quais são as suas cinco características? Considere as várias formas de utilitarismo apresentadas no capítulo 6. Qual destas representa divergências do consequencialismo simples, e de que maneiras?

5) O que é o consequencialismo de satisfação? Como se distingue do consequencialismo simples?

6) O consequencialismo de satisfação consegue efetivamente evitar as objeções de injustiça ou exigência? Quer as evite completamente ou não, será que o consequencialismo de satisfação lida com essas objeções melhor ou pior do que o consequencialismo simples?

7) Qual é a distinção entre *prerrogativas centradas* no agente e *restrições centradas no agente*? Como Scheffler incorpora esta distinção em sua *visão híbrida*? Como a visão híbrida se diferencia do consequencialismo simples? Como se diferencia do consequencialismo de satisfação?

8) Será que a visão híbrida evita efetivamente as objeções de injustiça e de exigência? Quer as evite completamente ou não, será que a visão híbrida lida com essas objeções melhor ou pior do que o consequencialismo simples ou o de satisfação?

9) Qual é a diferença entre *promover* e *honrar* o valor? Qual destas duas respostas ao valor é mais importante? São ambas independentemente moralmente importantes, ou uma pode ser explicada nos termos da outra?

10) Como a *ética kantiana* difere do consequencialismo? Pode a ética kantiana efetivamente evitar as objeções de injustiça e de exigência? Será que a ética kantiana é mais ou menos plausível do que o consequencialismo? Discuta com referência a cada uma das formas de consequencialismo discutidas neste capítulo. (Você também pode comparar a ética kantiana a cada uma das várias formas de utilitarismo apresentadas no capítulo 6.)

11) Existe alguma outra resposta ao valor, distinta tanto da promoção quanto da honra? Será que uma teoria moral baseada em uma dessas respostas alternativas conseguiria efetivamente evitar as objeções de injustiça e de exigência? Será que a teoria resultante seria mais plausível do que tanto a ética kantiana quanto o consequencialismo?

12) Será que os utilitaristas clássicos (Bentham, Mill, Sidgwick) foram consequencialistas, no sentido moderno da palavra? Com o que se pareceria uma forma não consequencialista de utilitarismo? Será que essa teoria seria mais plausível do que utilitarismo consequencialista?

8 Praticabilidade

1) Qual é a distinção entre o utilitarismo *atualista* e o *probabilístico*? Qual é a forma mais plausível de utilitarismo? Qual é a mais fácil de aplicar na prática?

2) Será que o utilitarismo deveria ser baseado em probabilidades *objetivas* ou *subjetivas*, ou em ambas? Qual forma de utilitarismo é mais plausível? Qual é mais prática?

3) O que são comparações *intrapessoais* de bem-estar? Será que o utilitarismo exige tais comparações?

4) O que são comparações *interpessoais* de bem-estar? Será que o utilitarismo exige tais comparações?

5) O que são as comparações *cardeais* de bem-estar? Será que o utilitarismo exige tais comparações?

6) Lembre-se das três teorias do bem-estar do capítulo 4. Qual teoria torna mais fácil para o utilitarismo fazer comparações *intra*pessoais de bem-estar; ou fazer comparações *inter*pessoais de bem-estar; ou para fazer comparações *cardeais* de bem-estar? Será que as suas respostas afetam o julgamento a que você chegou, no capítulo 4, sobre a plausibilidade comparativa das três teorias?

7) Lembre-se da distinção entre utilitarismo de atos, indireto, de regras e institucional do capítulo 6. Quais avaliações de bem-estar individual cada uma dessas teorias exige? Quais cálculos das consequências cada teoria exige? Qual forma de utilitarismo está em melhores condições de fazer as avaliações e/ou cálculos

exige? Será que as suas respostas afetam os julgamentos aos quais você chegou, no capítulo 6, acerca da plausibilidade comparativa das quatro versões do utilitarismo?

8) Será que a incerteza dos cálculos utilitaristas diminui ou aumenta a força da defesa utilitarista da liberdade individual, da igualdade ou da democracia? (Você pode se concentrar nos argumentos de J.S. Mill discutidos no capítulo 2, ou nos argumentos de Amartya Sen apresentados no capítulo 8.)

9 O futuro do utilitarismo

1) Será que o utilitarismo pode prover uma ética global estável? Se não, por que não? Se assim o for, o que essa ética diz?

2) Será que o utilitarismo suporta a democracia global? Será que a posição utilitarista é plausível?

3) Com o que se pareceria um parlamento mundial? Quais políticas tal parlamento global aprovaria? Seriam boas políticas? Seriam políticas utilitaristas?

4) Qual é a distinção entre as escolhas das mesmas pessoas e as de diferentes pessoas? É moralmente significativa? Qual é a distinção entre escolhas de mesmo número e de número diferente? Será que o utilitarismo consegue lidar com as escolhas de número diferente?

5) Em que consiste a conclusão repugnante? Trata-se de um problema para o utilitarismo? O que é a melhor solução?

6) Qual é a diferença entre o utilitarismo total e o médio? Quando coincidem? Quando divergem? Qual é a melhor teoria?

7) Em que consiste o utilitarismo focado na pessoa? É melhor do que o utilitarismo não focado na pessoa? Será que o utilitarismo focado na pessoa consegue lidar com as escolhas de pessoas diferentes?

8) Por que Parfit pensa que uma guerra nuclear que mate 100% da humanidade seja muito pior do que uma que mate 99%? Ele está correto? Será que a sua posição é utilitarista?

9) Você compartilha do otimismo de Parfit acerca do futuro da ética não religiosa?

Leituras complementares

1 Introdução

Os melhores lugares para se começar a buscar material complementar e bibliografias atualizadas são duas excelentes enciclopédias online: A *Routledge Encyclopedia of Philosophy* e a *Stanford Encyclopedia of Philosophy*. Ambas são regularmente atualizadas e contêm artigos confiáveis sobre os mais significativos filósofos individuais, bem como sobre a maioria dos tópicos filosóficos importantes.

Algumas boas introduções ao utilitarismo são *Utilitarianism*, de Geoffrey Scarre (Londres: Routledge, 1996); *Contemporary Ethics: Taking Account of Utilitarianism*, de William H. Shaw (Oxford: Blackwell, 1998) e *Utilitarianism and Its Critics*, de Jonathan Glover (Englewood Cliffs, NJ: Prentice Hall, 1990).

Boas introduções à teoria moral em geral incluem *Philosophical Ethics*, de Stephen Darwall (Boulder, CO: Westview, 1998); *Normative Ethics*, de Shelly Kagan (Boulder, CO: Westview, 1998) e *Ethics*, editada por Peter Singer (Oxford: Oxford University Press, 2004). Outro livro da série é também altamente relevante: *Ética da virtude*, de Stan van Hooft.

Uma acessível e controvertida introdução à abordagem utilitarista da ética aplicada é *Practical Ethics*, de Peter Singer (Cambridge: Cambridge University Press, 1993). *Utilitarianism as a Public Philosophy*, de Robert Goodin (Cambridge: Cambridge University Press,

1995), apresenta uma abordagem utilitarista contemporânea da filosofia política. Para saber mais sobre a filosofia política em geral (incluindo um bom capítulo sobre o utilitarismo), cf. *Contemporary Political Philosophy*, de Will Kymlicka (Oxford: Oxford University Press, 2001).

2 O utilitarismo clássico

Os principais textos primários dos autores discutidos no capítulo 2 são: *The Principles of Moral and Political Philosophy* (1786), de William Paley; *Political Justice* (1793), de William Godwin; *A Fragment on Government* (1776) e *An Introduction to the Principles of Morals and Legislation* (1789), de Jeremy Bentham; *System of Logic* (1843), *Principles of Political Economy* (1848), *On Liberty* (1859), *Considerations on Representative Government* (1861) e *Utilitarianism* (1861), de J.S. Mill; e *The Methods of Ethics* (1874), de Henry Sidgwick. Muitas dessas obras estão disponíveis online – seja gratuitamente na internet ou através da biblioteca da sua universidade. As citações no texto são das seguintes edições ou fontes: *Bentham*, de Ross Harrison (Londres: Routledge, 1983); *Ethics*, editada por Peter Singer (Oxford: Oxford University Press, 2004); *On Liberty*, de J.S. Mill (editada por Gertrude Himmelfarb, Harmondsworth: Penguin Books, 1974); *Utilitarianism*, de J.S. Mill (editada por Roger Crisp, Oxford: Oxford University Press, 1998) e *The Methods of Ethics*, 7. ed., de Henry Sidgwick (Indianápolis, IN: Hackett, 1981).

Boas visões panorâmicas do utilitarismo clássico podem ser encontradas em *Classical Utilitarianism from Hume to Mill*, de Frederick Rosen (Londres: Routledge, 2003); *Utilitarianism*, de Scarre, e *Sidgwick and Victorian Moral Philosophy*, de Jerome Schneewind (Oxford: Oxford University Press, 1977). Sobre as tendências mais amplas na filosofia moral britânica, cf. *English Language Philosophy 1750-1945*, de John Skorupski (Oxford: Oxford University Press, 1993).

Boas visões panorâmicas de filósofos individuais são *Bentham*, de Ross Harrison; *Mill*, de John Skorupski (Londres: Routledge, 1991); *The Cambridge Companion to Mill*, editada por John Skorupski (Cambridge: Cambridge University Press, 1998); *Mill on Utilitarianism*, de Roger Crisp (Londres: Routledge, 1997); *Mill On Liberty*, de Jonathan Riley (Londres: Routledge, 1998) e *Sidgwick and Victorian Moral Philosophy*, de Schneewind.

A *Autobiography* de Mill (1873) é uma das biografias intelectuais clássicas da língua inglesa, e fornece um relato muito sincero da sua estranha (utilitarista) educação. *Henry Sidgwick: Eye of the Universe*, de Henry Bart Schultz (Cambridge: Cambridge University Press, 2004), fornece um *insight* maravilhoso da vida e dos tempos de Sidgwick, e situa a sua obra em seu contexto histórico e pessoal.

3 Provas do utilitarismo

Para literatura sobre os utilitaristas clássicos e seus antecessores, consulte as leituras complementares sobre o utilitarismo clássico (*Mill*, de Skorupski, p. 285-288, e *Mill's Utilitarianism*, de Crisp, p. 67-94, têm discussões particularmente boas da prova de Mill). A crítica de G.E. Moore a Sidgwick está no *Principia Ethica* (1903).

A apresentação completa das ideias de R.M. Hare está em *Moral Thinking* (Oxford: Oxford University Press, 1981). *Hare and Critics*, de D. Seanor e N. Fotion (Oxford: Oxford University Press, 1988), é uma excelente coleção de artigos que discutem vários aspectos da filosofia moral de Hare.

O clássico expoente moderno da metodologia do equilíbrio reflexivo é John Rawls – conferir referências abaixo. Uma defesa recente muito boa a partir de uma perspectiva utilitarista é *Ideal Code, Real World*, de Brad Hooker (Oxford: Oxford University Press, 2000, p. 4-23). Para críticas utilitaristas ao método, cf. "Famine, Affluence and Morality", *Philosophy and Public Affairs*, 1, 1972,

p. 229-243, de Peter Singer; e *The Limits of Morality*, de Shelly Kagan (Oxford: Oxford University Press, 1989), capítulo 1.

4 Bem-estar

Boas discussões contemporâneas acerca do bem-estar são *Normative Ethics*, p. 29-39, de Kagan; e *Reasons and Persons*, de Derek Parfit (Oxford: Oxford University Press, 1984, p. 493-502). Dois excelentes tratamentos mais abrangentes, a partir de diferentes perspectivas são *Well-being*, de James Griffin (Oxford: Oxford University Press, 1986), e *Perfectionism*, de Thomas Hurka (Oxford: Oxford University Press, 1993). Para uma abordagem mais empírica, conferir os capítulos de abertura de dois livros de Partha Dasgupta: *An Inquiry into Well-being and Destitution* (Oxford: Oxford University Press, 1993) e *Human Well-being and the Natural Environment* (Oxford: Oxford University Press, 2001).

O conto de Robert Nozick sobre a máquina de experiência encontra-se em seu *Anarchy, State, and Utopia* (Oxford: Blackwell, 1974, p. 42-45). As ideias de Singer sobre os animais estão apresentadas em *Animal Liberation* (Londres: Jonathan Cape, 1976) e em *Practical Ethics* (Cambridge: Cambridge University Press, 1993). A defesa de Sen de um desejo universal de liberdade está no capítulo 10 de *Development as Freedom* (Oxford: Oxford University Press, 1999).

5 Injustiça e exigências

As ideias por detrás da maioria dos catorze contos do início do capítulo remontam aos utilitaristas clássicos e além. Duas discussões clássicas das objeções de injustiça e exigência são a apresentação original de Williams da objeção de "integridade" em *Utilitarianism: For and Against*, de Smart e Williams (Cambridge: Cambridge University Press, 1973), e "Famine, Affluence and Morality", de Peter Singer. A discussão original de Rawls sobre a individualidade das pessoas está em *A Theory of Justice* (Oxford: Oxford University Press,

1971, p. 27). Railton apresenta a sua objeção de indiferença em "Alienation, Consequentialism and Morality", *Philosophy and Public Affairs*, 13, 1984, p. 134-171. Para outra discussão recente de questões semelhantes, consulte "Partiality, Favouritism and Morality", *Philosophical Quarterly*, 36, 1986, p. 357-373, de John Cottingham.

As três apresentações clássicas do extremismo citadas no texto são: *The Limits of Morality*, de Kagan; "Famine, Affluence and Morality", de Singer; e *Living High and Letting Die*, de Peter Unger (Oxford: Oxford University Press, 1996). Para críticas, cf. "International Aid and the Scope of Kindness", *Ethics*, 105, 1994, p. 99-127, de Garrett Cullity, e *The Demands of Consequentialism*, de Tim Mulgan (Oxford: Oxford University Press, 2001), capítulo 2.

O reducionismo de Parfit é desenvolvido em *Reasons and Persons*, parte 3. Para a visão de Brink, consulte "Self-love and Altruism", *Social Philosophy and Policy*, 14, 1997, p. 122-157. Christine Korsgaard apresenta um desafio inspirado em Kant à abordagem utilitarista da imparcialidade em "Personal Identity and the Unity of Agency", *Philosophy and Public Affairs*, 18, 1989, p. 101-132.

Eu discuto estratégias de negação mais detidamente em *The Demands of Consequentialism*, capítulo 2. Para discussões da prova do argumento malthusiano, conferir o capítulo 9 de *Development as Freedom*, de Amartya Sen. Para uma discussão utilitarista de regras das implicações do argumento de Malthus, cf. *Ideal Code, Real World*, de Hooker, p. 147-148. O exemplo de Scanlon foi extraído de "Contractualism and Utilitarianism", em *Utilitarianism and Beyond*, editado por Sen e Williams (Cambridge: Cambridge University Press, 1982, p. 103-128). Para uma introdução à lexicalidade, cf. o capítulo 5 de *Well-being*, de Griffin. Uma coleção de discussões mais complexas está em *Incommensurability, Incomparability and Practical Reason*, editado por Ruth Chang (Cambridge, MA: Harvard University Press, 1998).

A ideia básica do utilitarismo negativo tem sido atribuída a Karl Popper. (Cf. "Is Unhappiness More Important Than Happiness?", *Philosophical Quarterly*, 29, 1979, p. 47-55, de James Griffin.) O prioritarismo foi introduzido no debate filosófico recente por Derek Parfit em "Equality and Priority", *Ratio*, 10, 1997, p. 202-221.

6 Atos, regras e instituições

A discussão original de Griffin está em "The Distinction Between Criterion and Decision Procedure: A Reply to Madison Powers", *Utilitas*, 6, 1994, p. 177-182. Para uma discussão mais aprofundada da distinção-chave entre o critério de correção de uma teoria e seu procedimento decisório, consulte *The Demands of Consequentialism*, p. 37-49, de Mulgan.

O mais proeminente defensor contemporâneo do utilitarismo das regras é Brad Hooker. Consulte especialmente *Ideal Code, Real World*; e "Rule Consequentialism" na *Stanford Encyclopedia of Philosophy*. *Morality, Rules and Consequences* (Edinburgh: Edinburgh University Press, 2000), editada por Hooker, Mason e Miller, é uma boa coleção de artigos recentes sobre uma ampla gama de questões relacionadas com o utilitarismo de regras. Para uma ampla gama de objeções ao utilitarismo de regras, consulte o capítulo 3 de *The Demands of Consequentialism*, de Mulgan.

Uma boa defesa recente do utilitarismo institucional é *Utilitarianism as a Public Philosophy*, de Goodin (cf. tb. os trabalhos de Amartya Sen citados abaixo.)

A questão sobre se os utilitaristas clássicos eram utilitaristas de atos, indiretos, de regras, ou institucionais, é altamente controvertida. Veja os trabalhos citados acima em "o utilitarismo clássico", e, especialmente, *Classical Utilitarianism from Hume to Mill*, de Rosen; e *Mill on Utilitarianism*, de Crisp, especialmente o capítulo 5.

7 O consequencialismo

Slote apresenta o seu consequencialismo de satisfação em "Satisficing Consequentialism", *Proceedings of the Aristotelian Society*, supp. vol. 58, 1984, p. 165-176. A apresentação original de Scheffler da visão híbrida está em *The Rejection of Consequentialism* (Oxford: Oxford University Press, 1982). Para uma crítica e literatura suplementar, cf. o meu *The Demands of Consequentialism*, capítulos 5 (Slote) e 6 (Scheffler); e *Future People* (Oxford: Oxford University Press, 2006), capítulo 4 (Scheffler).

O exemplo original de "Foot do bondinho" está em "The Problem of Abortion and the Doctrine of Double Effect", reimpresso em *Ethics: Problems and Principles* (Nova York: Holt, Rinehart & Winston, 1992), editada por Fischer e Ravizza, que contém várias discussões mais recentes. Para uma crítica utilitarista dos casos do bondinho, cf. *Living High and Letting Die*, capítulo 4, de Unger.

A objeção do fazer/permitir à visão híbrida é apresentada por Shelly Kagan em "Does Consequentialism Demand Too Much?", *Philosophy and Public Affairs*, 13, 1984, p. 239-254. Scheffler responde em "Prerogatives without Restrictions", *Philosophical Perspectives*, 6, 1992, p. 377-397. Há uma vasta bibliografia sobre a distinção fazer/permitir. Uma maneira de se introduzir ao debate seria contrastando as abordagens dos dois principais teóricos contemporâneos da distinção particular entre matar e deixar morrer: Francis Kamm (cf. *Morality, Mortality*, vols. 1 e 2 (Oxford: Oxford University Press, 1994 e 2001)) e Jeff McMahan (cf. *The Ethics of Killing* (Oxford: Oxford University Press, 2002)).

A terminologia promover *versus* honrar é introduzida por Philip Pettit. (cf. "The Consequentialist Perspective" in Baron, Pettit and Slote, *Three Methods of Ethics* (Oxford: Blackwell, 1997, p. 92-174). O restante deste livro também fornece uma introdução muito boa à ética kantiana e à da virtude.)

Para a mais acessível abordagem kantiana da filosofia moral, cf. a sua *Fundamentação da metafísica dos costumes*. Uma excelente introdução histórica a temas contemporâneos na ética kantiana é "Autonomy, Obligation, and Virtue", de Schneewind, em *The Cambridge Companion to Kant* (Cambridge: Cambridge University Press, 1992, p. 309-341), editado por P. Guyer. O mais famoso teórico contemporâneo inspirado por Kant é John Rawls, cujo liberalismo político deve muito a Kant. "John Rawls", de Samuel Freeman, na *Routledge Encyclopedia of Philosophy*, é uma excelente introdução. O texto clássico de Rawls é *Uma Teoria da Justiça*. As suas obras posteriores mais significativas são *Political Liberalism* (Nova York: Columbia University Press, 1993) e *The Law of Peoples* (Cambridge, MA: Harvard University Press, 1999). Uma proeminente teoria moral moderna em uma tradição amplamente kantiana é o "contratualismo" de T.M. Scanlon – cf. o seu *What We Owe to Each Other* (Cambridge, MA: Harvard University Press, 1998).

Sobre outras respostas ao valor, conferir *Entendendo a ética das virtudes*, de Van Hooft, nesta coleção.

8 Praticabilidade

O mais famoso expoente do maximin é John Rawls, embora ele só o defenda no cenário altamente artificial da sua Posição Original. (Cf. *A Theory of Justice*, de Rawls, p. 152-161.) Uma crítica utilitarista influente do uso do maximin mesmo neste contexto limitado está em "Can the Maximin Principle Serve as a Basis for Morality?", *American Political Science Review*, 69, 1975, p. 594-606, de J. Harsanyi.

A distinção entre escalas ordinais e cardinais é muito comumente usada em economia, e qualquer bom livro de economia conterá explicações técnicas confiáveis. Duas acessíveis aplicações recentes de ideias relacionadas à ética são *Weighing Goods* (Oxford: Oxford University Press, 1991) e *Weighing Lives* (Oxford: Oxford University Press, 2004), ambas de John Broome.

Para as tentativas recentes de aplicar o utilitarismo de regras e o institucional ao mundo real, cf. *Ideal Code, Real World*, de Hooker; e *Utilitarianism as a Public Philosophy*, de Goodin.

Assim como a maior parte da ciência contemporânea, o melhor lugar para se obter informações suplementares sobre a ciência emergente da psicologia positiva é através da internet. Dois bons lugares para começar seriam o Centro de Psicologia Positiva da Universidade da Pensilvânia e o *Journal of Positive Psychology* (publicado pela Routledge).

Para os pontos de vista de Mill sobre a liberdade, a igualdade e a democracia, cf. as referências acima na seção sobre o utilitarismo clássico. *Development as Freedom*, de Sen, e *Human Well-being and the Natural Environment*, de Dasgupta, fornecem extensas referências para os debates atuais. Um excelente sumário recente da (falta de) evidência empírica disponível sobre as vantagens comparativas das formas majoritária e constitucional de democracia é *The Moral Foundations of Politics* (New Haven, CT: Yale University Press, 2003), de Ian Shapiro.

9 O futuro do utilitarismo

Peter Singer apresenta o seu utilitarismo global em *One World* (Melbourne: Text Publishing, 2002). Thomas Pogge oferece uma crítica semelhante – embora não de um ângulo explicitamente utilitarista – em *World Poverty and Human Rights* (Cambridge: Polity, 2002).

O texto clássico para a discussão contemporânea das obrigações para com as gerações futuras é a parte 4 de *Reasons and Persons*, de Parfit, que continua a ser o melhor lugar para se começar. Um bom conjunto recente de discussões sobre a conclusão repugnante é *The Repugnant Conclusion* (Dordrecht: Kluwer, 2004), editado por Ryberg e Tannsjo. Uma proeminente defensora contemporânea do utilitarismo focado na pessoa é Melinda Roberts (cf. o seu "A New Way of Doing the Best We Can", *Ethics*, 112, 2002, p. 315-350, e *Child versus Childmaker* (Lanham, MD: Rowman & Littlefield, 1998)). Para uma defesa recente de intuições focadas na pessoa a partir de uma perspectiva não utilitarista, cf. "Who Can Be Wronged?", *Philosophy and Public Affairs*, 31, 2003, p. 99-118, de Kumar. Para uma discussão de abordagens consequencialistas moderadas das gerações futuras, enfocando especialmente o utilitarismo de regras, conferir o meu *Future People*.

Índice

amizade 122, 163-166
animais não humanos 130-132, 249
Aristóteles 84
autoderrotismo 162-165, 167, 177, 251
autonomia 120-122, 125, 196

bem-estar 18-21, 24-26, 34-39, 41-46, 51, 88-132, 212, 227, 245, 247-249, 254, 260
Bentham, J. 8, 15-31, 33-36, 39s., 42s., 46, 49s., 64, 69s., 73, 78, 180s., 204, 219, 245s., 254, 258
  crime e castigo 26-29
  panóptico 27
  princípio de utilidade 17-26, 245
  sobre a moralidade pessoal 30
  sobre política 29s.
  vida e tempos 16s.
Blackstone, W. 22
Brink, D. 147, 261

cardinal e ordinal 220s., 254
Carlyle, T. 35
ceticismo 17, 58, 66, 72, 78, 218, 247

Coleridge, S.T. 43
comparação
  interpessoal 216-221, 228, 254s.
  intrapessoal 212-216, 228, 254s.
conclusão repugnante 234-239, 243, 255, 265
consequencialismo 180, 183-196, 203-205, 236, 252
  não utilitarianismo 185-188, 251
  satisfação 188-191, 205, 252, 263
  visões híbridas 192-195, 205, 253, 263
conto(s)
  das réplicas 131, 135, 155-158
  das rochas 83, 148
  do arcebispo e da camareira 15, 134
  do bondinho 134, 150, 160, 190, 197, 263
  do torturador 134, 151, 160
  do xerife 11, 133, 150s., 186
  dos cristãos e dos leões 93s., 135, 150, 156
Cottingham, J. 140, 261
Crisp, R. 32, 95, 259, 262
critério de correção (*versus* procedimento decisório) 163-165, 181s., 188, 195, 251
Cullity, G. 145, 261

Darwin, C. 74
Dasgupta, P. 228, 265
Da Vinci, L. 105
democracia 29s., 46s., 226-228, 230-233, 255
Deus 15, 21, 38, 53, 55-57, 68, 121-123, 200, 247
distinção fazer/permitir 139, 190, 193, 205, 263
dualismo da razão prática 54-64, 247

economia 24, 45, 104, 208s., 220-225
  cf. tb. praticabilidade; bem-estar, teoria da preferência; incer- incerteza
egoísmo 51-56, 59-65, 78, 143, 248
  cf. tb. hedonismo
empirismo psicológico 16, 31, 33, 37, 57, 64, 245s.
equilíbrio reflexivo 81-87, 247
ética global 229-233, 242s., 255

felicidade, cf. bem-estar

Gauthier, D. 61
gerações futuras 233-243, 255s.
Godwin, W. 15, 134, 203, 258
Goodin, R. 179, 257, 262, 265
Green, T.H. 56, 62, 147
Griffin, J. 120s., 164, 260-262

Hare, R.M. 75-81, 87, 184, 247, 259
hedonismo 18, 20, 24, 35-37, 51, 54, 88-102, 107, 119, 124, 132, 155, 215, 217, 245, 248
  ético, cf. bem-estar
  psicológico 24-29, 245
  cf. tb. egoísmo
Hegel, G.W.F. 43, 56, 147
Hobbes, T. 61
Hooker, B. 168s., 177, 259, 261, 265
Hurka, T. 53, 123, 260

igualitarismo 158-161
imparcialidade 77-80, 181, 185, 187, 201
incerteza 206-208, 253-256
individualidade das pessoas 34, 138-142, 146, 193, 204s., 260

Kagan, S. 82, 120, 143, 257, 260, 263
Kant, I. 13, 43, 50, 53, 57, 84, 147, 196-202, 253, 263
Korsgaard, C. 147, 261

liberdade 41-47, 225-227, 230, 246, 255
Locke, J. 61

Malthus, R. 152
máquina de experiência 98-103, 112, 132, 248
medição 211-226
Mill, J.S 7, 30-51, 62-64, 71-73, 78, 95s., 121s., 147, 180, 204, 219, 225-227, 231, 246s., 254s., 258
  a prova do utilitarismo 32-34, 70-74
  a vida e os tempos 29-32
  sobre a democracia 46-48
  sobre a justiça 39-41
  sobre a liberdade 41-47
  sobre a moralidade costumeira 38-40
  sobre o prazer 33-38, 94-98
  sobre o *status* das mulheres 48
Moore, G.E. 33, 50, 128s., 184, 259
moralidade costumeira 38-40, 50-54, 74, 142-146, 166, 177s.

Nagel, T. 144
Nozick, R. 98-102, 180, 260

objeção
  de exigência 55, 133-153, 157s., 160s., 165, 175-180, 185-196, 201, 231-234s., 250-254, 260
  de injustiça 133-139, 144, 165, 175-178, 185-202, 235, 250-253, 260

Paley, W. 14, 21, 38, 258
Parfit, D. 120, 146, 233-242, 256, 262, 265

paternalismo 42, 102s., 124, 132
Platão 68
praticabilidade 206-228, 254-256
prazer, cf. bem-estar, hedonismo
prazer sádico 94s., 107, 156, 248
prazeres, superior e inferior 35-38, 94-98, 246
preferência, cf. bem-estar
prejuízos póstumos 108-115, 249
prioritarismo 159-161
probabilidades 207-212, 219, 228, 254

Railton, P. 141, 261
Rawls, J. 11, 53, 81, 87, 139, 147, 180, 204, 259s., 264
relativismo cultural 124-127, 132
resultados calculadoramente elusivos 162-164
Russell, B. 57

Sagan, C. 105
Scanlon, T.M. 63, 157, 261
Scheffler, S. 191-196, 253, 263
Sen, A. 125, 227, 255, 260-262, 265
Sidgwick, H. 49-66, 73-75, 77, 87, 128, 175, 184, 200, 242, 246, 254, 258
  a vida e os tempos 48-50
  contraste com Bentham e Mill 49-51
  dualismo da razão prática 54-64
  e intuicionismo e 51-54
  pesquisa psíquica 58-60, 63s.
Singer, P. 82, 130, 143-146, 232, 257, 260, 265
Slote, M. 188s., 263

Smith, A. 27
Sófocles 116

Taylor, H. 31
teoria
  da lista objetiva 89, 119-128, 132, 214-216, 249
  da preferência 89, 101-120, 127, 131s., 214, 217, 248
universalizabilidade 71-80, 170
utilidade, cf. bem-estar
utilitarismo
  clássico, cf. Bentham; Mill, J.S.; Sidgwick
  de atos 162-167, 170, 173-175, 179-183, 251, 254
  de dois níveis 78-81
  de regras 168-183, 203, 223-226, 236-241, 251, 254
  indireto 164-168, 171-178, 181s., 183, 203, 251, 254
  institucional 179-183, 240, 252, 254
  média 233-239, 243, 255
  negativo 157s.
  não maximizador 204, 218-220, 226
  provas do 32-34, 66-87, 246s., 259
  que afeta pessoa 238-243, 255, 266
  teológico 15, 38, 67-69, 247
  total 234-238, 243, 255
valor lexical 154, 159s., 185s.

valor
  expressar 202s.
  honrando 195-202, 205, 253
  promovendo 183-185, 188, 202, 253

Williams, B. 51, 54, 140, 164, 260

SÉRIE pensamento moderno

VEJA A SÉRIE COMPLETA EM

livrariavozes.com.br/colecoes/serie-pensamento-moderno

LEIA TAMBÉM:

Coleção Chaves de Leitura

Coordenador: Robinson dos Santos

A Coleção se propõe a oferecer "chaves de leitura" às principais obras filosóficas de todos os tempos, da Antiguidade Grega à Era Moderna e aos contemporâneos. Ela se distingue do padrão de outras introduções por ter em perspectiva a exposição clara e sucinta das ideias-chave, dos principais temas presentes na obra e dos argumentos desenvolvidos pelo autor. Ao mesmo tempo, não abre mão do contexto histórico e da herança filosófica que lhe é pertinente. As obras da Coleção Chaves de Leitura não pressupõem um conhecimento filosófico prévio, atendendo, dessa forma, perfeitamente ao estudante de graduação e ao leitor interessado em conhecer e estudar os grandes clássicos da Filosofia.

Coleção Chaves de Leitura:

- *Fundamentação da metafísica dos costumes – Uma chave de leitura*
  Sally Sedgwick

- *Fenomenologia do espírito – Uma chave de leitura*
  Ralf Ludwig

- *O príncipe – Uma chave de leitura*
  Miguel Vatter

- *Assim falava Zaratustra – Uma chave de leitura*
  Rüdiger Schmidt e Cord Spreckelsen

- *A república – Uma chave de leitura*
  Nickolas Pappas

- *Ser e tempo – Uma chave de leitura*
  Paul Gorner

Conecte-se conosco:

facebook.com/editoravozes

@editoravozes

@editora_vozes

youtube.com/editoravozes

+55 24 2233-9033

www.vozes.com.br

Conheça nossas lojas:

www.livrariavozes.com.br

Belo Horizonte – Brasília – Campinas – Cuiabá – Curitiba
Fortaleza – Juiz de Fora – Petrópolis – Recife – São Paulo

EDITORA VOZES

VOZES NOBILIS

Vozes de Bolso

Vozes Acadêmica

EDITORA VOZES LTDA.
Rua Frei Luís, 100 – Centro – Cep 25689-900 – Petrópolis, RJ
Tel.: (24) 2233-9000 – E-mail: vendas@vozes.com.br